MAGNUS CHASE
e os DEUSES de ASGARD

RICK RIORDAN

MAGNUS CHASE
e os DEUSES de ASGARD

II

O MARTELO DE THOR

Tradução de Regiane Winarski

Copyright © 2016 by Rick Riordan
Edição em português negociada por intermédio de Nancy Gallt Literary
Agency e Sandra Bruna Agencia Literaria, SL.

TÍTULO ORIGINAL
The Hammer of Thor

PREPARAÇÃO
Juliana Werneck

REVISÃO
Beatriz D'Oliveira
Rayana Faria

DIAGRAMAÇÃO
Kátia Regina Silva | Babilonia Cultura Editorial

ILUSTRAÇÕES DAS RUNAS
Michelle Gengaro-Kokmen

ADAPTAÇÃO DE CAPA
Julio Moreira | Equatorium Design

ARTE DE CAPA
SJI Associates, Inc.

ILUSTRAÇÃO DE CAPA
© 2016 John Rocco

CIP-BRASIL. CATALOGAÇÃO NA PUBLICAÇÃO
SINDICATO NACIONAL DOS EDITORES DE LIVROS, RJ

R452m

Riordan, Rick, 1964-
　O martelo de Thor / Rick Riordan ; tradução Regiane Winarski.
– 1. ed. – Rio de Janeiro : Intrínseca, 2016.

　400 p. ; 23 cm. (Magnus Chase e os deuses de Asgard ; 2)

　Tradução de: The Hammer of Thor
　ISBN 978-85-510-0070-0

1. Ficção infantojuvenil americana. I. Winarski, Regiane.
II. Título. III. Série.

16-35064　　　　　　　　　　　　　　　　　CDD: 028.5
　　　　　　　　　　　　　　　　　　　　　　CDU: 087.5

[2016]

Todos os direitos desta edição reservados à
EDITORA INTRÍNSECA LTDA.
Av. das Américas, 500, bloco 12, sala 303
22640-904 – Barra da Tijuca
Rio de Janeiro – RJ
Tel./Fax: (21) 3206-7400
www.intrinseca.com.br

Para J. R. R. Tolkien,
que abriu as portas do mundo da mitologia nórdica para mim

SUMÁRIO

1. Que tal não matar meu bode? — 11
2. A cena padrão de perseguição no telhado envolvendo espadas falantes e ninjas — 20
3. Meus amigos decidem não me contar nada para minha própria proteção. Valeu, gente — 27
4. Sou atropelado por um guepardo — 34
5. Minha espada tem uma vida social mais agitada que a minha — 42
6. Adoro sopa de doninha — 49
7. Você já precisou lidar com *lindwyrms*? — 53
8. Sou salvo da morte certa ao ser morto — 59
9. Nunca tome banho de banheira com um deus decapitado — 63
10. O luau viking mais estranho do mundo — 70
11. O que um cara precisa fazer para ser aplaudido de pé? — 76
12. Com quem será, com quem será, com quem será que a Sam vai *conversar*? — 84
13. Relaxe, é só uma profeciazinha de morte — 91
14. Pode chorar rios de sangue. Pensando bem, melhor não — 98
15. Todos a favor do massacre de Magnus digam *sim* — 105
16. Hearthstone desperta sua alma bovina — 113
17. Tio Randolph entra na minha lista negra PRA VALER — 117
18. Preciso aprender muito mais palavrões em linguagem de sinais — 124
19. Devo ficar nervoso porque nossa piloto está rezando? — 131
20. Em caso de possessão demoníaca, sigam as luzes de emergência até a saída mais próxima — 139
21. Os encrenqueiros levarão tiros, serão presos e levarão ainda mais tiros — 146

22.	Tenho quase certeza de que o pai de Hearthstone é um alienígena abdutor de vacas	152
23.	É, o outro carro dele é mesmo um óvni	157
24.	Ah, você quer respirar? Pague mais três moedas	164
25.	Hearthstone, o destruidor de corações	170
26.	Nós explodimos todos os peixes	175
27.	Me largue agora, ou eu faço você ficar bilionário	183
28.	E, se você comprar agora, também vai receber esse anel amaldiçoado!	190
29.	Um nøkkaute	199
30.	Além do arco-íris há coisas esquisitas acontecendo	206
31.	Heimdall tira selfie com todo mundo	216
32.	Godzilla me manda uma mensagem importante	225
33.	Pausa para um falafel? Sim, por favor	230
34.	Faço uma visita ao meu mausoléu favorito	236
35.	Temos um probleminha	242
36.	Resolvendo problemas com muito estilo	250
37.	Marshmallow de falafel na fogueira	254
38.	Vocês nunca, nunquinha, vão adivinhar a senha do Blitzen	262
39.	Elvis deixou a bolsa de boliche	268
40.	O Pequeno Billy mereceu	274
41.	Na dúvida, transforme-se em um inseto	283
42.	Ou então você pode brilhar muito. Isso também funciona	290
43.	Você fica usando a palavra *ajuda*. Acho que ela não quer dizer o que acha que quer dizer	295
44.	Somos honrados com runas e cupons	302
45.	Marias-chiquinhas nunca pareceram tão apavorantes	309
46.	Lá vem a noiva e/ou a assassina	316
47.	Nos preparando para o combate no estilo discoteca	321
48.	Todos a bordo do Expresso Mexicano	329
49.	Thrym!	336
50.	Um pouco de veneno refrescante no rosto, senhor?	343
51.	Oi, paranoia, como vai?	351

52.	Meu tio consegue algumas *backing vocals*	357
53.	Hora do martelo! (Alguém tinha que dizer isso)	364
54.	Os esquilos na janela podem ser maiores do que parecem	372
55.	Margaridas em formato de elfo	379
56.	Vamos tentar outra vez essa coisa de "encontro para um café"	385
57.	Cobro alguns favores	389
	Glossário	393

UM

Que tal não matar meu bode?

UMA LIÇÃO: SE VOCÊS LEVAREM uma valquíria para tomar café, vão acabar tendo que pagar a conta e ainda lidar com um cadáver.

Eu não via Samirah al-Abbas havia quase seis semanas, então, quando ela ligou de repente e disse que precisávamos conversar sobre uma questão de vida ou morte, eu concordei na hora.

(Tecnicamente, já estou morto, o que quer dizer que todo esse papo de *vida ou morte* não se aplica a mim, mas... Sam parecia nervosa ao telefone.)

Ela ainda não tinha chegado ao Thinking Cup da rua Newbury quando eu entrei. O café estava lotado, como sempre, então fui para a fila do balcão. Alguns segundos depois, Sam apareceu voando (literalmente) sobre a cabeça dos outros clientes.

Ninguém se importou. Mortais comuns não processam elementos mágicos direito, o que é ótimo, porque senão a população de Boston passaria boa parte do tempo correndo de gigantes, trolls, ogros e einherjar carregando machados e *lattes*.

Sam pousou ao meu lado. Ela usava tênis brancos, calça cáqui, uma camisa de manga comprida azul-marinho com a logo da King Academy e um hijab verde cobrindo o cabelo. Tinha também um machado pendurado no cinto. Eu tinha quase certeza de que o machado não fazia parte do código de vestimenta da escola.

Por mais que eu tenha ficado feliz em vê-la, reparei que a pele embaixo de seus olhos estava mais escura do que o normal. Sam parecia exausta.

— Oi — falei. — Você está péssima.

— É bom ver você também, Magnus.

— Não, quer dizer... não é péssima, tipo, *diferente do normal*. Você parece exausta.

— Quer que eu pegue uma pá para você cavar esse buraco mais fundo?

Levantei as mãos em rendição.

— Por onde você andou no último mês e meio?

Os ombros dela se retesaram.

— Estou cheia de trabalho este semestre. Estou dando aulas particulares depois da escola. E, como você talvez lembre, tenho meu trabalho de meio período coletando as almas dos mortos e fazendo missões confidenciais para Odin.

— Os jovens e suas agendas lotadas.

— Além disso... tem a escola de pilotos.

— Escola de pilotos? — Nós andamos na fila. — De *avião*?

Eu sabia que Sam pretendia tirar a licença de piloto um dia, mas não que ela já estava tendo aulas.

— Dá para fazer isso aos dezesseis anos?

Os olhos dela brilharam de empolgação.

— Meus avós nunca teriam dinheiro para pagar, mas os Fadlan têm um amigo que gerencia uma escola de voo. Eles convenceram Jid e Bibi...

— Ah. — Eu sorri. — Então as aulas foram um presente de Amir.

Sam ficou vermelha. Ela é a única adolescente que eu conheço que tem um *prometido*, e é fofo como ela fica vermelha quando fala de Amir Fadlan.

— Essas aulas foram um presente tão carinhoso, tão generoso... — Ela deu um suspiro melancólico. — Mas chega de falar disso. Não chamei você aqui para falar sobre minhas atividades. Viemos encontrar um informante.

— Um informante?

— Pode ser a oportunidade que eu estava esperando. Se essa informação for boa...

O celular de Sam vibrou. Ela o tirou do bolso, olhou para a tela e soltou um palavrão.

— Tenho que ir.

— Mas você acabou de chegar.

— Coisa de valquíria. Um possível código 381: morte heroica em andamento.

— Você acabou de inventar isso, não foi?

— Não.

— Então... como é, alguém acha que está para morrer e manda uma mensagem dizendo "Estou morrendo! Preciso de uma valquíria AGORA!" com um monte de emojis tristes?

— Acho que me lembro de levar *sua* alma para Valhala. Você não me mandou uma mensagem.

— Não, mas eu sou especial.

— Pegue uma mesa lá fora — disse ela. — Encontre meu informante. Eu volto assim que puder.

— Eu nem sei quem é seu informante.

— Você vai reconhecê-lo — prometeu Sam. — Seja corajoso. E compre um bolinho para mim.

Ela saiu voando da cafeteria como a Super Muçulmana, me deixando para trás para pagar a conta.

Comprei dois cafés grandes e dois bolinhos e procurei uma mesa do lado de fora.

A primavera chegara cedo em Boston. Ainda havia amontoados de neve suja nos meios-fios como dentes amarelados, mas as cerejeiras estavam cheias de botões brancos e rosados. As vitrines das lojas de grife exibiam roupas floridas em tons pastel. Turistas passeavam, aproveitando o dia ensolarado.

Sentado do lado de fora, confortável com minha calça jeans, camiseta e jaqueta jeans limpas, percebi que aquela seria a primeira primavera em três anos em que eu não era sem-teto.

Em março, eu estava procurando comida no lixo. Dormia debaixo de uma ponte no Public Garden e andava com meus amigos Hearth e Blitz, fugindo da polícia e tentando sobreviver.

Dois meses atrás, eu morri lutando contra um gigante do fogo. Acordei em Valhala como um dos guerreiros einherji de Odin.

Agora, eu tinha roupas limpas. Tomava banho todos os dias. Dormia em uma cama confortável todas as noites. Podia me sentar a essa mesa e comer coisas pelas quais tinha pagado, sem precisar me preocupar em ser expulso.

Desde que eu renasci, me acostumei a muitas coisas esquisitas. Viajei pelos nove mundos e conheci deuses nórdicos, elfos, anões e um bando de monstros com nomes impronunciáveis. Encontrei uma espada mágica, atualmente pendurada no meu pescoço na forma de um pingente de runa. E até tive uma conversa muito louca com minha prima Annabeth sobre os deuses *gregos*, que habitavam Nova York e dificultavam a vida *dela*. Aparentemente, os Estados Unidos estavam infestados de deuses antigos. Era uma verdadeira praga.

Isso eu até conseguia aceitar.

Mas estar de volta a Boston em um belo dia de primavera, andando por aí como um garoto mortal comum?

Isso já era estranho.

Observei os pedestres em busca do informante de Sam. *Você vai reconhecê-lo*, prometera ela. Eu me perguntei que tipo de informação esse cara teria e por que Sam a considerava uma questão de vida ou morte.

Meu olhar foi atraído por uma loja no final do quarteirão. Acima da entrada, a placa de cobre e prata ainda brilhava orgulhosamente: O MELHOR DE BLITZEN. Mas a loja estava fechada. O vidro na porta estava coberto de papel por dentro, com uma mensagem rabiscada com caneta vermelha: *Fechada para reformas. Abriremos em breve!*

Eu andava querendo perguntar a Samirah sobre isso. Não sabia por que meu velho amigo Blitz tinha desaparecido abruptamente. Um dia, algumas semanas atrás, eu tinha passado pela loja e a vira fechada. Desde então, não tive notícias de Blitzen nem de Hearthstone, o que não era típico deles.

Pensar nisso me deixou tão preocupado que só vi nosso informante quando ele estava quase em cima de mim. Sam tinha razão: de certa forma, ele se destacava. Não é todo dia que eu vejo um bode vestindo sobretudo.

Havia um chapéu enfiado entre os chifres curvos e óculos escuros apoiados no focinho. O sobretudo ficava se emaranhando nas patas de trás.

Apesar do disfarce inteligente, eu o reconheci. Já tinha matado e comido a carne daquele bode em outro mundo, e esse tipo de experiência é impossível esquecer.

— Otis.

— *Shhh* — disse ele. — Estou incógnito. Pode me chamar de... *Otis*.

— Não acho que você sabe o que é *incógnito*, mas tudo bem.

Otis, também conhecido como Otis, ocupou a cadeira de Sam. Ele se sentou sobre as patas traseiras e apoiou as da frente na mesa.

— Onde está a valquíria? Ela também está incógnita? — Ele olhou dentro da sacola com os bolinhos, como se Sam pudesse estar escondida ali.

— Samirah teve que ir buscar uma alma. Ela já volta.

— Deve ser bom ter um propósito na vida. — Otis suspirou. — Bem, obrigado pela comida.

— Não é para...

Otis pegou o saco com o bolinho de Sam e começou a comê-lo, com papel e tudo.

Na mesa ao lado, um casal idoso olhou para meu companheiro bode e sorriu. Talvez seus sentidos mortais vissem apenas uma criança fofa ou um cachorro engraçadinho.

— Então... — Tive dificuldade de ficar olhando Otis comer o bolinho, espalhando migalhas pelas lapelas do sobretudo. — Você não tinha alguma coisa para nos contar?

Otis arrotou.

— É sobre meu mestre.

— Thor.

O bode fez uma careta.

— É, ele mesmo.

Se eu trabalhasse para o deus do trovão, também teria feito uma careta ao ouvir seu nome. Otis e seu irmão, Marvin, puxavam a carruagem de Thor. E também forneciam a ele um suprimento eterno de carne de bode. Todas as noites, Thor os matava e comia no jantar. E, todas as manhãs, Thor os ressuscitava. É por isso que vocês devem fazer faculdade: para, quando crescerem, não precisarem aceitar um emprego como o de bode mágico.

— Eu finalmente encontrei uma pista — disse Otis. — Sobre aquele *objeto* que meu mestre perdeu.

— Você está falando do marte...?

— Não diga em voz alta! — avisou Otis. — Mas, sim... *marte*.

Meu pensamento voltou para janeiro, quando conheci o deus do trovão. Foram bons momentos ao redor da fogueira, ouvindo Thor peidar, falar sobre suas séries preferidas, peidar, reclamar sobre o martelo desaparecido — que ele usava para matar gigantes e assistir às suas séries preferidas — e peidar mais um pouco.

— *Ainda* está desaparecido? — perguntei.

Otis bateu com as patas da frente na mesa.

— Bem, não *oficialmente*, claro. Se os gigantes soubessem que Thor está sem o você-sabe-o-quê, eles invadiriam os mundos mortais, destruiriam tudo e me deixariam muito deprimido. Mas, extraoficialmente... sim. Estamos procurando há meses e nada. Os inimigos de Thor estão ficando abusados. Eles sentem a fraqueza. Contei para meu terapeuta que isso me lembra quando eu era jovem e os valentões ficavam me encarando. — Uma expressão distante tomou conta dos olhos amarelos de pupilas estreitas de Otis. — Acho que foi quando meu estresse pós-traumático começou.

Essa seria minha deixa para passar as próximas muitas horas falando com Otis sobre seus sentimentos. Por ser uma pessoa horrível, eu só disse "Entendo sua dor" e mudei de assunto.

— Otis, na última vez que vimos vocês, nós encontramos um belo cajado de ferro para Thor usar nesse meio-tempo. Ele não está exatamente indefeso.

— Não, mas o cajado não é tão bom quanto... *marte*. Não inspira tanto medo nos gigantes. Além do mais, Thor fica mal-humorado quando tenta ver suas séries no cajado. A tela é pequenininha, e a resolução é péssima. Não gosto quando Thor fica mal-humorado. É difícil para mim ficar de boa.

Muitas coisas não faziam sentido: por que Thor teria tanta dificuldade de encontrar o próprio martelo? Como tinha conseguido esconder dos gigantes que perdera sua arma favorita por tanto tempo? E qual seria a ideia que o bode Otis tinha de ficar de boa?

— Então Thor quer nossa ajuda — supus.

— Não oficialmente.

— Claro. Vamos todos ter que usar sobretudos e óculos escuros.

— É uma excelente ideia — disse Otis. — Eu prometi à valquíria que a manteria atualizada, pois ela está encarregada das... você sabe, missões especiais de Odin. Essa é a primeira boa pista que consegui sobre o paradeiro do *objeto*. Minha fonte é confiável. É um bode que vai ao meu terapeuta. Ele ouviu uma conversa no celeiro dele.

— Você quer que a gente siga uma pista baseada em uma fofoca de celeiro que você ouviu na sala de espera do seu terapeuta.

— Sim, seria ótimo. — Otis se inclinou tanto para a frente que tive medo de ele cair da cadeira. — Mas vocês vão ter que tomar cuidado.

Precisei me esforçar muito para não rir. Eu já brinquei de jogar bola de lava com gigantes do fogo. Esquiei em uma águia pelos telhados de Boston. Tirei a Serpente do Mundo do fundo da baía de Massachusetts e derrotei o lobo Fenrir com um pedaço de corda. Agora, esse bode estava me dizendo para tomar cuidado.

— E onde está o *marte*? — perguntei. — Em Jötunheim? Niflheim? Em Thorpeidaheim?

— Engraçadinho. — Os óculos de Otis escorregaram pelo focinho dele. — Mas o *marte* está em um local inusitado e perigoso. Está em Provincetown.

— Provincetown — repeti. — Em Cape Cod.

Eu tinha lembranças vagas de Provincetown. Minha mãe me levou para passar um fim de semana lá, no verão, quando eu tinha uns oito anos. Eu me lembrava de praias, balas de caramelo, sanduíche de lagosta e um monte de galerias de arte. A coisa mais perigosa que encontramos foi uma gaivota com síndrome do intestino irritável.

Otis baixou a voz.

— Há um *draugr* em Provincetown. Na verdade, o dólmen de um *draugr*.

— Droga? Que tipo de droga?

— Não, não. Draugr... — Otis estremeceu. — Bom, um *draugr* é uma criatura morta-viva poderosa que gosta de colecionar itens mágicos. O túmulo de um *draugr* se chama... se chama dólmen. Desculpe, tenho dificuldade de falar sobre *draugrs*. Faz com que eu me lembre do meu pai.

Isso despertou outra série de perguntas sobre a infância de Otis, mas decidi deixá-las para seu terapeuta.

— Há muitos túmulos de vikings mortos-vivos em Provincetown?

— Só um, até onde sei. Mas é o bastante. Se o *objeto* estiver lá, vai ser difícil recuperá-lo: o dólmen é subterrâneo e deve estar protegido por magia poderosa. Você vai precisar dos seus amigos: o anão e o elfo.

Isso seria ótimo se eu soubesse onde meus amigos estavam. Esperava que Sam tivesse mais informações do que eu.

— Por que o próprio Thor não vai dar uma olhada nesse dólmen? — perguntei. — Espere aí... deixe-me adivinhar. Ele não quer chamar atenção. Ou quer nos dar a chance de sermos heróis. Ou é uma trabalheira danada e ele tem muitas séries atrasadas para ver.

— Para ser justo — disse Otis —, a nova temporada de *Jessica Jones* acabou de estrear.

Não é culpa do bode, falei para mim mesmo. *Ele não merece um soco.*

— Tudo bem. Quando Sam chegar, vamos pensar em uma estratégia.

— Não sei se devo esperar com você. — Otis lambeu uma migalha do bolinho da lapela. — Eu devia ter mencionado antes, mas sabe, alguém... ou *alguma coisa*... está me seguindo.

Os pelos da minha nuca se eriçaram.

— Você acha que foi seguido até aqui?

— Não sei — respondeu Otis. — Talvez meu disfarce tenha funcionado.

Ah, que ótimo, pensei.

Olhei a rua, mas não vi suspeitos óbvios.

— Você deu uma boa olhada nessa pessoa/coisa?

— Não — admitiu Otis. — Mas Thor tem muitos inimigos que poderiam tentar nos impedir de recuperar o... você-sabe-o-quê. Não iam querer que eu revelasse informações para você, principalmente essa última parte. Você tem que avisar Samirah que...

TUMP.

Por morar em Valhala, eu estava acostumado a armas mortais surgindo do nada, mas fiquei surpreso ao ver um machado brotar no peito peludo de Otis.

Eu me joguei por cima da mesa para ajudá-lo. Sendo filho de Frey, deus da fertilidade e da cura, consigo fazer uma magia de primeiros socorros bem impressionante, se tiver tempo. Mas assim que toquei Otis, soube que era tarde demais. O machado tinha acertado o coração.

— Ah, droga. — Otis tossiu sangue. — Eu vou... morrer... agora.

A cabeça dele pendeu para trás. O chapéu caiu na calçada. A moça sentada na mesa atrás da nossa gritou, como se só agora tivesse reparado que Otis não era um cachorrinho fofo. Ele era, na verdade, um bode morto.

Observei os telhados do outro lado da rua. A julgar pelo ângulo, o machado devia ter sido jogado de algum lugar lá em cima... Sim. Notei um movimento na hora em que o assassino se escondeu: uma figura vestida de preto usando algum tipo de elmo de metal.

Minha manhã relaxante já era. Puxei o pingente mágico do pescoço e corri atrás do assassino de bodes.

DOIS

A cena padrão de perseguição no telhado envolvendo espadas falantes e ninjas

Eu já devia ter apresentado minha espada.

Jacques, esses são os leitores. Leitores, este é Jacques.

O verdadeiro nome dele é *Sumarbrander*, a Espada do Verão, mas Jacques prefere *Jacques*, sei lá por quê. Quando Jacques decide tirar um cochilo, o que acontece na maior parte do tempo, ele fica em uma corrente no meu pescoço na forma de um pingente marcado com *fehu*, a runa de Frey:

Quando preciso de sua ajuda, ele vira uma espada e mata coisas. Às vezes, Jacques faz isso enquanto eu o empunho. Outras vezes, faz isso voando sozinho e cantando músicas pop irritantes. Ele é mágico assim.

Enquanto eu corria pela rua Newbury, Jacques ganhou forma na minha mão. A lâmina, setenta e cinco centímetros de aço de osso, era entalhada com runas que pulsavam em cores diferentes quando Jacques falava.

— O que está acontecendo? — perguntou ele. — Quem vamos matar?

Jacques alega que não presta atenção às minhas conversas quando está na forma de pingente. Ele diz que fica de fones de ouvido. Não acredito nisso, porque ele não tem fones. E muito menos ouvidos.

— Caçando um assassino — balbuciei, desviando de um táxi. — Bode morto.

— Certo — respondeu a espada. — O mesmo de sempre, então.

Pulei na lateral do prédio da Pearson Publishing. Tinha passado os últimos dois meses aprendendo a usar meus poderes de einherji, então um salto me levou a um patamar três andares acima da entrada principal, e sem dificuldade alguma, mesmo segurando a espada. Depois saltei de peitoril em peitoril pela fachada de mármore branco, incorporando meu Hulk interior, até chegar ao telhado.

Do outro lado, uma silhueta escura e bípede se escondeu atrás de uma fileira de chaminés. O assassino de bodes parecia humanoide, o que descartava bodicídio cometido por outro bode, mas eu já tinha visto o suficiente dos nove mundos para saber que humanoide nem sempre significava humano. Ele podia ser um elfo, um anão, um gigante pequeno ou até um deus do machado. (Por favor, tudo menos um deus do machado.)

Quando cheguei nas chaminés, meu alvo tinha pulado para o telhado do prédio ao lado. Pode não parecer impressionante, mas o prédio ao lado era uma mansão de tijolos marrons a cerca de quinze metros de distância, com um pequeno estacionamento no meio. O assassino de bodes nem sequer teve a decência de quebrar o tornozelo. Ele rolou para amortecer a queda e saiu correndo. Em seguida, pulou por cima da rua Newbury e caiu na torre de uma igreja, a Church of the Covenant.

— Odeio esse cara — falei.

— Como você sabe que é um cara? — perguntou Jacques.

A espada tinha razão. As roupas pretas e largas e o elmo de metal do assassino de bodes tornavam impossível saber seu gênero, mas decidi continuar pensando nele como homem por enquanto. Não sei bem por quê. Talvez tenha achado a ideia de uma assassina de bodes mais assustadora.

Recuei, peguei impulso e pulei na direção da igreja.

Adoraria dizer que caí na torre, botei algemas no assassino e anunciei: *Você está preso por matar um animal da fazenda!*

Mas... bem, a Church of the Covenant tem lindas janelas de vitral feitas pela Tiffany nos anos 1890. No lado esquerdo do santuário, uma janela está com uma rachadura enorme no alto. Foi mal.

Caí no telhado inclinado da igreja e deslizei, agarrando a calha com a mão direita. Pontadas de dor subiram pelos meus dedos. Fiquei pendurado na beirada, com as pernas balançando, chutando o belo vitral bem no Menino Jesus.

O lado bom é que ficar pendurado no telhado salvou minha vida. Quando eu me mexi, um machado veio voando do alto e cortou os botões da minha jaqueta jeans. Um centímetro para o lado e teria empalado meu peito.

— Ei! — gritei.

Costumo reclamar quando as pessoas tentam me matar. Claro, em Valhala, os einherjar estão sempre matando uns aos outros, e somos ressuscitados a tempo para o jantar. Mas, fora de Valhala, eu sou bem matável. Se morresse em Boston, não teria uma segunda chance cósmica.

O assassino de bodes me olhou do topo do telhado. Graças aos deuses, ele parecia ter usado todos os machados. Infelizmente, ainda tinha uma espada. A calça e a túnica eram cobertas de pelo preto. Uma cota de malha manchada de fuligem caía frouxa no peito. O elmo de ferro tinha uma cortina de cota de malha na base — o que, no meio viking, chamamos de almôfar —, cobrindo o pescoço. Suas feições estavam obscurecidas por uma viseira feita para parecer um lobo rosnando.

Claro que tinha que ser um lobo. Todo mundo nos nove mundos ama lobos. As pessoas têm escudos de lobo, elmos de lobo, protetores de tela de lobo, pijamas de lobo e festas de aniversário com decoração de lobo.

Já eu não curto muito lobos.

— Se toca, Magnus Chase. — A voz do assassino soou, indo de soprano a barítono na mesma frase, como se passasse por algum tipo de aparelho de efeitos especiais. — Fique longe de Provincetown.

Os dedos da minha mão esquerda apertaram o cabo da espada.

— Jacques, manda ver.

— Tem certeza? — perguntou Jacques.

O assassino arfou. Por algum motivo, as pessoas ficam chocadas quando descobrem que minha espada pode falar.

— Quer dizer — continuou Jacques —, sei que esse cara matou Otis, mas *todo mundo* mata Otis. Morrer é uma das funções dele.

— Corte a cabeça dele! Faça alguma coisa!

O assassino, que não era burro nem nada, deu meia-volta e fugiu.

— Pega ele! — falei para a espada.

— Por que *eu* tenho que fazer todo o trabalho duro? — reclamou Jacques.

— Porque eu estou pendurado aqui e você é imortal!

— O fato de você ter razão não deixa a coisa mais divertida.

Eu o joguei para o alto. Jacques zuniu para longe, voando atrás do assassino de bodes enquanto cantava sua versão de "Shake It Off". (Nunca consegui convencê-lo de que um dos versos não é *cheese graters gonna grate, grate, grate, grate, grate*.)

Mesmo com a mão esquerda livre, demorei alguns segundos para subir no telhado. Ao longe, ouvi o estalo de lâminas ecoando nos prédios de tijolos. Corri na direção do som, pulando pelas torretas da igreja e saltando sobre a rua Berkeley. Pulei de telhado em telhado até ouvir Jacques gritar ao longe:

— Ai!

A maioria das pessoas não correria até uma batalha para verificar o bem-estar de sua espada, mas foi o que eu fiz. Na esquina da rua Boylston, subi pela lateral de um estacionamento coberto, cheguei ao telhado e encontrei Jacques lutando pela... bem, talvez não pela vida, mas pelo menos pela sua dignidade.

Jacques costumava se gabar de ser a lâmina mais afiada dos nove mundos. Dizia poder cortar qualquer coisa e lutar contra dezenas de inimigos ao mesmo tempo. Eu tendia a acreditar nele, pois já o tinha visto derrubar gigantes do tamanho de arranha-céus. Mas o assassino de bodes não estava tendo dificuldade de forçá-lo a recuar pelo telhado. O assassino podia ser pequeno, mas era forte e rápido. A espada de ferro negro soltava fagulhas ao bater em Jacques. Toda vez que as lâminas se chocavam, Jacques gritava: "Ai! Ai!"

Eu não sabia se minha espada corria um perigo real, mas tinha que ajudá-la. Como eu não tinha outra arma e não estava a fim de lutar de mãos vazias, corri até o poste mais próximo e o arranquei da calçada.

Parecia até que eu estava me exibindo. Sinceramente, eu não estava. O poste foi o objeto mais parecido com uma arma que consegui encontrar, com exceção de um Lexus estacionado no meio-fio, mas eu não era forte o bastante para erguer um carro de luxo.

Ataquei o assassino de bodes com minha lança-poste de seis metros. Isso chamou a atenção dele. Quando ele se virou para mim, Jacques atacou e abriu um corte fundo na coxa do assassino, que grunhiu e cambaleou.

Essa era minha chance. Eu podia tentar derrubá-lo. Mas, quando estava a três metros do assassino, um uivo distante cortou o ar e me fez parar na hora.

Caramba, Magnus, vocês devem estar pensando, *foi só um uivo distante. Qual é o seu problema?*

Talvez eu já tenha mencionado que não gosto de lobos. Quando eu tinha quatorze anos, dois lobos com olhos azuis brilhantes mataram minha mãe. E meu encontro recente com Fenrir não ajudou em nada a aumentar minha admiração pela espécie.

Esse uivo, em particular, foi *definitivamente* de um lobo. Veio de algum lugar na direção do parque Boston Common e reverberou pelos prédios altos, transformando meu sangue em fréon. Era *exatamente* o mesmo som que eu tinha ouvido na noite da morte da minha mãe: faminto e triunfante, o som de um monstro que encontrou a presa.

O poste escorregou da minha mão e bateu no asfalto.

Jacques flutuou ao meu lado.

— Hã... ainda vamos lutar contra esse cara ou não?

O assassino cambaleou para trás, o pelo preto da calça brilhava com o sangue.

— E assim começa... — A voz dele soou ainda mais distorcida. — Cuidado, Magnus. Se você for a Provincetown, estará fazendo o que o inimigo deseja.

Eu encarei a viseira de lobo. Senti como se tivesse quatorze anos de novo, sozinho no beco atrás do meu prédio na noite em que minha mãe foi assassinada. Eu me lembro de olhar para a escada de incêndio da qual tinha acabado de descer e de ouvir os lobos uivarem na nossa sala. As chamas explodiram pelas janelas.

— Quem... quem é você?

O assassino soltou uma gargalhada gutural.

— Pergunta errada. A correta é: está preparado para perder seus amigos? Se não estiver, não procure o martelo de Thor.

Ele recuou até a beirada do telhado e pulou.

Corri até lá na mesma hora que um bando de pombos voou para o telhado, criando uma parede azul-acinzentada, girando acima da floresta de chaminés de Back Bay. Na calçada não havia movimento, nem corpo, nem sinal do assassino.

Jacques pairou ao meu lado.

— Eu podia ter matado o cara. Fui pego desprevenido. Não tive tempo de me alongar.

— Espadas não precisam se alongar — respondi.

— Ah, desculpe, sr. Especialista em Técnicas Adequadas de Aquecimento!

Uma pena de pombo voou em espiral até a beirada do telhado e grudou em uma poça do sangue. Eu a peguei e vi o líquido vermelho manchá-la.

— O que vamos fazer agora? — perguntou Jacques. — E o que foi aquele uivo?

Uma sensação gelada se espalhou pelo meu rosto, deixando um gosto frio e amargo na minha boca.

— Não sei — falei. — O que quer que tenha sido, já parou.

— Vamos dar uma olhada?

— Não! Quer dizer... quando descobrirmos de onde veio o som, será tarde demais para fazermos qualquer coisa. Além disso...

Eu observei a pena de pombo suja de sangue. Pensei na maneira eficiente como o assassino de bodes desapareceu e sobre como ele sabia que o martelo de Thor estava sumido. A voz distorcida reverberou na minha mente: *Está preparado para perder seus amigos?*

Alguma coisa no assassino pareceu muito errada... e muito familiar.

— Precisamos avisar Sam.

Peguei o punho de Jacques, e a exaustão tomou conta de mim.

O lado ruim de ter uma espada que lutava sozinha: o que quer que Jacques fizesse, eu pagava o preço assim que ele voltava para a minha mão. Senti hematomas se espalhando pelos meus braços, um para cada vez que Jacques foi acertado pela outra espada. Minhas pernas tremiam como se eu tivesse passado a manhã toda correndo. Um nó de emoção se formou na minha garganta: a vergonha de Jacques por deixar o assassino de bodes escapar.

— Ei, cara — falei para ele —, pelo menos você o feriu. É mais do que eu fiz.

— Ah, bem... — Jacques pareceu envergonhado. Ele não gostava de dividir os seus problemas comigo. — Talvez você devesse descansar um pouco. Você não está em condições...

— Estou ótimo. Obrigado, Jacques. Você agiu bem.

Fiz com que ele voltasse à forma de pingente e prendi a pedra na corrente.

A espada estava certa sobre uma coisa: eu precisava descansar. Estava com vontade de entrar naquele Lexus para tirar um cochilo, mas se o assassino de bodes decidisse voltar ao Thinking Cup, se pegasse Sam desprevenida...

Saí correndo pelos telhados, torcendo para não ser tarde demais.

TRÊS

Meus amigos decidem não me contar nada para minha própria proteção. Valeu, gente

No café, Sam estava de pé junto ao corpo de Otis.

Os outros clientes entravam e saíam do Thinking Cup, evitando se aproximar do bode morto. Ninguém parecia assustado. Talvez vissem Otis como um sem-teto desmaiado. Alguns dos meus melhores amigos eram sem-teto desmaiados. Eu sabia bem como isso podia afastar as pessoas.

Sam franziu a testa. Sob o olho esquerdo dela havia um hematoma alaranjado recém-formado.

— Por que nosso informante está morto?

— Longa história — falei. — Quem bateu em você?

— Também é uma longa história.

— Sam...

Ela desconsiderou minha preocupação com um gesto.

— Eu estou bem. Só me diga que não foi você que matou Otis apenas porque ele comeu meu bolinho.

— Não. Agora, se ele tivesse comido o *meu* bolinho...

— Ha, ha. O que aconteceu?

Eu ainda estava preocupado com o olho de Sam, mas me esforcei para explicar sobre o assassino de bodes. Enquanto isso, a forma de Otis começou a se dissolver e a derreter em espirais de vapor branco, como gelo-seco. Em pouco tempo, não havia nada além do sobretudo, dos óculos escuros, do chapéu e do machado que o matou.

Sam pegou a arma no chão. A lâmina do machado não era maior do que um celular, mas parecia afiada. O metal escuro tinha entalhes de runas pretas como fuligem.

— Ferro forjado por gigantes — disse Sam. — Encantado. Bem balanceado. Não é o tipo de arma que alguém deixaria para trás.

— Legal. Eu odiaria que Otis fosse morto com uma arma vagabunda.

Sam me ignorou. Ela já estava virando profissional nisso.

— Você disse que o assassino usava um elmo de lobo?

— O que reduz nossas opções a metade dos vilões dos nove mundos. — Eu indiquei o casaco vazio de Otis. — Para onde ele foi?

— Otis? Ele vai ficar bem. Criaturas mágicas são formadas da névoa de Ginnungagap. Quando morrem, os corpos se dissolvem em névoa. Otis deve se recompor em algum lugar perto de seu mestre, com sorte a tempo de Thor matá-lo de novo para o jantar.

Achei isso uma coisa bem esquisita de se desejar, mas não mais esquisita do que a manhã que eu tivera. Antes que minhas pernas cedessem, eu me sentei à mesa. Tomei um gole do café agora frio.

— O assassino de bodes sabe que o martelo está desaparecido — falei. — Ele me disse que, se fôssemos para Provincetown, estaríamos fazendo o que nosso inimigo quer. Você acha que ele quis dizer...

— Loki? — Sam se sentou à minha frente. Ela largou o machado na mesa. — Tenho certeza de que ele está envolvido. Ele sempre está.

Eu não podia culpá-la por soar amarga. Sam não gostava de falar sobre o deus da mentira e da trapaça. Além de ele ser mau, era o pai dela.

— Você teve notícias dele recentemente? — perguntei.

— Só alguns sonhos. — Sam girou o copo de café para um lado e depois para o outro, como se fosse o botão de um cofre. — Sussurros, avisos. Ele anda interessado em... Deixa pra lá. Nada.

— Não me parece ser nada.

O olhar de Sam ficou intenso e ardente, como lenha em uma lareira logo antes de pegar fogo.

— Meu pai está tentando destruir minha vida pessoal. Isso não é novidade. Ele quer me distrair. Meus avós, Amir... — A voz dela falhou. — Não é nada com que eu não possa lidar sozinha. Não tem nada a ver com nosso problema com o martelo.

— Tem certeza?

A expressão dela me dizia para mudar de assunto. No passado, se eu a pressionasse demais, Sam me jogaria em uma parede e apertaria minha garganta com o antebraço. O fato de que ela ainda não tinha tentado me enforcar até eu ficar inconsciente era sinal de quanto nossa amizade havia evoluído.

— Loki não pode ser o assassino de bodes — concluiu ela. — Ele não conseguiria empunhar um machado assim.

— Por quê? Sei que tecnicamente ele está acorrentado na prisão de segurança máxima de Asgard por assassinato ou algo do tipo, mas ele não parece ter dificuldade alguma para falar comigo quando tem vontade.

— Meu pai consegue projetar sua imagem ou aparecer em sonhos. Com muita concentração, ele até consegue enviar poder suficiente para assumir uma forma física por tempo limitado.

— Como quando ele conheceu sua mãe.

Sam mais uma vez demonstrou todo o carinho que sentia por mim ao não me socar até meu cérebro espirrar para todo lado. Grandes provas de amizade estavam ocorrendo no Thinking Cup.

— Sim — disse ela. — Ele pode contornar o aprisionamento, mas não consegue se manifestar de forma sólida o suficiente para portar armas mágicas. Os deuses cuidaram para que fosse assim quando colocaram um feitiço nas amarras. Se ele pudesse pegar uma lâmina encantada, acabaria se libertando.

Achei que fazia sentido, do jeito absurdo dos mitos nórdicos. Imaginei Loki em uma caverna com as mãos e os pés atados com amarras feitas dos — ugh, mal conseguia pensar nisso — intestinos dos próprios filhos assassinados. Os deuses tinham feito isso. Também tinham supostamente colocado uma cobra acima da cabeça de Loki para que ficasse pingando veneno na cara dele por toda a eternidade. A justiça asgardiana não era muito misericordiosa.

— O assassino de bodes podia estar trabalhando para Loki — falei. — Quem sabe um gigante. Ou...

— Ele pode ser qualquer um — interrompeu Sam. — Pela forma como você o descreveu, como ele lutava e se movia, parece um einherji. Talvez até uma valquíria.

Senti um aperto no estômago. Eu o imaginei rolando pela calçada até o chapéu de Otis.

— Alguém de Valhala. Mas por quê...?

— Não sei. Seja lá quem for, ele ou ela não quer que a gente siga a pista de Otis. Mas acho que não temos escolha. Precisamos agir rápido.

— Por que a pressa? O martelo de Thor está desaparecido há meses. Os gigantes ainda nem atacaram.

Alguma coisa nos olhos de Sam me lembrou as redes de Ran, a deusa do mar, o jeito como se agitavam nas ondas, despertando os espíritos dos afogados. Não foi uma lembrança feliz.

— Magnus, os eventos estão aumentando. Minhas últimas missões em Jötunheim... os gigantes estão inquietos. Eles conjuraram *glamoures* enormes para esconder o que quer que estejam tramando, mas tenho quase certeza de que estão formando um exército. Eles estão se preparando para invadir.

— Invadir... que mundo?

Uma brisa fez o hijab voar ao redor do rosto de Sam.

— *Este* mundo, Magnus. E se eles vierem destruir Midgard...

Apesar do clima quente, senti um arrepio percorrer minha espinha. Sam tinha explicado que Boston ficava no centro da Yggdrasill, a Árvore do Mundo. Era o lugar mais fácil para viajar entre os nove mundos. Imaginei as sombras dos gigantes se estendendo pela rua Newbury, o chão tremendo sob botas com detalhes em ferro do tamanho de carros blindados.

— A única coisa que os impede — disse Sam — é o medo que têm de Thor. É assim há séculos. Eles não vão começar uma invasão em larga escala se não tiverem certeza absoluta de que Thor está vulnerável. Mas os gigantes estão ficando ousados. Começaram a desconfiar que o momento é favorável...

— Thor é só um deus — falei. — E Odin? Tyr? Ou meu pai, Frey? *Eles* não podem lutar contra os gigantes?

Assim que disse isso, a ideia me pareceu ridícula. Odin era imprevisível. Quando aparecia, ficava mais interessado em dar palestras motivacionais com apresentações de PowerPoint do que em lutar. Eu nem conhecia Tyr, o deus da coragem e do combate. Quanto a Frey... meu pai era o deus do verão e da fertilidade. Se você queria que flores desabrochassem, plantações vingassem ou um corte de papel fosse curado, ele era o deus ideal. Afastar as hordas de Jötunheim? Talvez não.

— Nós temos que impedir a invasão dos gigantes *antes* que ela aconteça — disse Sam. — O que quer dizer encontrar Mjölnir. Tem certeza de que Otis disse Provincetown?

— Tenho. O dólmen de um *draugr*. Isso é ruim?

— Em uma escala de um a dez, está perto do vinte. Vamos precisar de Hearthstone e Blitzen.

Apesar das circunstâncias, a possibilidade de ver meus velhos amigos me animou.

— Você sabe onde eles estão?

Sam hesitou.

— Sei como entrar em contato com eles. Os dois estão em um dos esconderijos de Mímir.

Tentei digerir a informação. Mímir — a cabeça decapitada de um deus que trocava goles do Poço da Sabedoria por anos de servidão, que mandara Hearth e Blitz ficarem de olho em mim quando eu era um sem-teto porque eu era "importante para o destino dos mundos", que tinha uma rede de caça-níqueis entre os nove mundos e outros empreendimentos duvidosos — tinha uma grande variedade de esconderijos. Eu me perguntei o que ele exigira dos meus amigos como aluguel.

— Por que Blitz e Hearth estão escondidos?

— Eu devia deixar que eles explicassem — disse Sam. — Eles não queriam deixar você preocupado.

Isso era tão *sem* graça que eu até ri.

— Meus amigos desapareceram sem dizer nada porque não queriam me deixar *preocupado*?

— Olha, Magnus, você precisava de tempo para treinar, para se adaptar a Valhala e se acostumar a seus novos poderes. Hearthstone e Blitzen tiveram um mau presságio nas runas. Eles estão tomando precauções, ficando fora de cena. Mas, para essa missão…

— Mau presságio. Sam, o assassino disse que eu devia estar preparado para perder meus amigos.

— Eu *sei*. — Ela pegou o café, e seus dedos estavam tremendo. — Nós vamos tomar cuidado, Magnus. Mas, para o dólmen de um *draugr*… magia de runas e experiência em ambientes subterrâneos podem fazer toda a diferença. Nós vamos *precisar* de Hearth e Blitz. Vou fazer contato com eles esta tarde. E, depois, prometo que vou lhe contar tudo.

— Tem *mais*?

De repente, tive a sensação de que nas últimas seis semanas eu estivera sentado à mesa das crianças na Ceia de Natal. Perdi todas as conversas importantes entre os adultos. Eu não gostava da mesa das crianças.

— Sam, você não precisa me proteger — falei. — Eu já estou morto. Sou um maldito guerreiro de Odin que mora em Valhala. Quero ajudar.

— Você vai ajudar — prometeu ela. — Mas você *precisava* de tempo para treinar, Magnus. Quando saímos em busca da Espada do Verão, tivemos sorte. Para o que vem agora... vamos precisar de todas as suas habilidades.

O medo na voz dela me fez estremecer.

Eu não considerei que tivemos *sorte* quando encontramos a Espada do Verão. Chegamos perto de morrer várias vezes. Três de nossos companheiros sacrificaram a vida. Nós quase não conseguimos impedir o lobo Fenrir e um grupo de gigantes do fogo de destruir os nove mundos. Se isso foi sorte, eu não queria descobrir o que era azar.

Sam esticou a mão por cima da mesa. Pegou meu bolinho de laranja e cranberry e deu uma mordida. A cobertura era da mesma cor do olho machucado dela.

— Preciso voltar para a escola. Não posso perder outra aula de física avançada. À tarde, tenho que resolver alguns problemas em casa.

Eu me lembrei do que ela disse sobre Loki tentar estragar sua vida pessoal e daquele tom hesitante quando falou o nome de Amir.

— Posso ajudar em alguma coisa? Quem sabe passar no Falafel do Fadlan e falar com Amir.

— Não! — As bochechas de Sam ficaram vermelhas. — Não, obrigada. Mas não mesmo. Não.

— Já tinha entendido no primeiro "não".

— Magnus, eu sei que suas intenções são boas. Tem muita coisa acontecendo agora, mas eu consigo resolver sozinha. Vejo você à noite no jantar do... — A expressão dela ficou azeda. — Você sabe, do recém-chegado.

Ela estava falando sobre a alma que tinha ido buscar. Como a valquíria responsável que era, Sam estaria no banquete para apresentar o novo einherji.

Observei o hematoma sob o olho dela e uma ideia surgiu na minha mente.

— A alma que você foi buscar... Foi esse novo einherji que te deu um soco?

Sam fez uma careta.

— É complicado.

Eu já tinha conhecido einherjar violentos, mas nunca um que ousasse atacar uma valquíria. Era suicídio, até para uma pessoa que já estava morta.

— Que tipo de idiota... Espere. Isso teve alguma coisa a ver com aquele uivo de lobo que eu ouvi do outro lado do parque Boston Common?

Os olhos castanhos de Sam ardiam, quase à beira da combustão.

— Você vai saber em breve. — Ela se levantou e pegou o machado do assassino. — Agora, volte para Valhala. Esta noite você vai ter o prazer de conhecer... — Ela fez uma pausa e avaliou as palavras. — Meu irmão.

QUATRO

Sou atropelado por um guepardo

NA HORA DE ESCOLHER UMA pós-vida, é importante considerar a localização.

Pós-vidas no subúrbio, como em Fólkvangr e Niflheim, podem oferecer custos de não vida mais baixos, mas a entrada de Midgard para Valhala fica no coração da cidade, na rua Beacon, em frente ao parque Boston Common. Dá para ir a pé às melhores lojas e aos melhores restaurantes, e fica a menos de um minuto da estação de metrô da rua Park!

Escolha Valhala. Para todas as suas necessidades de paraíso viking.

(Desculpem. Eu falei para a gerência do hotel que faria uma divulgação. Mas *realmente* era bem fácil voltar para Boston.)

Depois de comprar um saco de grãos de café expresso cobertos de chocolate no café, atravessei o Public Garden e passei pela ponte sob a qual eu costumava dormir. Dois sujeitos grisalhos estavam sentados em um amontoado de sacos de dormir, compartilhando restos de comida com um cachorro vira-lata.

— Ei, caras. — Entreguei para eles o sobretudo e o chapéu de Otis, junto com todo o dinheiro mortal que eu tinha, vinte e quatro dólares. — Tenham um bom dia.

Os homens ficaram surpresos demais para responder. Continuei andando, com a sensação de que havia um machado enfiado no meu peito.

Só porque fui morto por um gigante do fogo dois meses antes, eu podia viver em meio ao luxo. Enquanto isso, aqueles caras e o cachorro comiam o que quer que conseguissem encontrar nas lixeiras. Não era justo.

Eu queria poder reunir todos os sem-teto de Boston e dizer: *Ei, tem uma mansão enorme bem ali com milhares de suítes confortáveis e comida grátis para sempre. Me sigam!*

Mas não daria certo.

Mortais não podiam entrar em Valhala. Não se podia nem morrer de propósito para entrar. A morte tinha que ser um ato altruísta não planejado, e a pessoa tinha que torcer para haver uma valquíria por perto para levar sua alma.

Claro que mesmo assim Valhala era melhor do que os arranha-céus que surgiam por toda a cidade. A maioria era cheia de apartamentos de luxo vazios, reluzentes quartos ou quintas residências de bilionários. Não era preciso uma morte heroica para ir para lá, bastava ter muito dinheiro. Se os gigantes *invadissem* Boston, talvez eu pudesse convencê-los a derrubar alguns prédios estratégicos.

Por fim, cheguei à fachada de Midgard do Hotel Valhala. Do lado de fora, parecia uma mansão de oito andares de pedra branca e cinza, apenas mais uma propriedade supercara em uma rua de casas coloniais. A única diferença: o jardim da frente era completamente cercado por um muro branco de calcário de cinco metros sem nenhuma entrada — a primeira de muitas defesas para impedir que os mortais passassem.

Pulei por cima do muro e caí no bosque de Glasir.

Duas valquírias pairavam junto aos galhos da bétula de tronco branco, coletando as folhas de ouro vinte e quatro quilates. Elas acenaram para mim, mas eu não parei para conversar. Andei até os degraus da frente e empurrei a pesada porta dupla.

No saguão do tamanho de uma catedral, a cena era a mesma de sempre. Em frente à lareira acesa, einherjar adolescentes brincavam de jogos de tabuleiro ou relamachavam (que é igual a relaxar, só que com machados). Outros einherjar usando roupões verdes e felpudos do hotel corriam uns atrás dos outros em volta dos pilares rudimentares que se espalhavam pelo saguão, brincando de esconde-esconde-mata. As gargalhadas deles ecoavam no teto alto, onde vigas brilhavam com as pontas de mil lanças enfileiradas.

Olhei para a recepção, perguntando-me se o irmão misterioso e violento de Sam estaria se registrando. A única pessoa lá era o gerente, Helgi, encarando a tela do computador. Uma manga do terno verde tinha sido rasgada. Pedaços da barba de tamanho épico tinham sido arrancados. O cabelo parecia mais um abutre morto do que o normal.

— Não vá lá — avisou uma voz familiar.

Hunding, o porteiro, parou ao meu lado, com o rosto vermelho cheio de verrugas coberto de novos arranhões. A barba, como a de Helgi, parecia ter ficado presa em uma máquina de depenar galinhas.

— O chefe está *muito* mal-humorado — disse ele. — Do tipo disposto a te dar uma surra.

— Você também não parece muito feliz — observei. — O que aconteceu?

A barba de Hunding estremeceu de raiva.

— Nosso novo hóspede chegou.

— O irmão de Samirah?

— Hum. Se você preferir chamá-lo assim. Não sei o que Samirah tinha na cabeça ao trazer aquele monstro para Valhala.

— Monstro? — Tive um flashback de X, o meio troll que Samirah levara para Valhala. Ela também fora criticada por isso, apesar de X mais tarde ter se mostrado Odin disfarçado. (Longa história.) — Você está dizendo que esse recém-chegado é um monstro *de verdade*, como Fenrir ou...

— Pior, se quer saber minha opinião. — Hunding tirou um tufo do bigode de cima do crachá. — O maldito *argr* quase arrancou minha cara quando viu os aposentos dele. Sem mencionar a *total* ausência de gorjeta...

— Porteiro! — gritou o gerente da recepção. — Pare de bater papo e venha aqui! Você tem dentes de dragão para passar fio dental!

Olhei para Hunding.

— Ele faz você passar fio dental nos dentes do dragão?

Hunding suspirou.

— E demora uma eternidade. Tenho que ir.

— Ei, cara. — Entreguei a ele o saco de grãos de café cobertos de chocolate que comprei no Thinking Cup. — Aguenta aí.

Os olhos do velho viking ficaram úmidos.

— Magnus Chase, você é um bom rapaz. Eu podia abraçar você até sufocar...

— PORTEIRO! — gritou Helgi de novo.

— JÁ VOU! SEGURA A ONDA SENÃO O DRÁCAR AFUNDA!

Hunding correu até a recepção, o que me poupou de um abraço mortal.

Por pior que eu estivesse me sentindo, pelo menos não tinha o emprego de Hunding. O pobre sujeito tinha chegado a Valhala só para ser obrigado a servir Helgi, seu arqui-inimigo da vida mortal. Eu achava que ele merecia um pouco de chocolate de vez em quando. Além do mais, a amizade dele já tinha se mostrado valiosa. Hunding conhecia o hotel melhor do que ninguém e sabia todas as fofocas boas.

Fui para os elevadores, me perguntando o que era um *argr* e por que Sam levaria um para Valhala. O que eu mais queria saber era se eu teria tempo de almoçar e cochilar antes da batalha que aconteceria à tarde. Era importante estar bem alimentado e descansado quando se morria em combate.

Nos corredores, alguns einherjar me olharam de soslaio. A maioria me ignorou. Claro, eu recuperara a Espada do Verão e derrotara o lobo Fenrir, mas a maioria dos meus colegas guerreiros só me via como o garoto que tinha causado a morte de três valquírias e que quase dera início ao Ragnarök. O fato de eu ser filho de Frey, o deus vanir do verão, não ajudava. Os filhos do meu pai não costumavam ficar em Valhala. Eu não era popular o bastante para andar com os filhos de deuses da guerra como Thor, Tyr e Odin.

Sim, Valhala tinha panelinhas que nem o ensino médio. E apesar de o ensino médio *parecer* durar uma eternidade, Valhala era mesmo para sempre. Os únicos einherjar que me aceitavam de verdade eram meus colegas de corredor do andar dezenove, e eu estava ansioso para me encontrar com eles.

No elevador, a música calma viking não ajudou a melhorar meu humor. Perguntas se acumulavam no meu cérebro: quem matou Otis? O que o bode queria avisar? Quem era o irmão de Sam? Do que Blitz e Hearth estavam se escondendo? E quem, em sã consciência, ia querer gravar "Fly Me to the Moon" em norueguês antigo?

As portas do elevador se abriram no andar dezenove. Saí, e um animal grande quase trombou em mim. Estava se movendo tão rápido que só registrei uma mancha amarela e preta antes de ela dobrar o corredor e sumir. Em seguida, notei os buracos nos meus tênis, onde o animal tinha pisado. Pequenos gêiseres de dor surgiram no peito dos meus pés.

— Ai — falei, atrasado.

— Parem aquele guepardo! — Thomas Jefferson Jr. apareceu em disparada pelo corredor com o rifle em punho, e meus outros colegas, Mallory Keen e Mestiço Gunderson, logo atrás. Eles pararam na minha frente, os três ofegantes e suados.

— Você viu? — perguntou T.J. — Viu para onde foi?

— Hum... — Apontei para a direita. — Por que temos um guepardo?

— Não foi ideia nossa, pode acreditar. — T.J. apoiou o rifle no ombro. Como sempre, ele estava usando a jaqueta azul da União sobre a camiseta verde do Hotel Valhala. — Nosso novo colega de corredor não está feliz de estar aqui.

— Novo colega — repeti. — Um guepardo. Você quer dizer... a alma que Sam trouxe. Um filho de Loki. Ele é um metamorfo?

— Entre outras coisas — disse Mestiço Gunderson. Por ser um berserker, ele tinha o físico do pé-grande e estava usando apenas calças de couro. Tatuagens de runas se espalhavam pelo peito largo. Ele bateu com o machado no chão. — Meu rosto quase foi esmagado por aquele *meinfretr*!

Desde que me mudei para Valhala aprendi uma quantidade impressionante de palavrões em norueguês antigo. *Meinfretr* era alguma coisa como *peido fedido*, o que era, naturalmente, o pior tipo de peido.

Mallory guardou as duas facas.

— Mestiço, sua cara se beneficiaria de uma esmagada ocasional. — O sotaque dela ficava mais carregado quando estava com raiva. Com o cabelo ruivo e as bochechas avermelhadas, ela passaria por um pequeno gigante do fogo, só que gigantes do fogo não eram tão intimidadores. — Estou com medo de aquele demônio destruir o hotel! Você viu o que ele fez com o quarto do X?

— Ele está com o antigo quarto do X? — perguntei.

— E destruiu tudo. — Mallory fez um V com os dedos indicador e médio e os esticou embaixo do queixo na direção do guepardo que fugiu. A srta. Keen era irlandesa, então aquele gesto não significava *paz* ou *amor*, e sim algo bem mais grosseiro. — Viemos recebê-lo e encontramos o lugar em ruínas. Não tem respeito!

Eu me lembrei do meu primeiro dia em Valhala. Joguei um sofá do outro lado da sala e afundei o punho na parede do banheiro.

— Bem... pode ser difícil se acostumar.

T.J. balançou a cabeça.

— Não assim. O garoto tentou nos matar na mesma hora. Algumas das coisas que ele disse...

— Insultos de primeira — admitiu Mestiço. — Tenho que dar crédito a ele por isso. Mas nunca vi uma pessoa fazer uma bagunça tão grande... Venha dar uma olhada, Magnus. Veja com seus próprios olhos.

Eles me levaram até o antigo quarto de X. Eu nunca tinha entrado, mas agora a porta estava escancarada. O interior parecia ter sido redecorado por um furacão de categoria cinco.

— Pelo amor de Frigga.

Passei por cima de um montinho de móveis quebrados e entrei na sala.

A disposição era parecida com a da minha suíte: quatro seções quadradas saindo de um átrio central como um sinal gigantesco de mais. A sala já tinha sido uma área com sofá, estantes, uma TV e uma lareira. Agora, era uma zona de guerra. Só a lareira permanecia intacta, e marcas fundas eram visíveis acima dela como se nosso novo vizinho a tivesse acertado com uma espada.

Pelo que pude ver, o quarto, a cozinha e o banheiro foram igualmente destruídos. Atordoado, segui para o átrio.

Assim como o meu, tinha uma árvore enorme no meio. Os galhos mais baixos se espalhavam pelo teto da suíte, se entrelaçando com as vigas. Os galhos mais altos se esticavam para um céu azul sem nuvens. Meus pés afundaram na grama verde. A brisa que entrava pela abertura no teto tinha cheiro de louro-da-montanha, parecido com refrigerante de uva. Eu já tinha ido ao quarto de vários amigos, mas nenhum tinha um átrio a céu aberto.

— Era assim na época de X? — perguntei.

Mallory fez um ruído de deboche.

— Não mesmo. O átrio do X era uma piscina grande, uma fonte termal natural. O quarto dele era sempre quente, úmido e sulfuroso, como o sovaco de um troll.

— Sinto falta do X. — Mestiço suspirou. — Mas, sim, tudo isso é totalmente novo. Cada suíte se adapta ao estilo do dono.

Eu me perguntei o que o fato de meu átrio ser exatamente igual ao do recém-chegado queria dizer. Eu não queria compartilhar estilos com um filho de Loki assassino e felino selvagem que pisava nos pés das pessoas.

Na extremidade do átrio havia outra pilha de destruição. Prateleiras haviam sido derrubadas. A grama estava cheia de tigelas e xícaras de cerâmica, algumas coloridas, outras de argila.

Eu me ajoelhei e peguei a base de um vaso quebrado.

— Vocês acham que o garoto-guepardo fez tudo isso?

— Acho. — T.J. apontou com o rifle. — Tem uma fornalha e um torno para argila na cozinha.

— Trabalho de qualidade — disse Mestiço. — O vaso que ele jogou na minha cara era lindo e mortal. Que nem a srta. Keen aqui.

O rosto de Mallory foi de vermelho-morango a laranja-pimenta.

— Você é um idiota.

Essa era a forma dela de expressar afeto pelo namorado.

Virei o estilhaço. Na base, as iniciais A.F. estavam gravadas na argila. Eu não queria especular o que podiam representar. Embaixo das iniciais havia um selo decorativo: duas cobras enroladas em um S elaborado, com os rabos entrelaçados na cabeça uma da outra.

As pontas dos meus dedos ficaram dormentes. Larguei o estilhaço e peguei outro vaso quebrado: as mesmas iniciais, o mesmo selo das serpentes.

— É um dos símbolos de Loki — disse Mestiço. — Flexibilidade, mudança, instabilidade.

Meus ouvidos estavam zumbindo. Já tinha visto aquele símbolo... recentemente, no meu quarto.

— Como... como você sabe?

Mestiço estufou o peito já estufado.

— Como disse, eu fiz muitas coisas durante meu tempo em Valhala. Tenho doutorado em literatura germânica.

— Coisa que ele só menciona várias vezes por dia — acrescentou Mallory.

— Ei, pessoal — chamou T.J. do quarto.

Ele enfiou o rifle em uma pilha de roupas e levantou um vestido de seda verde-escura sem mangas.

— Chique — disse Mallory. — É um Stella McCartney.

Mestiço franziu a testa.

— Como você sabe?

— Eu fiz muitas coisas durante meu tempo em Valhala. — Mallory fez uma ótima imitação da voz rouca de Mestiço. — Tenho doutorado em moda.

— Ah, me deixe em paz, mulher — murmurou Mestiço.

— E olhem isto. — T.J. levantou um paletó também verde-escuro, com lapelas cor-de-rosa.

Admito que estava um pouco distraído. Só conseguia pensar no símbolo de Loki nos vasos e em onde tinha visto o desenho de serpente antes. A confusão de roupas no quarto não fazia sentido para mim: jeans, saias, jaquetas, gravatas e vestidos de festa, a maioria em tons de rosa e verde.

— Quantas pessoas moram aqui? — perguntei. — Ele tem uma irmã?

Mestiço riu.

— T.J., você explica ou eu explico?

FLUUUUUM. O som da corneta de chifre de carneiro ecoou pelo corredor.

— Hora do almoço — anunciou T.J. — Podemos conversar lá.

Meus amigos seguiram para a porta. Eu fiquei agachado perto da pilha de estilhaços de vasos, tigelas e xícaras, olhando para as iniciais A.F. e para as serpentes entrelaçadas.

— Magnus — chamou T.J. — Você vem?

Eu estava sem fome. Também tinha perdido a vontade de cochilar. A adrenalina percorria meu corpo como uma nota aguda em uma guitarra elétrica.

— Podem ir na frente. — Meus dedos envolveram o vaso quebrado com o símbolo de Loki. — Preciso checar uma coisa primeiro.

CINCO

Minha espada tem uma vida social mais agitada que a minha

Foi bom eu não ter ido almoçar.

Normalmente, era preciso lutar até a morte para se chegar ao bufê, e do jeito que eu estava distraído, seria empalado por um garfinho de fondue antes mesmo de encher o prato.

A maioria das atividades em Valhala era feita até a morte: Scrabble, rafting em corredeiras, comer panquecas, yoga. (Dica: *nunca* façam yoga viking.)

Fui para meu quarto e respirei fundo algumas vezes. Eu meio que esperava que tudo ali estivesse tão destruído quanto o quarto de A.F. — como se, pelas suítes serem tão parecidas, a minha fosse decidir se destruir em solidariedade. Mas estava do jeito que deixei, apenas mais limpa.

Eu nunca via a equipe de limpeza. De alguma forma, eles sempre conseguiam arrumar tudo enquanto eu estava fora. Eles faziam a cama quer eu tivesse dormido nela ou não. Lavavam o banheiro mesmo se eu tivesse acabado de fazer isso. Passavam e dobravam minhas roupas, apesar de eu sempre tomar o cuidado de não deixar nenhuma peça espalhada pelo chão. Falando sério, quem passa e engoma cuecas?

Eu já sentia culpa de ter aquela suíte enorme só para mim; e a ideia de empregados cuidando de tudo me parecia ainda pior. Minha mãe me criou para arrumar minha bagunça. Mesmo assim, por mais que eu tentasse fazer isso aqui, a equipe do hotel aparecia lá diariamente para limpar tudo, sem misericórdia.

Outra coisa que eles faziam era me deixar presentes. Isso me incomodava mais do que as cuecas engomadas.

Fui até a lareira. Quando olhei pela primeira vez, só havia uma foto sobre ela: uma imagem da minha mãe comigo quando eu tinha oito anos, no cume do monte Washington. Depois disso, mais fotos apareceram, algumas das quais eu me lembrava da infância, algumas que eu nunca tinha visto. Não sabia onde o pessoal do hotel as encontrava. Talvez, conforme a suíte fosse ficando mais sintonizada comigo, as fotos fossem surgindo do cosmos. Talvez Valhala tivesse um backup da vida de todos os einherjar no iCloud.

Em uma das fotos, minha prima Annabeth estava em uma colina, com a ponte Golden Gate e a cidade de São Francisco ao fundo. O cabelo louro estava revolto. Os olhos acinzentados brilhavam, como se alguém tivesse acabado de lhe contar uma piada.

Olhar para Annabeth me deixava feliz, porque ela era da família. Também me deixava ansioso, porque era um lembrete constante da nossa última conversa.

De acordo com Annabeth, nossa família, os Chase, tinha algum tipo de apelo especial aos deuses antigos. Talvez fosse nossa personalidade encantadora. Talvez fosse nossa marca de xampu. A mãe de Annabeth, a deusa grega Atena, se apaixonou pelo pai dela, Frederick. Meu pai, Frey, se apaixonou pela minha mãe, Natalie. Se alguém virasse para mim amanhã e me dissesse que — surpresa! — os deuses astecas estavam vivendo em Houston e que minha prima de segundo grau era neta de Quetzalcóatl, eu acreditaria numa boa. E, depois, sairia correndo e me jogaria de um penhasco em Ginnungagap.

Minha prima achava que todos os mitos antigos eram reais. Eles se alimentavam da memória e das crenças humanas — dezenas de panteões velhos ainda lutando uns contra os outros como faziam antigamente. Enquanto suas histórias sobrevivessem, os deuses sobreviveriam. E histórias eram quase impossíveis de matar.

Annabeth prometeu que conversaríamos mais sobre o assunto. Até o momento, não tivemos oportunidade. Antes de voltar para Manhattan, ela tinha me avisado que raramente usava o celular porque o aparelho era perigoso para semideuses (embora eu nunca tivesse tido nenhum problema). Tentei não me preocupar por não conseguir falar com ela desde janeiro. Mas me perguntei o que poderia estar acontecendo lá na terra grega e romana.

Minha mão seguiu até a foto seguinte.

Essa era mais difícil de olhar. Minha mãe e seus dois irmãos, todos com vinte e poucos anos, sentados juntos nos degraus da casa da família. Mamãe estava como eu sempre me lembrava dela: cabelo curto, sorriso contagiante, sardas, calça jeans surrada e camisa de flanela. Se desse para ligar um gerador à sua alegria de viver, seria possível iluminar a cidade inteira.

Ao lado dela estava meu tio Frederick, o pai de Annabeth. Ele usava um cardigã grande demais por cima de uma camisa de botão e uma calça bege que ia até os tornozelos. Estava segurando um modelo de biplano da Primeira Guerra Mundial e tinha um sorriso bobo no rosto.

Ao lado dos dois, no degrau mais alto, com as mãos pousadas nos ombros deles, estava o irmão mais velho, Randolph. Ele parecia ter uns vinte e cinco anos, apesar de ser uma daquelas pessoas que nasceram para ser velhas. O cabelo curto era tão louro que parecia branco. O rosto grande e redondo e o corpo robusto o faziam parecer mais um segurança de boate do que um universitário. Apesar do sorriso, os olhos eram penetrantes, e a postura, controlada. Ele parecia prestes a atacar o fotógrafo a qualquer segundo para pegar a câmera e pisar nela.

Minha mãe me disse várias vezes: *não peça ajuda a Randolph, não confie nele*. Ela o afastou durante anos, se recusou a me levar até a mansão da família em Back Bay.

Quando fiz dezesseis anos, Randolph me encontrou. Ele me contou sobre meu pai divino. Ele me guiou até a Espada do Verão, e eu acabei morrendo.

Isso me deixou com o pé atrás sobre ir ver o tio Randolph de novo, embora Annabeth achasse que devíamos dar a ele o benefício da dúvida.

Ele é da família, Magnus, disse minha prima antes de partir para Nova York. *Nós não podemos desistir da família.*

Parte de mim achava que ela estava certa. A outra parte achava que Randolph era perigoso. Eu não confiava nele nem um pouco.

Nossa, Magnus, vocês devem estar pensando, *como você é rancoroso. Ele é seu tio. Só porque sua mãe o odiava, ele ignorou você boa parte de sua vida e te deixou morrer, agora você não confia nele?*

É, eu sei. Eu estava exagerando.

A questão é que o que mais me incomodava no tio Randolph não era nosso passado. Era o fato de a foto dos três irmãos ter mudado desde a semana anterior. Em algum momento, não sei como, uma nova marca apareceu na bochecha de Randolph, um símbolo suave, como uma marca d'água. E agora eu sabia o que significava.

Levantei o vaso que peguei no quarto de A.F.: as iniciais na argila, o selo com as duas serpentes entrelaçadas. Definitivamente, o mesmo desenho.

Alguém fez a marca de Loki no rosto do meu tio.

Olhei para as cobras por bastante tempo, tentando entender.

Queria poder falar com Hearthstone, meu especialista em runas e símbolos. Ou com Blitzen, que conhecia itens mágicos. Queria que Sam estivesse aqui, porque, se eu estava enlouquecendo e vendo coisas, ela seria a primeira a me dar uns tapas e me devolver o bom senso.

Como eu não tinha ninguém com quem conversar, puxei meu pingente e chamei Jacques.

— Oi! — Jacques fez uma pirueta no ar, com as runas brilhando em azul e vermelho. Não havia nada melhor que um clima de discoteca quando se queria ter uma conversa séria. — Estou feliz de você ter me acordado. Tenho um encontro esta tarde com uma lança muito *gata*, e se eu perdesse... Ah, cara, eu me daria uma facada.

— Jacques, prefiro não saber sobre seus encontros com outras armas mágicas.

— Ah, não seja assim. Você precisa sair mais! Se você me ajudar, posso arrumar alguém para você. Essa lança tem uma amiga...

— Jacques.

— Tudo bem. — Ele suspirou, o que fez sua lâmina brilhar em um lindo tom de anil. Sem dúvida as lanças achariam isso muito atraente. — O que está rolando? Nenhum ninja apareceu por aqui, não é?

Eu mostrei a marca de serpente no pedaço de vaso.

— Você sabe alguma coisa sobre esse símbolo?

Jacques se aproximou.

— Ah, claro. É uma das marcas de Loki. Não tenho doutorado em literatura germânica nem nada, mas acho que representa, sei lá, traição.

Comecei a me perguntar se chamar Jacques tinha sido uma boa ideia.

— Nosso novo vizinho de corredor faz artesanato. E todos os vasos têm isso gravado embaixo.

— Hum... Eu diria que ele é um filho de Loki.

— Eu *sei* disso. Mas por que se gabar? Sam não gosta nem de mencionar o pai. E esse cara coloca o símbolo de Loki em todos os seus trabalhos.

— Gosto não se discute — retrucou Jacques. — Já conheci uma faca com cabo de acrílico verde. Dá para imaginar?

Peguei a foto dos três irmãos Chase.

— Mas em algum momento da semana passada, esse mesmo símbolo de Loki apareceu no rosto do meu tio. Alguma ideia?

Jacques apoiou a ponta da lâmina no tapete da sala. Ele se inclinou para a frente até o cabo estar a centímetros da foto. Talvez estivesse ficando míope.

— Hum... — disse ele. — Você quer a minha opinião?

— Quero.

— Acho isso bem estranho.

Esperei um pouco. Jacques não elaborou a resposta.

— Tudo bem, então — falei. — Você não acha que pode haver uma ligação entre... sei lá, outro filho de Loki aparecer em Valhala, essa marca estranha no rosto do meu tio e o fato de que, de repente, depois de dois meses de tranquilidade, temos que encontrar o martelo de Thor o mais rápido possível para impedir uma invasão?

— Pensando por esse lado, você está certo, é *bem* estranho. Mas Loki sempre aparece em lugares estranhos. E o martelo de Thor... — Jacques vibrou, como se estivesse tremendo ou segurando uma gargalhada. — Mjölnir *sempre* desaparece. Eu juro, Thor precisa grudar aquele martelo na cabeça com fita adesiva.

Eu duvidava que fosse esquecer essa imagem tão cedo.

— Como Thor pode perder aquilo com tanta facilidade? E como alguém poderia roubá-lo? Achei que Mjölnir fosse tão pesado que era impossível de levantar.

— Engano comum — disse Jacques. — Esqueça todo aquele papo de "só os dignos conseguem levantar Mjölnir" que aparece nos filmes. O martelo é pesado, mas se você reunir uma quantidade razoável de gigantes? Claro que eles conseguem carregar. Agora empunhá-lo, jogá-lo corretamente, pegá-lo de novo, conjurar relâmpagos com ele, isso, sim, exige habilidade. Perdi a conta de quantas vezes Thor dormiu no meio de uma floresta, gigantes brincalhões apareceram com uma retroescavadeira, e, quando acordou, o deus do trovão se viu sem martelo. Na maior parte das vezes, ele consegue recuperá-lo rápido, mata os brincalhões e vive feliz para sempre.

— Mas não desta vez.

Jacques balançou para a frente e para trás, a versão dele de dar de ombros.

— Acho que recuperar Mjölnir é importante. O martelo é poderoso. Inspira medo nos gigantes. Destrói exércitos inteiros. Impede que as forças do mal destruam o universo e tal. Pessoalmente, eu sempre achei meio sem graça. Ele só fica *parado* na maior parte do tempo. Não diz nada. E *nunca* o convide para um karaokê no Nuclear Rainbow. Foi um *desastre*. Eu tive que cantar as duas partes de "Love Never Felt So Good" sozinho.

Eu me perguntei se a lâmina de Jacques era afiada o bastante para cortar o excesso de informações que ele estava me dando. Eu achava que não.

— Última pergunta: Mestiço mencionou que esse novo filho de Loki é um *argr*. Você tem alguma ideia...

— Eu AMO *argrs*! — Jacques deu uma pirueta de alegria e quase arrancou meu nariz. — Firulas de Frey! Nós temos um *argr* morando no corredor? Que ótima notícia.

— Hã, então...

— Uma vez, estávamos em Midgard, Frey, eu e dois elfos, certo? Eram umas três da manhã, e um *argr* veio falar com a gente... — Jacques uivou de tanto rir e suas runas pulsaram no modo *Os Embalos de Sábado à Noite*. — Ah, uau. Foi uma noite épica!

— Mas o que exatamente...?

Alguém bateu à porta. A cabeça de T.J. apareceu na fresta.

— Magnus, desculpe incomodar... Ah, oi, Jacques, beleza?

— T.J.! — disse Jacques. — Já se recuperou da noite de ontem?

T.J. riu, mas parecia constrangido.

— Um pouco.

Eu franzi a testa.

— Vocês foram para a farra ontem à noite?

— Ah, Magnus — repreendeu Jacques —, você precisa *mesmo* sair com a gente. Você ainda não viveu se não foi para uma festa com um rifle da Guerra Civil.

T.J. pigarreou.

— Então, eu vim buscar você, Magnus. A batalha vai começar.

Procurei um relógio, mas lembrei que não tinha um.

— Não está um pouco cedo?

— Hoje é quinta-feira.

Soltei um palavrão. As quintas eram especiais. E complicadas. Eu odiava esse dia da semana.

— Vou pegar meu equipamento.

— Tem outra coisa — disse T.J. — Os corvos do hotel encontraram nosso novo vizinho. Acho que deveríamos ir ficar com ele. Estão levando o cara para a batalha... quer ele queira ou não.

SEIS

Adoro sopa de doninha

Quinta-feira era o dia dos dragões. O que significava mortes ainda mais dolorosas do que o habitual.

Eu teria levado Jacques, mas 1) ele não achava as batalhas de treino dignas de sua presença, e 2) ele tinha um encontro amoroso com uma lança.

Quando T.J. e eu chegamos ao campo de batalha, a luta já havia começado. Exércitos marchavam no pátio interno do hotel, uma zona de matança grande o bastante para ser um país independente com bosques, campinas, rios, colinas e vilarejos falsos. Se estendendo até o céu branco enevoado e fluorescente, o campo era cercado por varandas com grades douradas. Dos andares mais altos, catapultas lançavam projéteis em chamas na direção dos guerreiros como serpentinas mortais.

O som de cornetas ecoou pelas florestas. Nuvens de fumaça subiam de cabanas queimadas. Einherjar correram para o rio, lutando montados em cavalos, rindo enquanto cortavam uns aos outros.

E, como era quinta-feira, doze dragões enormes também se juntaram à matança.

Os einherjar mais velhos os chamavam de *lindwyrm*, ou dragão-serpente. Se quiserem saber minha opinião, aquilo parecia nome de pomada para alergia. Mas os dragões-serpentes eram do tamanho e do comprimento de caminhões de dezoito rodas. Só tinham duas pernas na frente e asas marrons encouraçadas, como a dos morcegos, mas pequenas demais para voar. Durante quase todo o tempo eles se arrastavam pelo chão, ocasionalmente batendo as asas, pulando para atacar as presas.

De longe, com os corpos marrons, verdes e ocre, eles pareciam um bando furioso de perus-cobra carnívoros. Mas, acreditem: de perto, eles eram assustadores.

O objetivo da batalha de quinta-feira? Ficarmos vivos pelo máximo de tempo possível enquanto os dragões se esforçavam para não permitir isso. (Alerta de spoiler: os dragões sempre venciam.)

Mallory e Mestiço nos esperavam na extremidade do campo. Mestiço estava ajustando as tiras na armadura de Mallory.

— Você está fazendo errado — resmungou ela. — Está apertada demais nos ombros.

— Mulher, eu coloco armaduras há séculos.

— Quando? Você sempre entra em batalha com o peito nu.

— Você está reclamando? — perguntou Mestiço.

Mallory ficou vermelha.

— Cala a boca.

— Ah, Magnus e T.J. chegaram! — Mestiço bateu com a mão no meu ombro e deslocou várias das minhas juntas. — O andar dezenove está completo!

Tecnicamente, não era verdade. O andar dezenove tinha quase cem residentes. Mas nosso corredor em particular, nosso bairro dentro do bairro, consistia em nós quatro. E, claro, o mais novo residente...

— Onde está o guepardo? — perguntou T.J.

Como se esperando sua deixa, um corvo mergulhou do céu. Largou um saco de aniagem aos meus pés e pousou ali perto, batendo as asas e grasnando, irritado. O saco de aniagem se moveu. Um animal comprido e magro saiu de dentro: uma doninha marrom e branca.

A doninha sibilou. O corvo grasnou. Eu não falava corvês, mas tinha certeza de que ele estava dizendo: *se comporte, senão vou arrancar seus olhos de doninha com o bico.*

T.J. apontou o rifle para o animal.

— Sabe, quando o 54º regimento de Massachusetts estava marchando na direção de Darien, na Geórgia, nós atirávamos em doninhas e fazíamos sopa. É gostoso. Vocês acham que eu devia pegar minha antiga receita?

A doninha se transformou. Eu tinha ouvido tanto sobre esse novo recruta ser um monstro que esperava que ele virasse um morto-vivo como a deusa Hel ou então uma versão em miniatura da Serpente do Mundo, Jörmungand. Mas o animal virou um adolescente humano normal, alto e magro, com o cabelo tingido de verde, preto nas raízes, como ervas daninhas arrancadas de um gramado.

O pelo marrom e branco da doninha virou roupas verde e rosa: tênis surrados de cano alto cor-de-rosa, calça skinny de veludo verde-limão, um colete quadriculado rosa e verde por cima de uma camiseta branca e outro suéter rosa de casimira enrolado na cintura como um kilt. A roupa me lembrava um traje de bobo da corte, ou a coloração de um animal venenoso: *se mexer comigo, você morre.*

O recém-chegado levantou o rosto, e eu prendi a respiração. Era o rosto de Loki, só que mais jovem: o mesmo sorriso torto e as feições angulosas, a mesma beleza sobrenatural, mas sem os lábios marcados e sem as queimaduras de ácido no nariz. E os olhos: um era castanho-escuro, e o outro, mel. Eu tinha esquecido o nome que se dava para íris de cores diferentes. Minha mãe teria chamado de olhos de David Bowie. Eu chamava de perturbadores.

E o mais estranho? Eu tinha certeza de que já tinha visto aquele garoto.

É, eu sei. Vocês estão achando que um garoto assim se destacaria. Como eu podia não lembrar exatamente onde nossos caminhos tinham se cruzado? Mas quando se mora nas ruas, pessoas com aparência excêntrica são normais. Só as pessoas normais parecem estranhas.

O garoto abriu um sorriso perfeito para T.J., apesar de não alcançar seus olhos.

— Aponte esse rifle para outro lugar, senão vou enrolar essa coisa no seu pescoço como uma gravata-borboleta.

Alguma coisa me dizia que aquela não era uma ameaça vazia. O garoto podia mesmo saber amarrar uma gravata-borboleta, o que era um conhecimento ancestral assustador.

T.J. riu. E baixou o rifle.

— Nós não tivemos oportunidade de nos apresentar mais cedo, quando você estava tentando nos matar. Sou Thomas Jefferson Jr., e estes são Mallory Keen, Mestiço Gunderson e Magnus Chase.

O recém-chegado só olhou para nós. Finalmente, o corvo deu um berro irritado.

— Tá, tá — disse o garoto para o pássaro. — Como falei, estou bem agora. Vocês não me fizeram mal algum, então está tudo bem.

Caw!

O garoto suspirou.

— Tudo bem, eu vou me apresentar. Sou Alex Fierro. É um prazer conhecer vocês, acho. Sr. Corvo, pode ir. Prometo não matar ninguém sem necessidade.

O corvo eriçou as penas. Ele me olhou com uma cara feia, como quem diz *o problema agora é seu, amigão*. E saiu voando.

Mestiço sorriu.

— Ótimo! Agora que você prometeu não nos matar, vamos começar a matar outras pessoas!

Mallory cruzou os braços.

— Ele nem tem uma arma.

— Ela — corrigiu Alex.

— Como? — perguntou Mallory.

— Me chame de *ela*, a não ser que eu diga o contrário.

— Mas...

— Ela, então! — intercedeu T.J., massageando o pescoço como se ainda estivesse preocupado em ganhar uma gravata-borboleta de rifle. — Vamos à batalha!

Alex ficou de pé.

Admito que fiquei encarando. De repente, minha perspectiva foi virada do avesso, que nem quando a gente olha para uma mancha de tinta e vê só a parte preta. Aí, seu cérebro inverte a imagem e você percebe que a parte branca forma uma imagem completamente diferente, apesar de nada ter mudado. Assim era Alex Fierro, só que em rosa e verde. Um segundo antes, ele era claramente um garoto aos meus olhos. Agora, ela era obviamente uma garota.

— O quê? — perguntou ela.

— Nada — menti.

Acima de nós, mais corvos começaram a circular, grasnando de forma acusatória.

— É melhor a gente ir — disse Mestiço. — Os corvos não gostam de quem fica enrolando no campo de batalha.

Mallory pegou suas facas e se virou para Alex.

— Venha com a gente, querida. Queremos ver o que você sabe fazer.

SETE

Você já precisou lidar com *lindwyrms*?

PARTIMOS PARA O COMBATE COMO uma família feliz.

Bem, exceto pelo fato de que T.J. segurou meu braço e sussurrou:

— Fica de olho nela, tá? Não quero ser atacado pelas costas.

Então eu fiquei na retaguarda com Alex Fierro.

Seguimos para o centro por um campo de cadáveres, os quais veríamos vivos mais tarde, no jantar. Eu poderia ter tirado umas fotos engraçadas, mas não encorajavam celulares com câmera no campo de batalha. Vocês sabem como é. Alguém tira uma foto sua morto em uma posição comprometedora, isso chega no Instagram e você ouve piadinhas durante séculos.

Mestiço e Mallory abriram caminho a golpes de facão por um grupo de berserkir. T.J. deu um tiro na cabeça de Charlie Flannigan. Charlie achava hilário levar tiros na cabeça. Não me perguntem por quê.

Desviamos de uma saraivada de bolas de fogo das catapultas nas varandas. Tivemos uma breve batalha de espadas com Big Lou do 401º andar. Ele é um cara legal, mas sempre quer morrer por decapitação. É difícil, considerando que Lou tem quase dois metros e quinze de altura. Ele procura Mestiço Gunderson no campo de batalha porque Mestiço é um dos poucos einherjar altos o bastante para conseguir decapitá-lo.

De algum modo, chegamos ao bosque sem sermos pisoteados por um dragão-serpente. T.J., Mallory e Mestiço dispersaram-se na frente e nos levaram para a sombra das árvores.

Segui com cautela pela vegetação, com o escudo levantado e minha pesada espada padrão de combate na mão esquerda. Ela não tinha o equilíbrio ideal e nem era tão letal quanto Jacques, mas era bem menos tagarela. Alex me acompanhava, aparentemente sem medo de estar de mãos vazias e de ser o alvo mais colorido do grupo.

Depois de um tempo, o silêncio me incomodou.

— Eu já vi você antes — falei para ela. — Você estava no abrigo da juventude na rua Winter?

Ela fungou.

— Eu odiava aquele lugar.

— Eu também. Morei nas ruas por dois anos.

Ela arqueou a sobrancelha, o que fez o olho cor de mel parecer mais pálido e frio.

— Você acha que isso nos torna amigos?

Tudo na postura dela dizia: *Se afaste de mim. Pode me odiar, se quiser. Eu não ligo, desde que você me deixe em paz.*

Mas sou uma pessoa do contra. Nas ruas, vários sem-teto agiam com agressividade comigo e me repeliam. Eles não confiavam em ninguém. Por que deveriam? Isso só me deixava mais determinado a conhecê-los. Os solitários costumavam ter as melhores histórias. Eram os mais interessantes e os mais sábios na arte da sobrevivência.

Sam al-Abbas deve ter tido algum motivo para levar Alex para Valhala. Eu não deixaria ela se safar só porque tinha olhos surpreendentes, um colete impressionante e uma tendência a agredir as pessoas.

— O que você quis dizer mais cedo? — perguntei. — Quando pediu...

— Para você me chamar de *ela*? Sou de gênero fluido e transgênero, idiota. Pesquise se precisar, mas não é meu trabalho ensinar...

— Não era disso que eu estava falando.

— Ah, por favor. Eu vi seu queixo caído.

— Ah, é. Talvez por um segundo. Eu fiquei surpreso. Mas... — Eu não sabia como continuar sem parecer ainda mais idiota.

Essa coisa do gênero não foi o que me surpreendeu. Uma porcentagem *enorme* dos adolescentes sem-teto que eu conheci teve um gênero atribuído ao nascer, mas se identificava com outro, ou sentia que o binário garoto/garota não se aplicava a eles.

Eles iam parar na rua porque, pasmem, suas famílias não os aceitavam. Nada mais amoroso do que jogar seu filho não heterossexual na sarjeta para que ele experimente abuso, drogas, altas taxas de suicídio e perigo físico constante. Valeu, mãe e pai!

O que me surpreendeu foi a maneira como reagi a Alex — como minha impressão sobre ela mudou rápido e o tipo de emoção que isso despertou. Eu não sabia se conseguiria colocar isso em palavras sem ficar tão vermelho quanto o cabelo de Mallory Keen.

— O q-que eu estava querendo, *dizendo*, é que, quando você estava falando com o corvo, mencionou que estava preocupada de alguém te fazer mal. O que exatamente quis dizer com isso?

Alex fez uma careta como se eu tivesse acabado de oferecer um pedação de queijo fedorento para ela.

— Talvez eu tenha exagerado. Não esperava morrer hoje e nem ser recolhida por uma valquíria.

— Foi Sam. Ela é legal.

Alex balançou a cabeça.

— *Não* tem desculpa. Cheguei aqui e descobri... não importa. Estou morta. Imortal. Nunca vou envelhecer e nunca vou mudar. Achei que isso queria dizer... — A voz dela falhou. — Não importa.

Eu tinha certeza de que importava. Queria perguntar sobre a vida dela em Midgard, por que Alex tinha um átrio a céu aberto como o meu na suíte, por que tanta cerâmica, por que ela colocava a marca de Loki junto das iniciais em seu trabalho. Eu me perguntei se a chegada dela era coincidência... ou se tinha alguma coisa a ver com a marca no rosto do tio Randolph na foto e a necessidade urgente e repentina de encontrar o martelo de Thor.

Por outro lado, eu desconfiava que, se tentasse perguntar a ela sobre tudo isso, Alex viraria um gorila e arrancaria minha cabeça.

Felizmente, fui poupado desse destino quando um *lindwyrm* pousou na nossa frente.

O monstro desceu do céu, batendo as asas ridículas e rugindo como um urso-pardo com um amplificador de cem watts. Árvores racharam e caíram sob o peso dele quando parou junto a nós.

— ARGGG! — gritou Mestiço, o que era norueguês antigo para *CARAMBA, UM DRAGÃO!*, logo antes de o *lindwyrm* jogá-lo para o alto. A julgar pelo arco, Mestiço Gunderson pararia em algum lugar do andar vinte e nove, o que seria uma surpresa e tanto para quem estivesse relaxando na varanda.

T.J. disparou com o rifle. A fumaça do tiro floresceu inofensiva no peito do dragão. Mallory gritou um palavrão em gaélico e atacou.

O *lindwyrm* a ignorou e se virou para mim.

Eu devo mencionar... *lindwyrms* são feios. Como se Freddy Krueger e um zumbi de *The Walking Dead* tivessem um filho, feio *assim*. O rosto não tem carne nem pele, só uma carapaça de ossos e tendões expostos, dentes brilhantes e olhos escuros e afundados. Quando o monstro abria a bocarra, eu conseguia ver até a garganta cor de carne podre.

Alex se agachou e procurou alguma coisa no cinto.

— Isso não é bom.

— Não brinca. — Minha mão estava tão suada que eu mal conseguia segurar a espada. — Vá para a direita, eu vou para a esquerda. Vamos cercá-lo pelos lados...

— Não, eu quero dizer que não é um dragão *qualquer*. Este é Grimwolf, uma das antigas serpentes.

Fiquei olhando para as órbitas escuras do monstro. Ele parecia *mesmo* maior do que a maioria dos *lindwyrms* com que lutei, mas eu costumava estar ocupado demais morrendo para perguntar a um dragão-serpente qual era sua idade ou seu nome.

— Como você sabe? E por que alguém chamaria um dragão de Grim*wolf*?

O *lindwyrm* sibilou, enchendo o ar com um aroma de pneus queimados. Aparentemente, ele era sensível em relação ao próprio nome.

Mallory perfurou as pernas do dragão e gritou com mais irritação quando o monstro a ignorou novamente.

— Vocês dois vão ajudar — gritou ela para nós — ou vão ficar aí batendo papo?

T.J. perfurou o dragão-serpente com o rifle. A ponta só quicou nas costelas da criatura. Por ser um bom soldado, T.J. recuou e tentou outra vez.

Alex puxou um tipo de fio dos aros do cinto, um cabo de aço fino como uma linha de pipa, com um pino de madeira em cada ponta.

— Grimwolf é um dos dragões que vivem nas raízes da Yggdrasill. Ele não devia estar aqui. Ninguém seria louco o bastante para... — O rosto dela ficou pálido e a expressão endureceu, como se virasse osso de dragão-serpente. — *Ele* mandou o *lindwyrm* por minha causa. Ele sabe que estou aqui.

— Ele quem? — perguntei. — O quê?

— Distraia o dragão — ordenou Alex.

Ela pulou na árvore mais próxima e começou a subir. Mesmo sem virar gorila, ela conseguia se movimentar como um.

Eu suspirei, hesitante.

— Distrair o dragão. Claro.

Grimwolf tentou morder Alex e arrancou vários galhos de árvore. Ela se movia com rapidez, subindo pelo tronco, mas uma ou duas mordidas a mais e ela viraria almoço de *lindwyrm*. Enquanto isso, Mallory e T.J. ainda atacavam as pernas e a barriga da criatura, mas não estavam tendo sorte em convencer o dragão a comê-los.

É só uma batalha de treino, falei para mim mesmo. *Ataque agora, Magnus! Morra como um profissional!*

Esse era o objetivo dos combates diários: aprender a lutar contra qualquer inimigo, superar nosso medo da morte — porque no dia do Ragnarök, todos nós precisaríamos de toda a habilidade e a coragem que conseguíssemos reunir.

Então, por que eu hesitei?

Primeiro, porque sou bem melhor em curar do que em lutar. Ah, e em fugir — eu sou *muito* bom nisso. Além do mais, é difícil atacar quando se tem certeza de que vai morrer, mesmo sabendo que não vai ser permanente, e especialmente se essa morte envolver uma quantidade grande de dor.

O dragão tentou morder Alex de novo, e por um triz não pegou os tênis cor-de-rosa.

Por mais que eu odiasse morrer, eu odiava ainda mais ver meus companheiros serem mortos. Gritei "FREY!" e parti para cima do *lindwyrm*.

Para minha sorte, Grimwolf ficou feliz em desviar a atenção para mim. Quando se trata de irritar monstros antigos, eu até tenho certo talento.

Mallory saiu cambaleando do meu caminho e jogou uma das facas na cabeça do dragão. T.J. também recuou, gritando:

— É todo seu, amigão!

No que diz respeito a palavras de encorajamento pré-morte excruciante, essas eram bem ruins.

Levantei o escudo e a espada como os instrutores legais ensinaram na aula de viking básico. A boca do dragão se escancarou, revelando várias fileiras extras de dentes, para o caso de a fileira externa não me matar o bastante.

Com o canto do olho, vi Alex se balançando no alto da árvore, um amontoado tenso de rosa e verde, pronto para saltar. Entendi o que ela estava planejando: Alex queria pular no pescoço do dragão. Era um plano tão idiota que me fez sentir melhor em relação à minha morte imbecil.

O dragão atacou. Eu ergui a espada, torcendo para perfurar o palato superior do monstro.

Uma dor repentina me cegou. Meu rosto parecia ter sido mergulhado em ácido. Meus joelhos se dobraram, o que deve ter salvado minha vida. O dragão mordeu o ar onde minha cabeça estava um milissegundo antes.

Em algum lugar à minha esquerda, Mallory gritou:

— Levanta, seu idiota!

Tentei piscar e afastar a dor. Só piorou. Minhas narinas se encheram com o fedor de carne queimada.

Grimwolf recuperou o equilíbrio, rosnando de irritação.

Dentro da minha cabeça, uma voz familiar disse: *Pare de lutar, amigo. Não resista!*

Minha visão duplicou. Eu ainda enxergava a floresta, o dragão acima de mim, uma pequena figura vestida de rosa e verde pulando na direção do monstro do alto de uma árvore. Mas tinha outra camada de realidade, uma cena enevoada tentando abrir caminho pelas minhas córneas. Eu me ajoelhei no escritório do tio Randolph, na mansão da família Chase, em Back Bay. De pé ao meu lado estava alguém bem pior do que um *lindwyrm*: Loki, o deus do mal.

Ele sorriu para mim. *Pronto. Não foi tão difícil!*

Ao mesmo tempo, o dragão Grimwolf atacou de novo e abriu a bocarra para me devorar inteiro.

OITO

Sou salvo da morte certa ao ser morto

Eu nunca tinha existido em dois lugares ao mesmo tempo. E concluí que não gostava da experiência.

Em meio à dor, fiquei pouco ciente da luta na floresta: Grimwolf estava prestes a me morder e me partir ao meio quando de repente ele jogou a cabeça para trás; agora, Alex estava montada no pescoço dele, puxando o cabo com tanta força ao redor do pescoço do dragão-serpente que ele se debateu e botou a língua preta bifurcada para fora.

T.J. e Mallory pararam na minha frente, agindo como escudo. Eles gritaram para Grimwolf, balançando as armas e tentando fazê-lo recuar.

Eu queria ajudá-los. Queria ficar de pé ou pelo menos rolar para fora do caminho. Mas estava paralisado, de joelhos, preso entre Valhala e o escritório de Randolph.

Eu não disse que funcionaria, Randolph? A voz de Loki me arrastou mais para a visão. *Está vendo? O sangue é importante. Nós temos uma conexão sólida!*

A cena enevoada se definiu em cores. Eu estava ajoelhado no tapete oriental em frente à mesa de Randolph, suando sob um feixe quadrado de luz do sol manchado de verde por causa do vitral em cima da porta. O aposento tinha cheiro de lustra-móveis de limão e carne queimada. Eu tinha certeza de que o segundo odor vinha da minha cara.

À minha frente estava Loki, com o cabelo desgrenhado da cor de folhagem no outono, o rosto delicadamente esculpido marcado por queimaduras de ácido no nariz e nas bochechas e com cicatrizes de sutura ao redor dos lábios.

Ele sorriu e abriu os braços. *O que você acha da minha roupa?*

Ele estava usando um smoking verde-esmeralda com uma camisa marrom de babados, gravata-borboleta estampada e faixa combinando. (Isso se dava para dizer que alguma coisa no traje *combinava*.) Havia uma etiqueta de preço pendurada na manga esquerda do paletó.

Eu não conseguia falar. Não conseguia vomitar, por mais que quisesse. Não podia nem deixar Blitzen orgulhoso ao oferecer dicas de moda grátis.

Não? A expressão de Loki azedou. *Eu falei, Randolph. Você devia ter comprado o amarelo-canário também!*

Um som estrangulado saiu da minha garganta.

— Magnus — disse a voz do tio Randolph —, não escute...

Loki esticou as mãos, com as pontas dos dedos soltando fumaça. Ele não tocou em mim, mas a dor no meu rosto triplicou, como se alguém estivesse me queimando com ferro em brasa. Eu queria desabar, implorar para Loki parar, mas não conseguia me mexer.

Percebi que estava vendo tudo pelos olhos do meu tio. Estava habitando o corpo dele, sentindo o que ele estava sentindo. Loki estava usando Randolph como uma espécie de telefone operado pela dor para fazer contato comigo.

A dor diminuiu, mas o peso adicional de Randolph me envolveu como um terno de chumbo. Meus pulmões tremiam. Meus joelhos cansados doíam. Eu não gostei de ser um homem de meia-idade.

Já chega, Randolph, repreendeu Loki, *se comporte. Magnus, peço desculpas pelo seu tio. Onde eu estava? Ah, sim! Seu convite!*

Enquanto isso, em Valhala, eu continuava paralisado no campo de batalha enquanto o dragão Grimwolf cambaleava de um lado para outro, derrubando trechos inteiros da floresta. Um dos pés do *lindwyrm* acertou Mallory Keen e a esmagou. T.J. gritou e balançou pedaços do rifle agora quebrado, tentando chamar a atenção do monstro. De algum modo, Alex Fierro conseguiu ficar no pescoço do dragão e foi apertando o cabo conforme Grimwolf se debatia.

Um casamento!, anunciou Loki com alegria. Ele mostrou um convite verde, dobrou-o e colocou no bolso da camisa de Randolph. *Daqui a cinco dias! Peço desculpas por estar em cima da hora, mas espero que você possa comparecer, principalmente porque você precisa levar a noiva e o dote. Senão, bem... guerra, invasão,*

Ragnarök etc. Um casamento vai ser bem mais divertido! Agora, vamos ver. Quanto Samirah contou para você?

Meu crânio se comprimiu até parecer que meu cérebro sairia pelo nariz. Um grito irregular saiu pelos meus lábios, mas eu não sabia se era meu ou do tio Randolph.

Do pescoço do dragão, Alex gritou:

— Qual é o problema com o Magnus?

T.J. parou ao meu lado.

— Não sei! Tem fumaça saindo da cabeça dele! Isso é ruim, não é?

— Pegue a espada dele! — Alex apertou mais o cabo, fazendo sangue preto escorrer pelo pescoço do dragão. — Se prepare!

Ah, caramba. Loki bateu no meu nariz/nariz do tio Randolph. A pressão na minha cabeça diminuiu de prestes a desmaiar para tortura moderada. *Samirah não contou. A pobrezinha está constrangida, eu acho. Eu entendo! Também é difícil para mim entregar minha filha favorita. Os filhos crescem tão rápido!*

Tentei falar. Queria dizer: *Suma! Você é ridículo! Saia da minha cabeça e deixe Samirah em paz!*

Mas o que saiu foi:

— *Aaaaaah.*

Não precisa me agradecer, disse Loki. *Nenhum de nós quer que o Ragnarök comece agora, não é? E eu sou o único que pode ajudar você! Não foi uma negociação fácil, mas eu sei ser bem persuasivo. O martelo em troca da noiva. Uma proposta única. Eu conto mais quando você encontrar o dote.*

— Agora! — gritou Alex.

Ela puxou o fio com tanta força que o dragão arqueou as costas, o que separou os segmentos da pele reforçada que protegia sua barriga. T.J. atacou e enfiou minha espada de treino em um ponto macio abaixo do coração de Grimwolf. Ele rolou para o lado quando o monstro caiu com todo o seu peso, se empalando. Alex pulou do pescoço do *lindwyrm*, ainda segurando o garrote pingando sangue.

Foi Alex que ouvi agora? Loki curvou o lábio marcado. *Ela não foi convidada para o casamento. Vai estragar tudo. Na verdade* — os olhos de Loki brilharam de malícia —, *dê um presentinho meu a ela, tá?*

Meus pulmões se contraíram, e a sensação foi pior do que quando eu era asmático. Meu corpo começou a superaquecer; eu estava com tanta dor que meus órgãos pareceram se dissolver em moléculas, com a pele brilhando e soltando vapor. Loki estava transformando meu cérebro em fogo, me enchendo com flashes de lembranças que não eram minhas, séculos de raiva e sede de vingança.

Tentei expulsá-lo da minha cabeça. Tentei respirar.

Alex Fierro parou ao meu lado com a testa franzida. O rosto dela e o de Loki se fundiram.

— Seu amigo vai explodir — disse Alex, como se as pessoas explodissem todos os dias.

T.J. secou a testa.

— O que exatamente você quer dizer com... *explodir*?

— Quero dizer que Loki está canalizando poder por ele — disse Alex. — É intenso demais. Magnus vai explodir e vai destruir boa parte deste pátio.

Trinquei os dentes. Consegui balbuciar uma palavra:

— *Corram*.

— Não vai adiantar — disse Alex. — Não se preocupe, tenho uma solução.

Ela se adiantou e enrolou calmamente o fio de metal no meu pescoço. Consegui dizer outra palavra:

— *Espere*.

— É a única maneira de tirar Loki da sua cabeça. — Os olhos castanho e mel de Alex eram impossíveis de decifrar. Ela piscou para mim... ou talvez tenha sido Loki, com o rosto cintilando de leve embaixo da pele de Alex.

Nos vemos em breve, Magnus, disse o deus.

Alex puxou as duas pontas do garrote e me matou.

NOVE

Nunca tome banho de banheira com um deus decapitado

Alguém pode me explicar por que eu tenho que sonhar quando estou morto?

Lá estava eu, flutuando na escuridão da não existência, cuidando da minha vida, tentando superar o fato de que tinha acabado de ser decapitado. E caí de repente em uns pesadelos estranhos e vívidos. *Muito* irritante.

Eu me vi em um iate de trinta pés no meio de uma tempestade. O convés oscilava. Ondas batiam na proa. Filetes de chuva cinza escorriam no vidro das janelas da cabine de comando.

Na cadeira do capitão estava o tio Randolph, segurando o leme com uma das mãos e apertando o rádio com a outra. A capa de chuva amarela pingava e formava poças ao redor dos pés. A cabeça raspada brilhava com a água salgada. Na frente dele, os monitores do painel de controle não mostravam nada além de estática.

— SOS! — gritou ele como se o rádio fosse um cachorro teimoso se recusando a fazer um truque. — SOS, seus malditos. SOS!

No banco ao lado dele, uma mulher e duas garotas se abraçavam. Eu não as conheci em vida, mas reconheci das fotos no escritório do tio Randolph. Talvez porque eu tivesse acabado de estar na cabeça do meu tio, consegui pescar o nome delas da memória dele: sua esposa, Caroline, e as filhas, Aubrey e Emma.

Caroline estava sentada no meio, com o cabelo castanho-escuro grudado no rosto, os braços ao redor dos ombros das meninas.

— Vai ficar tudo bem — disse a mãe para as garotas. Ela encarou Randolph com uma acusação silenciosa no olhar: *Por que você fez isso com a gente?*

Aubrey, a mais nova, tinha o cabelo louro ondulado da família Chase. Sua cabeça estava abaixada, o rosto bem concentrado. Ela estava com um modelo do iate no colo, tentando manter o brinquedo reto apesar das ondas de quatro metros e meio que balançavam a cabine de comando, como se, ao fazer isso, pudesse ajudar o pai.

Emma não estava tão calma. Ela parecia ter uns dez anos, tinha cabelo escuro como o da mãe e olhos tristes e cansados como os do pai. De algum modo, eu sabia que era ela quem tinha ficado mais empolgada com aquele passeio. Emma insistira em ir junto na grande aventura do pai na busca por uma espada viking desaparecida que finalmente provaria suas teorias. Papai seria um herói! Randolph não conseguira dizer não.

Mas, agora, ela tremia de medo. O odor leve de urina me disse que a bexiga de Emma não estava conseguindo suportar tanto estresse. A cada oscilar do barco a menina gritava e agarrava um pingente que trazia no peito — uma runa que Randolph dera a ela no último aniversário. Eu não conseguia ver o símbolo, mas sabia qual era:

◇

Othala: herança. Randolph via Emma como sua sucessora, a próxima grande historiadora-arqueóloga da família.

— Vou levar a gente para casa. — A voz de Randolph estava tomada de desespero.

Ele estava seguro de seus planos e confiante em relação à previsão do tempo. Seria uma viagem fácil a partir do porto. Randolph tinha feito uma pesquisa detalhada. Ele *sabia* que a Espada do Verão devia estar no fundo da baía de Massachusetts. Randolph se imaginou dando um mergulho rápido. Os antigos deuses de Asgard abençoariam seus esforços. Ele poderia levar a espada para a superfície e levantar a lâmina ao sol pela primeira vez em mil anos. A família estaria junto para testemunhar seu triunfo.

Mas ali estavam eles, presos em uma tempestade bizarra, com o iate sendo jogado de um lado para outro feito o brinquedo no colo de Aubrey.

O barco virou para estibordo. Emma gritou.
Um muro de água me engoliu.

Saí em um sonho diferente. Minha cabeça degolada oscilava em uma banheira cheia com cheiro de sabonete de morango e toalhas mofadas. À minha direita flutuava um pato alegre de borracha com olhos apagados. À minha esquerda flutuava a não tão alegre cabeça do deus Mímir. Algas e peixinhos mortos se embrenhavam na barba dele. Espuma de banho pingava dos olhos, ouvidos e do nariz.

— Estou dizendo — a voz dele ecoou no banheiro de azulejos —, vocês têm que ir. E não só porque eu sou seu chefe. O destino *exige* isso.

Ele não estava falando comigo. Ao lado da banheira, sentado em uma linda latrina de porcelana cor de abacate, estava meu amigo Hearthstone, com os ombros caídos, a expressão desanimada. Ele usava a jaqueta de couro e a calça pretas de sempre, uma camisa branca engomada e um cachecol de bolinhas que parecia ter sido feito do tapete de um jogo de Twister. O cabelo louro arrepiado era quase tão pálido quanto o rosto dele.

Hearth gesticulou em linguagem de sinais, tão rápido e com tanta irritação que só consegui captar algumas palavras: *Perigoso demais... morte... proteger esse idiota.*

Ele apontou para Blitzen, encostado na pia com os braços cruzados. O anão estava elegante, como sempre, com um terno castanho de três peças que combinava com o tom de sua pele, uma gravata-borboleta tão preta quanto sua barba e um chapéu estilo Frank Sinatra que fazia o visual todo funcionar.

— Nós temos que ir — insistiu Blitz. — O garoto *precisa* de nós.

Eu queria dizer quanto sentia a falta deles, quanto queria vê-los, mas também que eles não deviam arriscar a vida por mim. Infelizmente, quando abri a boca, a única coisa que saiu foi um peixe dourado se sacudindo desesperadamente para se salvar.

Meu rosto despencou para a frente, no meio da espuma. Quando voltei à superfície, o sonho havia mudado.

Eu ainda era uma cabeça sem corpo, mas agora estava flutuando em um pote enorme cheio de picles e vinagre. Era difícil ver através do líquido esverdeado e do vidro curvo, mas eu parecia estar em um bar. Anúncios de bebidas em néon brilhavam nas paredes. Formas enormes e indistintas estavam sentadas em bancos. Gargalhadas e conversas provocavam tremores no líquido do pote.

Eu não tinha passado muito tempo em bares. E não tinha passado muito tempo olhando através de potes imundos de picles. Mas alguma coisa naquele lugar parecia familiar: a disposição das mesas, a janela chanfrada em padrão de diamantes na parede oposta, até as fileiras de taças de vinho suspensas acima de mim como lâmpadas penduradas.

Uma nova forma surgiu no meu campo de visão, maior do que os clientes e vestida de branco.

— SAIAM! — A voz dela era rouca e irregular, como se ela passasse o tempo livre fazendo gargarejo com gasolina. — TODOS VOCÊS, PARA FORA! QUERO FALAR COM MEU IRMÃO!

Sob muitos protestos, as pessoas se dispersaram. O bar ficou em silêncio, exceto pelo som de uma TV em algum lugar do aposento; era uma transmissão esportiva, e um comentarista dizia:

— Ah, veja isso, Bill! A cabeça dele se soltou inteira!

Levei esse comentário para o lado pessoal.

Na extremidade do bar, outra pessoa se mexeu — uma figura tão escura e grande que achei que era só uma sombra.

— O bar é meu. — A voz era um barítono grave, rouca e úmida. Se uma morsa pudesse falar, o som seria mais ou menos esse. — Por que você sempre expulsa meus amigos?

— *Amigos?* — gritou a mulher. — Eles são seus *súditos*, Thrym, não seus amigos! Comece a agir como um rei!

— Eu estou agindo! — disse o homem. — Vou destruir Midgard!

— Ah. Vou acreditar *nisso* quando vir. Se você fosse um rei de verdade, teria usado aquele martelo imediatamente em vez de esconder e enrolar por meses, decidindo o que fazer. E não o trocaria com aquele imprestável...

— É uma aliança, Thrynga! — gritou o homem. Eu duvidava que esse tal de Thrym fosse realmente uma morsa, mas o imaginei pulando de nadadeira em nadadeira, com os bigodes esticados. — Você não entende como isso é importante. Eu *preciso* de aliados para dominar o mundo humano. Quando eu tiver me casado com Samirah al-Abbas...

BLUP.

Eu não pretendia, mas assim que ouvi o nome de Samirah, gritei dentro do pote de picles, fazendo uma bolha enorme estourar na superfície do líquido verde oleoso.

— O que foi isso? — perguntou Thrym.

A forma branca de Thrynga surgiu acima de mim.

— Veio do pote de picles. — Ela falou como se fosse o título de um filme de terror.

— Bem, mate-o! — gritou Thrym.

Thrynga pegou um banco de bar e bateu no pote com ele, me jogando contra a parede e me fazendo cair no chão em uma poça de picles, líquido de conserva e vidro quebrado.

Acordei na minha cama, ofegante, tentando respirar. Minhas mãos voaram até o pescoço.

Graças a Frey, minha cabeça estava novamente presa ao corpo. As narinas ainda ardiam do cheiro de picles e de sabonete líquido de morango.

Tentei analisar o que havia acabado de acontecer: que partes eram reais e que partes eram sonho. O dragão Grimwolf. Alex Fierro e seu garrote. Loki queimando meu cérebro para abrir caminho e entrar na minha mente, de algum modo usando meu tio para isso. O aviso dele de um casamento em cinco dias.

Tudo isso tinha acontecido de verdade.

Infelizmente, meus sonhos pareciam tão concretos quanto todo o resto. Estive com o tio Randolph no barco no dia que a família dele morreu. As lembranças dele estavam agora misturadas com as minhas. Sua angústia pesava no meu peito como um bloco de aço: a perda de Caroline, Aubrey e Emma era tão dolorosa para mim quanto a morte da minha própria mãe. Até pior, de certa maneira, porque Randolph ainda estava de luto. Ele ainda sofria todas as horas de todos os dias.

O resto das visões: Hearthstone e Blitzen vindo me ajudar. Eu devia estar alegre, mas me lembrava dos sinais frenéticos de Hearthstone: *Perigoso demais. Morte.*

E a cena do pote de picles. O que em Helheim era aquilo? Aqueles irmãos misteriosos, Thrym e Thrynga... eu estava disposto a apostar cinquenta moedas de ouro vermelho e um jantar de falafel que eles eram gigantes. Thrym estava com o martelo de Thor e planejava trocá-lo — eu engoli bile com gosto de picles — por Sam.

Depende de você levar a noiva e o dote, dissera Loki. *Uma proposta única.*

Loki devia estar louco. Ele queria "nos ajudar" a pegar o martelo de Thor oferecendo Samirah em casamento?

Por que Sam não falou nada sobre isso?

A pobrezinha está constrangida, dissera Loki.

Eu me lembrei do desespero na voz de Sam quando conversamos no café, como os dedos dela tremeram ao segurar o copo. Não era surpresa ela precisar tanto encontrar o martelo. Não era só para salvar o mundo de uma invasão, blá-blá-blá. Nós estávamos sempre salvando o mundo. Sam queria impedir esse acordo de casamento.

Mas por que ela acharia que precisava honrar um acordo tão idiota? Loki não tinha o direito de dizer a ela o que fazer. Ela estava noiva de Amir. Ela o amava. Eu levantaria um exército de einherjar, de elfos mágicos e de anões bem-vestidos e botaria fogo em Jötunheim para impedir que coagissem minha amiga.

Fosse qual fosse o caso, eu precisava falar com ela de novo, e *logo*.

Eu me esforcei para sair da cama. Meus joelhos ainda estavam cansados e doloridos como os de Randolph, apesar de eu saber que era coisa da minha cabeça. Manquei até o armário, desejando ter a bengala do meu tio.

Eu me vesti e peguei o celular na cozinha.

A tela mostrava 7h02. Eu estava atrasado para o jantar de Valhala.

Nunca demorei tanto para ressuscitar depois de morrer em batalha. Normalmente, era um dos primeiros a renascer. Eu me lembrei de Alex Fierro de pé acima de mim, cortando calmamente minha cabeça com o garrote.

Verifiquei minhas mensagens de texto. Nada de Annabeth. Eu não devia estar surpreso, mas não perdia as esperanças. Precisava da opinião da minha prima agora, do bom senso dela, da garantia dela de que eu era capaz de lidar com tanta bizarrice.

Minha porta se abriu. Três corvos entraram voando, espiralaram em volta da minha cabeça e pousaram no galho mais baixo da árvore do átrio. Eles me olharam do jeito que só os corvos conseguem, como se eu não fosse digno de ser carniça deles.

— Sei que estou atrasado — falei. — Acabei de acordar.

CAW!

CAW!

CAW!

Tradução mais provável:

"ANDA!"

"LOGO!"

"IDIOTA!"

Samirah estaria no jantar. Talvez eu conseguisse falar com ela.

Peguei meu cordão e pendurei no pescoço. O pingente de runa dava uma sensação quente e reconfortante, como se Jacques estivesse tentando me tranquilizar. Ou talvez ele estivesse de bom humor depois de um encontro agradável com uma lança. De qualquer modo, eu estava feliz em tê-lo de volta.

Tive a sensação de que não usaria a espada de treino nos próximos cinco dias. Agora, as coisas ficariam dignas de Jacques.

DEZ

O luau viking mais estranho do mundo

Como se a quinta de dragões não fosse ruim o bastante, também era noite temática no Salão de Banquete dos Mortos: luau havaiano.

Ugh.

Eu entendia que a gerência precisava manter os eventos interessantes, principalmente para os guerreiros que esperavam o Juízo Final desde a Idade Média. Mesmo assim, o luau me parecia um pouco de apropriação cultural demais. (Os vikings eram famosos por se apropriar de outras culturas. Também por pilhar e por queimar tais culturas.) Além disso, ver milhares de einherjar de camisas floridas e colares havaianos era como receber uma granada de tinta néon entre os olhos.

O salão estava lotado até o teto: centenas de mesas arrumadas como um anfiteatro, todas viradas para o centro, onde uma árvore grande como um shopping espalhava os galhos pelo enorme teto abobadado. Perto das raízes, girando em um espeto acima do fogo, estava nosso jantar de sempre: a carcaça de Saehrímir, o animal mágico, que esta noite usava um lindo colar de orquídeas. Um abacaxi do tamanho de Wisconsin estava enfiado em sua boca.

Valquírias voavam de um lado para outro do salão, enchendo jarras, servindo comida e conseguindo não botar fogo nas saias de capim com as tochas havaianas que ardiam nos corredores.

— Magnus! — chamou T.J., acenando para mim. O rifle estava apoiado ao lado dele, com a parte quebrada colada com fita adesiva.

Não tínhamos lugar marcado. Isso acabaria com a diversão de brigar pelos melhores lugares. Esta noite, meus companheiros de corredor tinham conseguido um excelente local na terceira fila, a algumas fileiras da mesa dos lordes.

— Chegou nosso dorminhoco! — Mestiço sorriu, os dentes sujos de Saehrímir assado. — *Alicarl*, meu amigo!

Mallory o cutucou.

— É *aloha*, idiota. — Ela revirou os olhos para mim. — *Alicarl* é norueguês para gorducho, como Mestiço sabe perfeitamente.

— Cheguei perto! — Mestiço bateu o cálice para chamar a atenção das valquírias. — Tragam hidromel e carne para o meu amigo!

Eu me sentei entre Mallory e T.J. Em pouco tempo, tinha à minha frente uma caneca de hidromel frio e um prato de Saehrímir quente com pãozinho e molho. Apesar de toda a loucura que vivi hoje, minha fome era enorme. Ressuscitar sempre provocava isso em mim. Fui com tudo.

Na mesa dos lordes estava a variedade de sempre de pessoas mortas. Reconheci Jim Bowie, Crispus Attucks e Ernie Pyle, todos pessoas que morreram corajosamente em combate, junto com Helgi, o gerente do hotel, e uns outros vikings antigos. O trono de Odin, no centro, estava vazio, pra variar. De tempos em tempos, supostamente, Sam recebia ordens do Pai de Todos, mas Odin não aparecia em Valhala desde o final de nossa missão em janeiro. Devia estar trabalhando no novo livro — *Cinco dias até o melhor Ragnarök do mundo!* — e na apresentação de PowerPoint que o acompanharia.

À esquerda dos lordes havia a mesa de honra. Esta noite, estava ocupada por apenas duas pessoas: Alex Fierro e sua valquíria, Samirah al-Abbas. Isso queria dizer que, em todos os nove mundos, nas últimas vinte e quatro horas, só Alex tivera uma morte digna de Valhala.

Isso não era necessariamente incomum. Os números por noite variavam de zero a doze. Mas eu não conseguia afastar a sensação de que mais ninguém tinha morrido bravamente no dia de hoje só porque não queria dividir a mesa com Alex. Duas guardas valquírias estavam atrás dela, como se prontas para impedir uma tentativa de fuga.

A linguagem corporal de Sam era pura tensão. Eu estava longe demais para ouvi-la, mas imaginei que a conversa com Alex fosse alguma coisa assim:

Sam: *Que papo constrangedor.*

Alex: *Superconstrangedor.*

Sam (assentindo): *Constrangedor pra caramba.*

Ao meu lado, T.J. empurrou o prato vazio.

— Que combate o de hoje. Eu nunca vi ninguém fazer isso — ele passou o dedo no pescoço — tão rápido e com tanta frieza.

Resisti à vontade de tocar meu pescoço.

— Foi a primeira vez que fui decapitado.

— Não é divertido, é? — perguntou Mallory. — O que estava acontecendo com você, soltando fumaça e ameaçando explodir daquele jeito?

Eu já conhecia meus companheiros de corredor havia um tempo. Confiava neles como família, e queria dizer família estilo *Annabeth*, não estilo *tio Randolph*. Contei tudo para eles: Loki com o smoking verde horrendo me convidando para um casamento; os sonhos com meu tio, Hearth e Blitz e os irmãos gigantes no bar.

— Thrym? — Mestiço Gunderson tirou uns pedaços de pãozinho da barba. — Conheço esse nome das antigas lendas. Ele era um dos reis dos gigantes da terra, mas não pode ser o mesmo cara. Aquele Thrym foi bem morto séculos atrás.

Pensei no bode Otis, que supostamente podia retornar da névoa de Ginnungagap.

— Os gigantes não ressuscitam?

Mestiço riu com deboche.

— Não que *eu* saiba. Deve ser outro Thrym. É um nome comum. Mas se ele estiver com o martelo de Thor...

— Nós não devíamos espalhar a notícia de que está desaparecido — alertei.

— Isso aí — resmungou Mallory. — Você diz que esse gigante planeja se casar... — O dedo dela se virou na direção de Sam. — Ela *sabe* sobre esse plano?

— Preciso perguntar a ela. De qualquer modo, nós temos cinco dias. Se esse gigante Thrym não tiver sua noiva...

— Ele corre para o telégrafo — disse T.J. — e conta para todos os outros gigantes que está com o martelo de Thor. E eles invadem Midgard.

Decidi não lembrar a T.J. que ninguém mais usava telégrafos.

Mestiço pegou a faca de carne e começou a limpar os dentes.

— Não entendo por que esse Thrym esperou tanto tempo. Se ele está com o martelo há meses, por que não estamos sob ataque?

Eu não tinha uma resposta, mas imaginava que tivesse alguma coisa a ver com Loki. Como sempre, ele devia estar sussurrando no ouvido das pessoas, manipulando eventos por trás das cenas. O que quer que Loki quisesse dessa transação esquisita de casamento, eu tinha certeza de uma coisa: ele não estava tentando recuperar o martelo de Thor só porque era um cara legal.

Olhei para o outro lado do salão, para Alex Fierro. Eu me lembrei do que ela dissera no campo de batalha quando enfrentamos Grimwolf: *Ele mandou o* lindwyrm *por minha causa. Ele sabe que estou aqui.*

Mallory me cutucou.

— Você está pensando a mesma coisa que eu? Não pode ser coincidência Alex Fierro ter chegado no meio disso tudo. Você acha que Loki a mandou?

Senti como se uma banheira cheia de peixinhos dourados estivesse tentando subir pela minha garganta.

— Como Loki poderia armar para alguém se tornar einherji?

— Ah, meu amigo... — T.J. balançou a cabeça. A combinação da camisa havaiana com estampa floral e da jaqueta da União o fazia parecer um detetive de *Hawai Five-0: versão 1862.* — Como Loki conseguiria soltar um *lindwyrm* ancestral em Valhala? Como poderia ajudar os confederados com a Primeira Batalha de Bull Run?

— Loki ajudou o quê?

— O que quero dizer é que Loki é capaz de fazer muitas coisas — disse T.J. — *Nunca* o subestime.

Era um bom conselho. Mesmo assim... ao olhar para Alex Fierro, eu tinha dificuldade em achar que ela fosse uma espiã. Apavorante e perigosa, sim. Um pé no saco, claro. Mas trabalhando para o pai?

— Loki não escolheria alguém que... se misturasse um pouco melhor? — perguntei. — Além do mais, quando estava na minha cabeça, ele me pediu para não levar Alex ao casamento. Loki disse que ela estragaria tudo.

— Psicologia reversa — sugeriu Mestiço, ainda usando a faca nos dentes.

Mallory riu com deboche.

— O que você sabe sobre psicologia, seu pateta?

— Ou psicologia reversa da reversa da reversa! — Mestiço balançou as sobrancelhas peludas. — Aquele Loki é traiçoeiro.

Mallory jogou uma batata assada nele.

— Só estou dizendo que vale a pena ficar de olho em Alex Fierro — continuou Mallory. — Depois que ela matou o *lindwyrm*...

— Com uma ajudinha minha — acrescentou T.J.

— ... ela desapareceu na floresta. Deixou a gente nos defendendo sozinhos. O resto dos dragões surgiu do nada...

— E nos matou — disse T.J. — É, *foi mesmo* meio estranho...

Mestiço grunhiu.

— Fierro é filha de Loki e é um *argr*. Não dá para confiar em um *argr* em combate.

Mallory bateu no braço dele.

— Sua atitude é mais ofensiva que seu cheiro.

— Acho sua ofensa ofensiva! — protestou Mestiço. — *Argrs* não são guerreiros. Foi o que eu quis dizer!

— Tá, e o que é um *argr*? — perguntei. — Quando você falou pela primeira vez, achei que fosse um monstro. Depois, achei que era outra palavra para pirata, tipo, *quem fica falando argh*. Quer dizer pessoa transgênero ou o quê?

— Literalmente, quer dizer *não másculo* — disse Mallory. — É um insulto mortal entre vikings grosseiros como esse cara.

Ela cutucou Mestiço no peito.

— Humf — disse Mestiço. — Só é ofensa se você chamar de *argr* alguém que não é um *argr*. Pessoas de gênero fluido não são novidade, Magnus. Existiam muitos *argrs* entre os nórdicos. Eles têm seus propósitos. Alguns dos maiores padres e sacerdotes eram... — Ele fez círculos no ar com a faca de carne. — Você sabe.

Mallory franziu a testa para mim.

— Meu namorado é um neandertal.

— De jeito nenhum! — disse Mestiço. — Sou um homem moderno e iluminado do ano 865 EC. Agora, se você falar com os einherjar de 700 EC, bem... eles não têm a mente tão aberta para essas coisas.

T.J. tomou um gole de hidromel com o olhar perdido.

— Durante a guerra, tínhamos um mensageiro da tribo Lenape que se referia a si mesmo, ou a si mesma, como Mãe William.

— Que nome de guerra horrível! — reclamou Mestiço. — Quem tremeria de pavor frente a alguém chamado Mãe William?

T.J. deu de ombros.

— Admito que a maioria de nós não conseguia entender. Seu gênero parecia mudar de um dia para o outro. Ele dizia que tinha dois espíritos no corpo, um masculino e um feminino. Mas que alma incrível. Nos salvou de uma emboscada durante a marcha pela Geórgia.

Observei Alex jantando, pegando cuidadosamente pedaços de cenoura e batata no prato. Era difícil acreditar que poucas horas antes os mesmos dedos delicados derrubaram um dragão e cortaram minha cabeça com um fio.

Mestiço se inclinou na minha direção.

— Não há vergonha em sentir atração, Magnus.

Eu engasguei com um pedaço de carne.

— O quê? Não, eu não estava...

— Encarando? — Mestiço sorriu. — Sabe, os sacerdotes de Frey eram muito fluidos. Durante o festival da colheita eles usavam vestidos e faziam danças *incríveis...*

— Você está de onda comigo — respondi.

— Não. — Mestiço riu. — Uma vez, em Uppsala, eu conheci uma linda...

A história dele foi interrompida pelo som de cornetas se espalhando pelo salão.

Na mesa dos lordes, Helgi se levantou. Desde a última vez que eu o tinha visto, de manhã, ele havia ajeitado o paletó e aparado a barba, mas agora estava usando um elmo de guerra grande demais, provavelmente para esconder os danos causados por Alex Fierro ao seu penteado de urubu morto.

— Einherjar! — ribombou a voz dele. — Esta noite, só um guerreiro se juntou a nós, mas me disseram que a história de sua morte é impressionante. — Ele olhou de cara feia para Samirah al-Abbas como quem diz: é melhor *que seja mesmo*. — Levante-se, Alex Fierro, e nos fascine com seus feitos gloriosos!

ONZE

O que um cara precisa fazer para ser aplaudido de pé?

ÁLEX NÃO DEMONSTROU ANIMAÇÃO POR ter que nos fascinar.

Ela se levantou, puxando o colete, e observou a plateia, como se desafiasse cada guerreiro para um duelo.

— Alex, filho de Loki! — começou Helgi.

— *Filha* — corrigiu Alex. — Se eu não disser o contrário, é filha.

Na ponta da mesa dos lordes, Jim Bowie tossiu na caneca de hidromel.

— Como é?

Ernie Pyle murmurou alguma coisa no ouvido de Bowie. Eles aproximaram as cabeças. Pyle pegou seu bloco de jornalista e uma caneta. Pareceu estar desenhando um diagrama para Bowie.

O rosto de Helgi se contorceu.

— Como preferir, filha de Loki...

— E não precisa citar Loki — acrescentou Alex. — Eu não gosto muito dele.

Gargalhadas nervosas se espalharam pelo aposento. Ao lado de Alex, Samirah apertou os punhos, como se aquecesse os músculos da estrangulação. Duvido que ela estivesse com raiva de Alex — Sam também não gostava de Loki. Mas, se por algum motivo os lordes decidissem que Alex não era uma escolha digna de Valhala, Sam podia ser expulsa das valquírias e exilada em Midgard. Eu sabia disso porque foi o que aconteceu quando ela me apresentou.

— Muito bem, filha de alguém. — A voz de Helgi estava seca como a órbita vazia de Odin. — Vamos apreciar suas façanhas, cortesia da Visão das Valquírias!

Esses vikings de hoje e suas tecnologias complicadas... Ao redor do tronco da árvore Laeradr, telas holográficas enormes surgiram. Imagens da câmera de valquíria de Sam começaram a aparecer.

Sam era especialista em trigonometria, cálculo e aviação, então era de se pensar que ela saberia usar uma câmera. Mas não. Ela sempre esquecia quando ligar e desligar. Na metade das vezes, os vídeos saíam de lado porque ela prendia a câmera errado. Às vezes, ela gravava missões inteiras com a câmera mostrando só suas narinas.

Esta noite, a qualidade do vídeo estava boa, mas Sam tinha começado a gravar cedo demais. Hora no vídeo, 7h03 da manhã: tivemos uma vista da sala da casa dos avós, um espaço pequeno e arrumado com mesa de centro baixa e dois sofás de camurça. Acima da lareira havia uma gravura emoldurada de caligrafia árabe, um desenho com tinta dourada em pergaminho branco. Orgulhosamente exibidas na prateleira da lareira estavam fotos de Sam quando bebê com um avião de brinquedo, quando criança no campo de futebol e quando adolescente segurando um grande troféu.

Assim que Sam percebeu o ponto em que o vídeo começava, ela sufocou um grito. Mas não havia o que pudesse fazer para pará-lo.

O vídeo virou para a esquerda, para uma sala de jantar onde três pessoas mais velhas tomavam chá em xícaras com bordas douradas. Eu conhecia uma delas: Abdel Fadlan, o dono do Falafel do Fadlan. Não havia como confundir o cabelo branco denso e o terno azul bem cortado. Os outros dois deviam ser os avós de Sam: Jid e Bibi. Jid parecia o Papai Noel, ou Ernest Hemingway — tinha o peito largo e o rosto redondo, com barba branquinha e muitas marcas de expressão, embora hoje estivesse com a testa franzida. Ele usava um terno cinza que devia ter servido vinte anos e dez quilos antes. Bibi estava usando um elegante vestido vermelho e dourado bordado, com hijab combinando. Estava sentada com uma pose perfeita, como a realeza, enquanto servia chá para o convidado, o sr. Fadlan.

Pelo ângulo da câmera, concluí que Samirah estava sentada em uma cadeira entre os dois sofás. A uns três metros, na frente da lareira, Amir Fadlan andava de um lado para outro com agitação, passando as mãos pelo cabelo preto. Ele estava lindo, para variar, com calça jeans skinny, camiseta branca e um colete elegante, mas o sorriso fácil de sempre não estava presente. A expressão dele era de angústia, como se alguém tivesse pisado em seu coração.

— Sam, eu não entendo — disse ele. — Eu te amo!

A plateia toda do salão reagiu:

— Ooooh!

— Calem a boca! — disse Samirah com rispidez, o que só fez todos rirem. Percebi que ela estava usando toda a sua força de vontade para não chorar.

O vídeo continuou. Vi Sam voar para se encontrar comigo no Thinking Cup, depois receber uma mensagem no celular com um possível código 381.

Ela saiu voando do café e atravessou o parque na direção de Downtown Crossing.

Desceu do céu e pairou acima de um beco sem saída escuro entre dois teatros em ruínas. Eu sabia exatamente onde ficava, na esquina de um abrigo para sem-teto. Viciados em heroína gostavam de se drogar naquele beco, o que o tornava um ótimo lugar para levar uma surra, ser roubado ou morto.

Assim que Sam chegou, o local também se tornou um ótimo lugar para ser atacado por lobos brilhantes malvados.

Na rua sem saída, três animais grandes encurralavam um mendigo desgrenhado. A única coisa entre o homem e a morte certa era um carrinho de compras cheio de latas para reciclagem.

Meu jantar pesou na barriga. Os lobos traziam muitas lembranças do assassinato da minha mãe. Mesmo se eles não fossem do tamanho de cavalos adultos, eu saberia que não eram lobos comuns de Midgard. Uma névoa azul fosforescente grudava no pelo deles, gerando ondas de luz que lembravam um aquário nas paredes de tijolos. Os rostos eram expressivos demais, com olhos humanos e lábios com expressão de desdém. Eram filhos de Fenrir. Eles andaram de um lado para outro, rosnando e farejando o ar, apreciando o cheiro de medo vindo da presa.

— Para trás! — grunhiu o homem, empurrando o carrinho de compras na direção dos animais. — Já falei que não quero! Não acredito nisso!

No Salão de Banquete, os einherjar reunidos murmuraram com reprovação.

Eu tinha ouvido histórias de alguns semideuses modernos, filhos e filhas de deuses ou deusas nórdicos, que se recusavam a aceitar seu destino. Eles davam as costas para a esquisitice dos nove mundos. Em vez de lutar quando monstros apareciam, eles corriam e se escondiam. Alguns concluíam que eram realmente loucos. Tomavam remédios. Internavam-se em hospitais. Outros se tornavam alcoólatras ou viciados e acabavam nas ruas. Aquele cara devia ser um deles.

Eu podia sentir a pena e a repulsa no salão. Aquele velho podia ter passado a vida fugindo, mas agora estava encurralado. Em vez de ir para Valhala como herói, ele morreria como covarde e iria para a terra fria de Hel — o pior destino que qualquer einherji podia imaginar.

Nesse momento, na entrada do beco, uma voz gritou:

— Ei!

Alex Fierro tinha chegado. Ela estava com os pés separados, os punhos na cintura como a Supergirl — isso se a Supergirl tivesse cabelo verde e usasse um colete rosa e verde.

Alex devia estar passando por ali. Talvez tivesse ouvido o homem gritando ou os lobos rosnando. Não havia motivo para ela se envolver. Os lobos estavam tão concentrados na presa que jamais teriam reparado nela.

Mas Alex atacou os animais, se transformando enquanto se movia e partindo para a batalha como um pastor alemão.

Apesar da diferença de tamanho, Alex conseguiu derrubar o lobo maior. Ela enfiou os dentes no pescoço dele. O animal se contorceu e rosnou, mas Alex pulou para longe antes que ele pudesse mordê-la. Enquanto o lobo ferido cambaleava, os outros dois a atacaram.

Com a fluidez de água corrente, Alex voltou à forma humana. Ela atacou com o fio de aço, usando como chicote. Com um único movimento, um dos lobos perdeu a cabeça.

— Ooooh! — fez a plateia com apreciação.

Antes que Alex pudesse atacar de novo, o outro lobo pulou em cima dela. Os dois rolaram pelo beco. Alex virou pastor alemão outra vez, arranhou e mordeu, mas estava fora da sua classe de peso.

— Vire uma coisa maior. — Eu me vi murmurando. Mas, por algum motivo, Alex não virou.

Eu sempre gostei de cachorros, mais do que gosto da maioria das pessoas e *definitivamente* mais do que de lobos. Foi difícil ver o lobo atacar o pastor alemão, arrancando o focinho e a garganta de Alex, cobrindo seu pelo com sangue. Finalmente ela conseguiu mudar de forma, encolhendo-se até virar um lagarto e sair correndo de debaixo do agressor. Ela virou humana de novo a poucos metros de distância, com as roupas em farrapos e o rosto um show de horrores de cortes e mordidas.

Infelizmente, o primeiro lobo tinha se recuperado. Ele uivou de raiva, um som que ecoou pelo beco e ricocheteou nos prédios ao redor. Percebi que era o mesmo uivo que eu tinha ouvido do outro lado da cidade, enquanto lutava com o assassino de bodes.

Juntos, os dois lobos que restaram avançaram na direção de Alex, com os olhos azuis brilhando de raiva.

Alex mexeu no suéter que usava amarrado na cintura. Um dos motivos para usá-lo ficou evidente: escondia uma faca que Alex levava no cinto. Ela puxou a arma e jogou na direção do sem-teto.

— Me ajude! — gritou. — Lute!

A faca deslizou pelo asfalto. O homem recuou, mantendo o carrinho de compras entre ele e a luta.

Os lobos partiram para cima de Alex.

Finalmente, ela tentou virar uma coisa maior — talvez um búfalo ou um urso, era difícil saber —, mas acho que não estava com força suficiente. Ela desabou na forma humana na hora que os lobos pularam, derrubando-a.

Alex lutou com ferocidade, enrolando o garrote no pescoço de um lobo, chutando o outro, mas estava em número menor e tinha perdido muito sangue. Ela conseguiu estrangular o lobo maior. Ele caiu em cima dela e a esmagou. O último animal a atacou no pescoço. Alex colocou os dedos no pescoço do animal, mas seus olhos estavam perdendo o foco.

Tarde demais, o homem tinha pegado a faca. Ele se aproximou do último lobo. Com um grito horrorizado, enfiou a lâmina nas costas do bicho.

O monstro caiu morto.

O velho se afastou da cena: três lobos mortos, com o pelo ainda cintilando em nuvens leves de azul-néon; Alex Fierro, com o último suspiro tremendo o peito, uma poça de sangue se espalhando ao redor dela como uma aura.

O velho largou a faca e saiu correndo, chorando.

A câmera se aproximou quando Samirah al-Abbas desceu na direção da guerreira caída. Sam esticou a mão. Do corpo destruído de Alex Fierro, um espírito dourado cintilante surgiu, já fazendo cara feia para o chamado inesperado.

O vídeo ficou escuro. Não mostrou Alex discutindo com Sam, dando um soco no olho dela nem provocando o caos quando finalmente chegou em Valhala. Talvez a câmera de Sam tenha ficado sem bateria. Ou talvez Sam tenha intencionalmente interrompido o vídeo naquele ponto para fazer Alex parecer mais heroica.

O Salão de Banquete estava em silêncio, exceto pelo estalar das tochas havaianas. E os einherjar explodiram em aplausos.

Os lordes ficaram de pé. Jim Bowie secou uma lágrima do olho. Ernie Pyle assoou o nariz. Até Helgi, que parecia tão furioso minutos antes, chorou abertamente enquanto aplaudia Alex Fierro.

Samirah olhou ao redor, perplexa com as reações.

Alex parecia uma estátua. Seus olhos ficaram fixos no lugar escuro onde a tela de vídeo estava, como se pudesse fazer a morte voltar atrás apenas pela força de vontade.

Quando os aplausos cessaram, Helgi levantou o cálice.

— Alex Fierro, você lutou com poucas chances, sem pensar na própria segurança, para salvar um homem mais fraco. Você ofereceu uma arma a esse homem, uma chance de se redimir em batalha e chegar a Valhala! Tanta bravura e honra em uma filha de Loki é... é verdadeiramente excepcional.

Sam parecia ter algumas palavrinhas especiais para compartilhar com Helgi, mas foi interrompida por outra rodada de aplausos.

— É verdade — prosseguiu Helgi — que aprendemos a não julgar os filhos de Loki rápido demais. Recentemente, Samirah al-Abbas foi acusada de comportamento não condizente com sua posição de valquíria, e nós a perdoamos. Mais uma vez, temos prova de nossa sabedoria!

Mais aplausos. Os lordes assentiram e bateram nas costas uns dos outros, como quem diz: *Caramba! Nós somos mesmo sábios de mente aberta! Merecemos biscoitos!*

— E, além disso — acrescentou Helgi —, tal heroísmo vindo de um *argr*! — Ele sorriu para os outros lordes, compartilhando sua estupefação. — Nem sei o que dizer. Verdadeiramente, Alex Fierro, você superou todas as nossas expectativas. A Alex Fierro! — brindou ele. — À morte sangrenta!

— MORTE SANGRENTA! — rugiu a multidão.

Mais ninguém parecia ter reparado em quanto Alex estava apertando as mãos fechadas ou em como olhava com raiva para a mesa dos lordes. Meu palpite era que ela não tinha gostado de algumas escolhas de palavra dele.

Helgi não se deu ao trabalho de chamar uma *völva*, ou vidente, para ler o destino de Alex nas runas como fizera quando eu cheguei em Valhala. Ele devia ter concluído que os lordes já sabiam que Fierro faria coisas incríveis quando todos partíssemos para a morte no Ragnarök.

Os einherjar entraram no modo festa com toda a força. Eles riram, lutaram e pediram mais hidromel. Valquírias voavam de um lado para outro com as saias de capim e os colares de flores, enchendo jarras o mais rápido que conseguiam. Músicos tocavam melodias nórdicas de dança que pareciam metal mortal acústico tocado por gatos selvagens.

Na minha opinião, duas coisas estragaram o clima de festa.

Primeiro, Mallory Keen se virou para mim.

— Você ainda acha que Alex é uma einherji legítima? Se Loki quisesse colocar um agente em Valhala, ele não podia ter arrumado uma apresentação melhor...

A ideia me fez sentir como se estivesse de volta ao barco de Randolph, sendo jogado de um lado para outro por ondas de quatro metros e meio. Eu queria dar uma chance a Alex. Sam tinha me dito que era impossível trapacear para entrar em Valhala. Por outro lado, desde que eu tinha me tornado einherji, eu presenciava o impossível diariamente.

A segunda coisa que aconteceu: captei um vislumbre de movimento em algum lugar acima de mim. Olhei para o teto, esperando ver uma valquíria voando alto ou talvez um dos animais que moravam na árvore Laeradr. Mas, trinta metros acima, quase perdida na escuridão, uma figura de preto se encostava no canto de um galho, batendo palmas lentamente enquanto via nossa comemoração. Na cabeça dele havia um elmo de aço com o rosto de um lobo.

Antes que eu pudesse dizer *Ei, olhem, tem um assassino de bodes na árvore*, eu pisquei e ele sumiu. Do local onde ele estava, uma única folha veio descendo e caiu na minha caneca de hidromel.

DOZE

Com quem será, com quem será, com quem será que a Sam vai *conversar*?

Quando as pessoas foram saindo do salão, vi Samirah voar para longe.

— Ei! — gritei, mas não tinha como ela ter me ouvido em meio à barulheira dos einherjar.

Peguei meu pingente e chamei Jacques.

— Você pode voar atrás de Sam? Diga que preciso falar com ela.

— Posso fazer ainda melhor — disse Jacques. — Segure firme.

— Opa. Você pode me *carregar*?

— Por uma distância curta, sim.

— Por que você não me disse isso antes?

— Mas eu falei! Além do mais, está no manual do usuário.

— Jacques, você não tem manual do usuário.

— Aguente aí. Mas é claro que, quando você me botar de volta em forma de pingente, você vai sentir…

— Como se tivesse voado por aí. E vou desmaiar ou algo assim. Tudo bem. Vamos.

Não havia nada de gracioso em voar pela Jacques Linhas Aéreas. Eu não parecia um super-herói nem uma valquíria. Eu parecia um cara pendurado no cabo de uma espada disparando para o alto — a bunda contraída, as pernas balançando. Perdi um sapato lá pelo vigésimo andar. Quase caí para a morte duas vezes. Fora isso, é, foi uma ótima experiência.

Quando cheguei perto de Sam, gritei:

— À sua esquerda!

Ela se virou e parou no ar.

— Magnus, o que você...? Ah, oi, Jacques.

— E aí, moça do leão? Podemos pousar em algum lugar? Esse cara é pesado.

Nós pousamos no galho mais próximo. Contei para Sam sobre o assassino de bodes escondido em Laeradr, e ela partiu para alertar as valquírias. Cinco minutos depois, ela voltou, a tempo de interromper a versão de Jacques de "Hands to Myself".

— Isso é perturbador — disse Sam.

— Eu sei — concordei. — Jacques *não consegue* cantar Selena Gomez.

— Não, eu estava falando do assassino — disse Sam. — Ele desapareceu. Toda a equipe do hotel está em alerta, mas... — ela deu de ombros — ele não está em lugar algum.

— Posso terminar minha música agora? — perguntou Jacques.

— Não! — dissemos Sam e eu em uníssono.

Eu quase falei para Jacques voltar para a forma de pingente. Mas lembrei que, se ele voltasse, eu provavelmente desmaiaria por doze horas.

Sam pousou no galho ao meu lado.

Bem abaixo, o resto do pessoal do jantar estava saindo do salão. Meus amigos do andar dezenove, T.J., Mallory e Mestiço, cercaram Alex Fierro e a levaram para fora. Ali de cima, era difícil saber se tinha sido uma escolha alegre de "companheiros" ou uma marcha forçada para garantir que ela não mataria ninguém.

Sam seguiu meu olhar.

— Você tem dúvidas sobre ela, eu sei. Mas ela merece estar aqui, Magnus. O jeito como ela morreu... Tenho tanta certeza do heroísmo dela quanto tive do seu.

Como nunca tive confiança no meu próprio heroísmo, o comentário de Sam não me tranquilizou.

— Como está seu olho?

Ela tocou no hematoma.

— Não é nada. Alex só surtou. Demorei um pouco para entender, mas quando você pega a mão de alguém e leva para Valhala, tem um vislumbre da alma dessa pessoa.

— Aconteceu isso quando você me trouxe?

— Com você, não tinha muito para ver. É meio vazio aí dentro.

— Boa! — disse Jacques.

— Existe uma runa que faria vocês dois calarem a boca? — perguntei.

— Enfim — continuou Sam —, Alex estava com raiva e assustada. Depois que a deixei aqui, comecei a entender por quê. Ela tem gênero fluido. Achou que, se virasse einherji, ela ficaria presa a um gênero para sempre. E *odiou* essa ideia.

— Ah — falei, o que queria dizer: *Eu entendo, mas na verdade não entendo.*

Eu vivi preso a um gênero a vida toda. Nunca me incomodou. Agora, eu me perguntava como isso seria para Alex. A única analogia que consegui elaborar não era muito boa. Minha professora do segundo ano, a srta. Mengler (também conhecida como srta. Monga), me obrigava a escrever com a mão direita apesar de eu ser canhoto. Ela prendeu minha mão esquerda à mesa com fita adesiva. Minha mãe ficou furiosa quando soube, mas eu ainda me lembrava da sensação de pânico de ficar preso, forçado a escrever de uma maneira nada natural só porque a srta. Mengler insistiu. *Esse é o jeito normal, Magnus. Pare de reclamar. Você vai se acostumar.*

Sam soltou um suspiro.

— Admito que não tenho muita experiência com...

Jacques se empertigou na minha mão.

— *Argrs?* Ah, eles são ótimos! Uma vez, Frey e eu...

— Jacques... — falei.

As runas dele mudaram para um magenta controlado.

— Tudo bem, vou ficar aqui parado como um *objeto inanimado*.

Isso arrancou uma gargalhada de Sam. Ela tinha descoberto o cabelo, como costumava fazer em Valhala. Sam me disse que considerava o hotel sua segunda casa, e os einherjar e as valquírias como sendo da família, então não sentia necessidade de usar o hijab aqui. Os cachos castanhos caíam pelos ombros, e o lenço de seda verde estava enrolado no pescoço, cintilando enquanto tentava ativar a camuflagem mágica. Era um pouco perturbador, porque de vez em quando os ombros e o pescoço de Sam davam a impressão de terem desaparecido.

— Alex Fierro incomoda você? — perguntei. — Quer dizer... o fato de ela ser transgênero? Por você ser religiosa e tal?

Sam arqueou uma sobrancelha.

— Sendo "religiosa e tal", muitas coisas me incomodam neste lugar. — Ela indicou nossos arredores. — Tive que fazer uma reflexão de alma quando me dei conta de que meu pai era... você sabe, *Loki*. Ainda não aceito a ideia de que os deuses nórdicos são *deuses*. Eles são apenas seres poderosos. Alguns são parentes irritantes meus. Mas não passam de criações de Alá, o único deus, assim como você e eu somos.

— Você lembra que sou ateu, né?

Ela riu.

— Parece o começo de uma piada, não acha? *Um ateu e uma muçulmana entram em uma pós-vida pagã.* O fato de Alex ser transgênero é o menor dos meus problemas. Estou mais preocupada com a... ligação dela com nosso pai.

Sam passou o dedo na linha da vida na palma de sua mão.

— Alex muda de forma com muita frequência. Ela não se dá conta de quanto é perigoso contar com o poder de Loki. Não se pode dar a ele mais controle do que já tem.

Eu franzi a testa. Samirah havia me dito uma coisa assim antes, que ela não gostava de mudar de forma porque não queria ficar como o pai, mas eu não tinha entendido. Pessoalmente, se eu pudesse mudar de forma, viraria um urso-polar, tipo, a cada dois minutos.

— De que tipo de *controle* estamos falando?

Ela não olhou nos meus olhos.

— Esqueça. Você não veio voando atrás de mim para falar de Alex Fierro, veio?

— É verdade. — Descrevi o que tinha acontecido no campo de batalha: o dragão e o jeito como Loki invadira minha mente usando um smoking ridículo e me convidando para um casamento. Depois, contei sobre meus sonhos e que, aparentemente, esse casamento seria entre ela e um gigante chamado Thrym que falava com voz de morsa e cujo bar servia os picles mais fedidos de Jötunheim.

Jacques também não tinha ouvido ainda parte disso. Apesar da promessa de ficar inanimado, ele ofegou e gritou "Tá de brincadeira!" em todos os momentos apropriados, e também em alguns inapropriados.

Quando eu terminei, Sam ficou em silêncio. Um sopro frio passou entre nós, como um vazamento de fréon do ar-condicionado.

Lá embaixo, a equipe de limpeza chegou. Corvos pegaram os pratos e copos. Grupos de lobos comeram a comida que sobrou e lamberam o chão até ficar limpo. Higiene era importante em Valhala.

— Eu queria contar para você — disse Sam. — Tudo aconteceu tão rápido. Simplesmente... caiu no meu colo.

Ela secou uma lágrima da bochecha. Eu nunca tinha visto Sam chorar. Eu queria consolá-la — dar um abraço, um tapinha na mão, alguma coisa assim —, mas Sam não gostava de contato físico, mesmo eu *sendo* parte da família estendida em Valhala.

— É assim que Loki está estragando sua vida pessoal — adivinhei. — Ele foi falar com seus avós? Com Amir?

— Ele deu *convites* para eles.

Sam tirou um do bolso e me entregou: letra cursiva dourada em papel dourado, como o que Loki tinha colocado no bolso do tio Randolph.

O incomparável Loki
e algumas outras pessoas
convidam você para o casamento de

Samirah al-Abbas Bint Loki
e
Thrym, filho de Thrym, neto de Thrym

QUANDO:
Daqui a cinco dias
ONDE:
Avisamos depois
POR QUÊ:
Porque é melhor que o dia do Juízo Final
Presentes são bem-vindos!
Danças e sacrifícios pagãos depois da cerimônia

Eu levantei o rosto.

— Sacrifícios pagãos?

— Dá para imaginar como meus avós encararam isso.

Observei o convite de novo. A linha *quando* tremeluziu, e a palavra *cinco* se apagou e virou *quatro*. O *onde* também tinha um brilho holográfico, como se pudesse acabar mudando para um endereço específico.

— Você não podia dizer para os seus avós que era pegadinha?

— Não com meu pai indo entregar pessoalmente.

— Ah.

Imaginei Loki sentado à mesa de jantar dos al-Abbas, tomando chá em uma das lindas xícaras com detalhes dourados. Imaginei o rosto de Papai Noel de Jid ficando cada vez mais vermelho, Bibi se esforçando para manter a pose majestosa enquanto um vapor furioso saía pelas beiradas do hijab.

— Loki contou tudo para eles — disse Sam. — Como conheceu minha mãe, como eu me tornei valquíria, *tudo*. Disse que eles não tinham o direito de planejar um casamento para mim porque ele era meu pai e já tinha planejado um.

Jacques estremeceu na minha mão.

— O lado bom — disse ele — é que o convite é bonito.

— Jacques... — falei.

— Certo. Inanimado.

— Me diga que seus avós não aceitaram isso. Eles não esperam que você se case com um gigante.

— Eles não sabem *o que* pensar. — Sam pegou o convite de volta. Ficou olhando para ele como se torcesse para que queimasse. — Eles tinham desconfianças sobre o relacionamento da minha mãe. Como eu falei, minha família interage com os deuses nórdicos há gerações. Os deuses têm essa... essa *atração* pelo meu clã.

— Bem-vinda ao clube — murmurei.

— Mas Jid e Bibi não tinham ideia da extensão de tudo até Loki aparecer. O que eles acharam pior foi eu ter escondido deles minha vida como valquíria. — Outra lágrima escorreu pela lateral do nariz de Sam. — E Amir...

— O vídeo da Visão das Valquírias... Ele e o pai foram até sua casa hoje de manhã e você tentou explicar.

Ela assentiu e puxou o canto do convite.

— O sr. Fadlan não entende o que está acontecendo, só que tem algum tipo de desacordo. Mas Amir... nós conversamos de novo esta tarde, e eu... eu contei a verdade para ele. Toda a verdade. E prometi que *jamais* aceitaria esse casamento maluco com Thrym. Mas não sei se Amir consegue me *ouvir* a essa altura. Ele deve pensar que estou louca...

— Nós vamos resolver — prometi. — Você não vai ser obrigada a se casar com um gigante.

— Você não conhece meu pai como eu, Magnus. Ele pode destruir minha vida. Já começou. Ele tem meios de... — Ela hesitou. — A questão é, Loki decidiu que *ele* é o único que pode negociar pelo martelo de Thor. Não consigo imaginar o que ele vai ganhar no acordo, mas não pode ser boa coisa. O único jeito de impedi-lo é encontrando o martelo primeiro.

— Então vamos fazer isso. Nós sabemos que esse tal de Thrym está com ele. Vamos buscar. Melhor ainda, diga para Thor e faça com que ele vá buscar.

Nos meus joelhos, Jacques vibrou e brilhou.

— Não vai ser tão fácil, senhor. Mesmo que você conseguisse encontrar a fortaleza de Thrym, ele não seria burro o bastante de deixar o martelo de Thor lá. Ele é um gigante da terra. Pode ter enterrado em qualquer lugar.

— O dólmen do *draugr* — disse Sam.

— Em Provincetown — completei. — Você ainda acha que é nossa melhor aposta? Mesmo com o assassino de bodes nos dizendo que é armadilha?

Sam olhou por cima do meu ombro. Ela parecia estar olhando o horizonte, imaginando uma nuvem cogumelo subindo da bomba que Loki jogou no futuro dela.

— Eu tenho que tentar, Magnus. O dólmen do *draugr*. De manhã logo cedo.

Eu odiei a ideia. Infelizmente, não tinha outra melhor.

— Tudo bem. Você fez contato com Hearth e Blitz?

— Eles vão nos encontrar em Cape Cod. — Ela se levantou e amassou o convite de casamento. Antes que eu pudesse protestar e dizer que nós podíamos precisar dele, ela o jogou para os corvos e lobos. — Encontro você depois do café. E traga um casaco. Vai ser uma manhã gelada para voar.

TREZE

Relaxe, é só uma profeciazinha de morte

Como previsto, assim que Jacques virou pingente eu desmaiei por doze horas.

De manhã, acordei com braços e pernas doloridos, sentindo como se tivesse passado a noite voando com um einherji pendurado no meu tornozelo.

Alex Fierro estranhamente não apareceu para o café, embora T.J. tenha garantido que colocou um bilhete embaixo da porta dela explicando onde ficava o salão do andar dezenove.

— Ela ainda deve estar dormindo — disse T.J. — O primeiro dia foi bem intenso.

— A não ser que ela seja aquele mosquito ali — Mestiço apontou para um inseto pousado no saleiro. — É você, Fierro?

O mosquito não respondeu.

Meus amigos prometeram ficar alertas, prontos para fazer o que fosse necessário para impedir Loki de realizar o casamento em cinco (agora quatro) dias.

— Vamos ficar de olho em Fierro também — prometeu Mallory, olhando de cara feia para o mosquito.

Só tive tempo de engolir um bagel, e Sam chegou logo em seguida e me levou até o estábulo acima da sala de exercícios do 422º andar.

Sempre que Sam dizia "Vamos voar", eu não conseguia ter certeza do que ela queria dizer.

As valquírias eram perfeitamente capazes de voar sozinhas. Eram fortes o bastante para carregar pelo menos mais uma pessoa, então ela talvez pretendesse me colocar em uma mala grande e me transportar até Cape Cod.

Ou talvez ela quisesse dizer *voar* no sentido de *vamos despencar de um penhasco e morrer*. Nós passávamos muito tempo fazendo isso.

Hoje, ela quis dizer cavalgar em um cavalo voador. Eu não sabia bem por que as valquírias *tinham* cavalos voadores. Provavelmente porque eles eram incríveis. Além do mais, ninguém queria ir para a batalha montado em um *lindwyrm*, sacudindo e pulando como um caubói montado em um peru-cobra.

Sam cavalgava em um garanhão branco. Ela subiu nas costas dele e me puxou para a garupa, e galopamos pelo portão do estábulo direto para os céus acima de Boston.

Ela estava certa sobre o frio. Não me incomodou, mas o vento estava forte, e o hijab de Sam ficava batendo na minha boca. Como os hijabs representavam simplicidade e devoção, eu duvidava que Sam quisesse que o dela parecesse ter sido mastigado por mim.

— Quanto falta? — perguntei.

Ela olhou para trás. O hematoma no olho tinha sumido, mas ela ainda parecia distraída e exausta. Eu me perguntei se havia dormido.

— Não muito — disse ela. — Se segure.

Eu já tinha voado com Sam por vezes o suficiente para levar o aviso a sério. Apertei os joelhos nos flancos do cavalo e passei os braços na cintura de Sam. Quando mergulhamos pelas nuvens, talvez eu tenha gritado "Meinfretr!".

Minha bunda ficou sem peso na sela. Para sua informação, não gosto de ficar com a bunda sem peso. Eu me perguntei se Sam pilotava o avião assim e, em caso positivo, quantos instrutores de voo tiveram parada cardíaca por causa disso.

Nós cortamos as nuvens. Na nossa frente, Cape Cod se projetava no horizonte — um parêntese verde e dourado em um mar azul. Diretamente abaixo, a ponta norte da península fazia uma leve curva em torno do porto de Provincetown. Alguns veleiros pontilhavam a baía, mas era cedo demais na primavera para haver muitos visitantes.

Sam parou de descer a cerca de cento e cinquenta metros e voou pela costa, passando por dunas e brejos, depois seguindo o arco da rua Commercial com os chalés de telhas cinza e casinhas pintadas de cores néon. As lojas estavam quase todas fechadas, e as ruas, vazias.

— Só estou observando — explicou Sam.

— Verificando se não tem um exército de gigantes escondido atrás do Estúdio de Tatuagem Mooncusser?

— Nem trolls do mar, nem *draugr*, nem meu pai, nem...

— Tá, entendi a ideia.

Finalmente, ela fez uma curva para a esquerda e seguiu para uma torre de pedra cinza em uma colina na extremidade da cidade. A estrutura de granito tinha uns setenta e cinco metros e uma ponta no alto que parecia de castelo de conto de fadas. Eu me lembrava vagamente de ter visto aquela torre na minha visita quando criança, mas minha mãe estava mais interessada em fazer caminhadas pelas dunas e praias.

— Que lugar é aquele? — perguntei a Sam.

— Nosso destino. — Um leve sorriso surgiu nos lábios dela. — Na primeira vez que vi, achei que fosse o minarete de uma mesquita. Parece um pouco.

— Mas não é?

Ela riu.

— Não. É um memorial para os peregrinos. Eles atracaram aqui antes de se mudarem para Plymouth. Claro que os muçulmanos estão nos Estados Unidos há muito tempo também. Uma amiga minha da mesquita tem um ancestral, Yusuf ben Ali, que serviu com George Washington na revolução americana. — Ela parou de falar. — Desculpe, você não queria uma aula de história. Mas não viemos aqui por causa da torre. Estamos aqui pelo que tem embaixo dela.

Temi que Sam não estivesse falando da lojinha de presentes.

Nós voamos ao redor do monumento, observando a clareira na base. Do lado de fora da entrada da torre, sentados na pedra de suporte do muro e balançando os pés como se estivessem entediados, estavam minhas duas pessoas favoritas de mundos diferentes.

— Blitz! — gritei. — Hearth!

Hearth era surdo, então gritar o nome dele não adiantava muito, mas Blitzen o cutucou e apontou para nós. Os dois pularam da pedra e acenaram com entusiasmo enquanto nosso cavalo pousava.

— Garoto! — Blitzen correu na minha direção.

Ele poderia ser confundido com o fantasma de um explorador tropical. Da aba do chapéu de safári, uma tela branca o cobria até a altura dos ombros. A tela, eu sabia, era feita para bloquear a luz do sol, que transformava anões em pedra. Ele também colocou luvas de couro para proteger as mãos. Fora isso, estava usando a mesma roupa que vi no sonho: um terno de três peças castanho com gravata-borboleta preta, sapatos de couro de bico fino e um lenço laranja para dar um toque de cor. O traje perfeito para uma excursão até a tumba de um morto-vivo.

Ele me envolveu em um abraço e quase deixou o chapéu cair. Sua colônia tinha cheiro de pétalas de rosas.

— Martelos e bigornas, estou feliz de ver você!

Hearthstone veio correndo também, com um sorriso leve e balançando as palmas das mãos no gesto que significava *Viva!*. Para Hearth, era o equivalente a gritos histéricos.

Ele estava usando a jaqueta preta de couro e a calça jeans de sempre, com um cachecol de bolinhas amarrado no pescoço. O rosto estava pálido, como de costume, com os olhos perpetuamente tristes e o cabelo platinado espetado, mas ele havia ganhado um pouco de peso nas últimas semanas. Parecia mais saudável, ao menos para os meus padrões humanos. Talvez ele andasse pedindo muita pizza no esconderijo de Mímir.

— Pessoal. — Eu puxei Hearth para um abraço. — Estão exatamente iguais a quando vi vocês no banheiro!

Em retrospecto, não deve ter sido o melhor assunto para puxar uma conversa.

Eu me afastei e expliquei o que estava acontecendo: os sonhos estranhos, a realidade ainda mais estranha, Loki na minha cabeça, minha cabeça em um pote de picles, a cabeça de Mímir na banheira etc.

— É — disse Blitzen. — O Capo *adora* aparecer na banheira. Meu coração quase pulou para fora do peito e do pijama de cota de malha uma noite.

— Eu não precisava dessa imagem — respondi. — Além do mais, temos que conversar sobre comunicação. Vocês desapareceram sem falar *nada*.

— Ei, garoto, foi ideia *dele*. — Ele disse isso em linguagem de sinais também, para que Hearth entendesse: o mindinho encostando na testa, depois apontando dois dedos para Hearth. *Ideia. Dele.* E um H representando o nome de Hearthstone.

Hearth grunhiu de irritação. E respondeu com sinais: *Para salvar você, idiota. Conte para Magnus.* Ele fez um M representando meu nome, um punho com três dedos sobre o polegar.

Blitzen suspirou.

— O elfo está exagerando, como sempre. Ele me deixou apavorado e me carregou para fora da cidade. Mas já me acalmei agora. Foi só uma profeciazinha de morte!

Sam soltou a mochila dos alforjes do cavalo. Fez um carinho no focinho do animal e apontou para o céu, e nosso amigo garanhão branco saiu voando para as nuvens.

— Blitzen... — Ela se virou. — Você entende que não existe profecia*zinha* de morte, certo?

— Eu estou bem! — Blitzen deu um sorriso confiante. Através da rede ele parecia um fantasma um pouco mais feliz. — Algumas semanas atrás, Hearth voltou de uma aula particular de runas mágicas com Odin. Estava todo empolgado para ler meu futuro. Então, jogou as runas e... bom, o resultado não foi muito bom.

Não foi muito bom? Hearthstone bateu o pé. *Blitzen. Banho de sangue. Não pode ser impedido. Antes de O-S-T-A-R-A.*

— Certo — disse Blitzen. — Foi o que ele leu nas runas. Mas...

— O que é Ostara? — perguntei.

— O primeiro dia da primavera — disse Sam. — Que acontece em, hã, quatro dias.

— O mesmo dia do seu suposto casamento.

— Acredite — disse ela com a voz azeda —, não foi ideia minha.

— Então Blitzen deve morrer antes disso? — Meu estômago começou a subir para a garganta. — Banho de sangue que não pode ser impedido?

Hearthstone assentiu com ênfase. *Ele não deveria estar aqui.*

— Concordo — respondi. — É perigoso demais.

— Pessoal! — Blitzen deu uma risadinha. — Olhem, Hearthstone é novo nessa coisa de leitura do futuro. Pode ter interpretado errado! *Banho de sangue* poderia ser, na verdade... *ganho de sangue*. Um ganho de sangue que não pode ser impedido. Seria uma *boa* profecia!

Hearthstone esticou as mãos, como se fosse estrangular o anão, o que não precisava de tradução.

— Além do mais — disse Blitz —, se tiver uma tumba aqui, vai ser subterrânea. Vocês precisam de um anão!

Hearth começou a fazer uma série de sinais furiosos, mas Samirah se intrometeu.

— Blitz está certo — disse ela, sinalizando a mensagem com uma batida de punhos, com os dois indicadores esticados. Ela tinha ficado boa em linguagem de sinais desde que conhecera Hearthstone. — Talvez no tempo livre entre coletar almas, ser aluna condecorada e pilotar aviões. — Isso é importante demais. Eu não pediria se não fosse. Temos que encontrar o martelo de Thor antes do primeiro dia da primavera, senão mundos inteiros serão destruídos. Ou... eu terei que me casar com um gigante.

Outro jeito, sinalizou Hearth. *Deve ter. Nem sabemos se o martelo está aqui.*

— Amigo. — Blitz segurou as mãos do elfo, o que foi um pouco fofo, mas também foi grosseiro, porque era o equivalente a colocar uma mordaça na boca de Hearth. — Sei que você está preocupado, mas vai ficar tudo bem.

Blitz se virou para mim.

— Além disso, por mais que eu ame esse elfo, estou ficando *maluco* naquele esconderijo. Prefiro morrer aqui, sendo útil para os meus amigos, a ficar vendo TV e comendo pizza e esperando que a cabeça de Mímir apareça na banheira. Além disso, Hearthstone ronca de um jeito que você não acreditaria.

Hearth puxou as mãos. *Você não está sinalizando, mas eu sei ler lábios, lembra?*

— Hearth — disse Sam. — Por favor.

Sam e Hearth se encararam com tanta intensidade que consegui sentir cristais de gelo se formando no ar. Eu nunca tinha visto aqueles dois discordando tanto, e *não* queria me meter. Fiquei tentado a chamar Jacques e pedir para ele cantar uma música da Beyoncé só para eles poderem ter um inimigo em comum.

Finalmente, Hearthstone sinalizou: *Se alguma coisa acontecer com ele...*

Eu assumo a responsabilidade, disse Sam apenas com os lábios.

— Eu também sei ler lábios — disse Blitzen. — E posso assumir a responsabilidade por mim mesmo. — Ele esfregou as mãos com ansiedade. — Agora, vamos encontrar a entrada desse dólmen, hein? Faz meses que não desenterro uma força morta-viva do mal!

QUATORZE

Pode chorar rios de sangue. Pensando bem, melhor não

Foi como antigamente: nós indo juntos em direção ao desconhecido, procurando armas mágicas desaparecidas e correndo o risco de mortes dolorosas. Eu estava com saudade dos meus amigos!

Tínhamos andado por metade da base da torre quando Blitzen disse:

— A-há!

Ele se ajoelhou e passou as pontas dos dedos cobertos pelas luvas em uma rachadura nas pedras. Para mim, não era nada diferente de milhares de outras rachaduras na pedra, mas Blitzen pareceu gostar dessa.

Ele sorriu para mim.

— Está vendo, garoto? Vocês *nunca* encontrariam isso sem um anão. Teriam andando por aqui para sempre, procurando a entrada da tumba, e…

— Essa rachadura é a entrada?

— É o *gatilho* da entrada. Mas nós ainda precisamos de magia para entrar. Hearth, verifique para mim, por favor.

Hearth se agachou ao lado dele. Assentiu como quem diz *Aham* e desenhou uma runa no chão com o dedo. Imediatamente, uma seção de um metro quadrado do piso se vaporizou, revelando um túnel. Infelizmente, nós quatro por acaso estávamos *em cima* desse um metro quadrado quando ele se vaporizou.

Caímos na escuridão com uma boa quantidade de gritos, a maioria meus.

Boa notícia: quando caí, não quebrei nenhum osso. Má notícia: Hearthstone quebrou.

Ouvi um *crec* molhado, seguido de um grunhido de Hearth, e soube na mesma hora o que tinha acontecido.

Não estou dizendo que elfos sejam delicados. De algumas maneiras, Hearth era o cara mais durão que já conheci. Mas, de vez em quando, eu sentia vontade de enrolá-lo em cobertores e colar um adesivo de "frágil" na testa dele.

— Calma, cara — falei para ele, o que foi inútil, porque Hearth não conseguia me ver na escuridão.

Encontrei a perna dele e logo localizei a fratura. Ele ofegou e tentou arrancar a pele das minhas mãos com as unhas.

— O que está acontecendo? — perguntou Blitz. — De quem é esse cotovelo?

— É meu — disse Sam. — Todo mundo bem?

— Hearth quebrou o tornozelo — expliquei. — Preciso consertar. Vocês dois fiquem vigiando.

— Está escuro demais! — reclamou Blitz.

— Você é anão. — Sam puxou o machado do cinto, um som que eu conhecia bem. — Achei que se dava melhor no subterrâneo.

— E me dou! — disse Blitz. — De preferência, em um subterrâneo bem-iluminado e com decoração de bom gosto.

A julgar pelo eco das nossas vozes, estávamos em uma câmara ampla de pedra. Não havia luz, então supus que a abertura por onde caímos tinha se fechado.

O lado positivo era que nada tinha nos atacado... ainda.

Encontrei a mão de Hearth e fiz o contorno de letras na palma da mão dele para que não entrasse em pânico: *VOU CURAR. FIQUE PARADO.*

E coloquei as duas mãos no tornozelo quebrado.

Invoquei o poder de Frey. Um calor surgiu no meu peito e se espalhou pelos meus braços. Meus dedos brilharam com uma luz dourada suave, afastando a escuridão. Consegui sentir os ossos do tornozelo de Hearthstone se unindo, o inchaço diminuindo, a circulação voltando ao normal.

Ele soltou um longo suspiro e sinalizou: *Obrigado.*

Apertei o joelho dele.

— Não foi nada, cara.

— Magnus — disse Blitz, rouco —, você talvez queira olhar ao redor.

Um efeito colateral do meu poder de cura era que eu brilhava temporariamente. Não quero dizer que era um brilho saudável. Eu realmente cintilava. Durante o dia, quase não dava para reparar, mas ali, em uma câmara subterrânea escura, eu parecia uma tocha humana. Infelizmente, isso queria dizer que eu agora conseguia ver nossos arredores.

Estávamos no meio de uma câmara abobadada, como uma colmeia gigante entalhada na pedra. O cume do teto, a uns seis metros de altura, não exibia sinal da abertura pela qual caímos. Por toda a circunferência das paredes, em nichos do tamanho de armários, havia homens mumificados em roupas podres, com os dedos coriáceos segurando espadas corroídas. Não vi saída daquele aposento.

— Ah, que perfeito — comentei. — Eles vão acordar, não vão? Esses dez caras...

— Doze — corrigiu Sam.

— Doze caras com espadas grandes.

Fechei a mão ao redor do pingente de runa. Jacques estava tremendo, ou talvez fosse eu. Decidi que devia ser Jacques.

— Eles podem ser só cadáveres inanimados apavorantes — disse Blitz. — Pense positivo.

Hearthstone estalou os dedos pedindo atenção. Ele apontou para o sarcófago de pé bem no meio do aposento.

Não que eu não tenha reparado. A caixa grande de ferro era difícil de passar despercebida. Mas eu estava tentando ignorar, torcendo para que sumisse. A frente era entalhada com imagens vikings — lobos, serpentes e inscrições rúnicas ao redor de uma imagem central de um homem barbado com uma espada grande.

Eu não fazia ideia do que um caixão como aquele estava fazendo em Cape Cod. Tinha quase certeza de que os peregrinos não o tinham levado no *Mayflower*.

Sam fez sinal para ficarmos parados. Ela levitou do chão e flutuou ao redor do sarcófago, com o machado na mão.

— Tem inscrições atrás também — relatou ela. — Esse sarcófago é *velho*. Não vejo sinais de abertura recente, mas talvez Thrym tenha escondido o martelo aí dentro.

— Tive uma ideia — disse Blitzen. — Não vamos verificar.

Eu olhei para ele.

— É sua opinião de especialista?

— Olha, garoto, essa tumba *fede* a poder antigo. Foi construída há mais de mil anos, bem antes de os exploradores vikings chegarem à América do Norte.

— Como você sabe?

— As marcas na pedra — disse Blitzen. — Consigo saber quando uma câmara foi aberta pela última vez com a mesma facilidade com que consigo avaliar a idade de uma camisa pelo desgaste dos fios.

Isso não me pareceu muito fácil. Por outro lado, eu não tinha diploma em design de moda anã.

— Então é uma tumba viking construída antes de os vikings chegarem aqui — resumi. — Hã... como isso é possível?

Se mexeu, sinalizou Hearth.

— Como uma tumba pode se mexer?

Blitzen tirou o chapéu de safári. A rede fina deixara o cabelo normalmente perfeito todo amassado.

— Garoto, as coisas se mexem nos nove mundos o tempo todo. Nós somos ligados pela Árvore do Mundo, certo? Os galhos oscilam. Novos galhos crescem. Raízes se aprofundam. Este lugar se moveu de onde foi originalmente construído. Provavelmente porque... está cheio de magia do mal.

Sam pousou ao nosso lado.

— Não sou fã de magia do mal.

Hearthstone apontou para o chão na frente do sarcófago. Eu não tinha reparado, mas ao redor da base do caixão, um círculo desgastado de runas estava marcado na pedra.

Hearth soletrou com os dedos: *K-E-N-N-I-N-G*.

— O que é isso? — perguntei.

Samirah chegou um pouco mais perto da inscrição.

— Kenning é um apelido viking.

— Você quer dizer tipo... "Oi, Kenning. Tudo bem?"

— Não — disse Sam, com um tom de: *Vou bater em você com vara de marmelo*. — É um jeito de se referir a alguém com uma descrição em vez de pelo nome.

Como se, em vez de Blitzen, eu dissesse *Roupas Elegantes* ou, sobre Hearth, eu dissesse *Lorde das Runas*.

Hearth assentiu. *Podem me chamar de Lorde das Runas.*

Sam apertou os olhos para a inscrição no chão.

— Magnus, você pode brilhar um pouco mais perto, por favor?

— Não sou sua lanterna.

Mesmo assim, andei na direção do caixão.

— Está dizendo *Rio de Sangue* — anunciou Sam. — Repetidamente, ao redor.

— Você sabe ler norueguês antigo? — perguntei.

— Norueguês antigo é fácil. Quer saber o que é difícil? Tente aprender árabe.

— Rio de Sangue. — O bagel do café da manhã pesou na minha barriga. — Isso lembra a alguém o *banho de sangue que não pode ser impedido*? Não estou gostando.

Mesmo sem a redinha, Blitz parecia meio cinza.

— Acho... que deve ser coincidência. No entanto, eu gostaria de observar que não há saídas deste aposento. Meus sentidos anões me dizem que essas paredes são totalmente sólidas. Nós caímos em uma armadilha. O único jeito de sair daqui é acionando.

— Estou começando a não gostar dos seus sentidos de anão — confessei.

— Nem eu, garoto.

Hearthstone olhou de cara feia para Blitzen. *Você queria vir aqui. E agora? Quebrar o círculo do kenning. Abrir caixão?*

Sam ajeitou o hijab.

— Se tem um *draugr* nessa tumba, vai estar no sarcófago. Também é o lugar mais seguro para esconder uma arma mágica, como o martelo de um deus.

— Preciso de uma segunda opinião.

Puxei meu pingente.

Jacques surgiu na minha mão.

— Oi, pessoal! Ah, uma tumba cheia de magia do mal? Maneiro!

— Amigão, você consegue sentir o martelo de Thor em algum lugar aqui?

Jacques vibrou com concentração.

— É difícil ter certeza. Tem *alguma coisa* poderosa naquela caixa. Uma arma? Uma arma mágica? Podemos abrir? Por favor, por favor! Isso é empolgante!

Resisti à vontade de dar um pescotapa no cabo dele, o que só teria me machucado.

— Você já ouviu falar de um gigante da terra trabalhando com um *draugr*? Tipo... usando a tumba dele como cofre?

— Isso seria bem estranho — admitiu Jacques. — Normalmente, gigantes da terra enterram suas coisas... você sabe, na terra. Tipo, *bem* fundo.

Eu me virei para Sam.

— Então por que Otis nos mandaria para cá? E como isso pode ser uma boa ideia?

Sam olhou ao redor como se estivesse tentando decidir atrás de qual das doze múmias se esconder.

— Olha, talvez Otis tenha se enganado. Talvez... talvez tenha sido uma busca inútil, mas...

— Mas nós estamos aqui agora! — disse Jacques. — Ah, qual é, pessoal. Eu protejo vocês! Além do mais, não consigo deixar um presente fechado. Pelo menos me deixem sacudir o caixão para tentar adivinhar o que tem dentro!

Hearthstone fez um movimento de corte na palma da mão. *Já chega.*

De dentro do bolso da jaqueta, ele tirou uma bolsinha de couro, sua coleção de runas. Ele pegou uma que eu já tinha visto:

ᛞ

— É *dagaz* — falei. — Usamos essa para abrir portas em Valhala. Tem certeza...?

A expressão de Hearth me fez parar. Ele não precisava de linguagem de sinais para expressar o que sentia. Lamentava aquela situação toda. Odiava botar Blitz em perigo. Mas estávamos ali agora. Nós o levamos porque ele sabia magia. Ele queria acabar logo com aquilo.

— Magnus — disse Sam —, talvez seja melhor você se afastar.

Eu me afastei e me posicionei na frente de Blitzen, para o caso de o Rio de Sangue sair do caixão em um estilo samurai e partir direto para cima do anão mais próximo.

Hearth se ajoelhou. Encostou *dagaz* na inscrição. Imediatamente, o kenning Rio de Sangue se acendeu como um anel de pólvora. Hearth se afastou quando a tampa do sarcófago pulou longe, passou voando por mim e bateu na parede. À nossa frente estava um rei mumificado com coroa de prata e armadura de prata, com a espada embainhada nas mãos.

— Esperem só — murmurei.

Naturalmente, o cadáver abriu os olhos.

QUINZE

Todos a favor do massacre de Magnus digam *sim*

Ninguém espera ter uma conversa civilizada com um zumbi.

Achei que o rei Múmia ia dizer ROOARRRR!. Ou, no máximo, MIOLOS!. Depois, naturalmente, tentaria nos matar.

Eu não estava preparado para:

— Obrigado, mortais! Tenho uma dívida com vocês!

Ele saiu do caixão, um pouco oscilante, já que era um cadáver esquelético cuja armadura devia pesar bem mais do que ele, e fez uma dancinha da vitória.

— Passei mil anos naquela caixa idiota, mas agora estou livre! HA, HA, HA, HA, HA!

Às suas costas, o interior da tampa do caixão tinha centenas de marcas, feitas para contar a passagem dos anos. Mas não havia sinal do martelo de Thor, o que queria dizer que o zumbi fora trancado ali sem um jeito decente de acessar a Netflix.

Jacques tremeu de empolgação.

— Olha *só* aquela espada! Ela é *tão* linda!

Eu não fazia ideia de como ele sabia que a espada era fêmea, muito menos como ele sabia que ela era linda. E não sabia se queria respostas para essas perguntas.

Sam, Blitz e Hearth se afastaram do zumbi. A ponta de Jacques flutuou na direção da espada-fêmea, mas eu o empurrei para o chão e me apoiei nele. Não queria ofender o sr. Zumbi nem a espada dele com liberdades demais.

— Hã, oi — falei para o zumbi. — Sou Magnus.

— Você tem um brilho dourado lindo!

— Obrigado. E como é que você está entendendo o que estou dizendo?

— Não sei. — O rei inclinou a cabeça demoníaca. Havia filetes brancos pendurados no queixo dele, talvez teias de aranha ou os restos de uma barba. Os olhos eram verdes, brilhantes e totalmente humanos. — Talvez seja magia. Talvez estejamos nos comunicando em um nível espiritual. Seja qual for o caso, obrigado por me libertar. Sou Gellir, príncipe dos dinamarqueses!

Blitzen espiou por trás de mim.

— Gellir? Rio de Sangue é seu apelido?

A gargalhada de Gellir soou como um chocalho cheio de areia molhada.

— Não, meu amigo anão. Rio de Sangue é um kenning que conquistei por causa da minha *lâmina*, a espada Skofnung.

Clank, clank.

Hearth recuou e caiu em cima da tampa do caixão. Ele ficou naquela posição de siri, com os olhos arregalados.

— Ah! — disse Gellir. — Vejo que seu elfo ouviu falar da minha espada.

Jacques tremeu sob meu cotovelo.

— Ei, senhor? Eu também ouvi falar dela. Ela é... *uau*. Ela é *famosa*.

— Espere — disse Sam. — Príncipe Gellir, por acaso tem um... um martelo por aqui, em algum lugar? Ouvimos falar que você talvez tivesse um martelo.

O zumbi franziu a testa, o que fez com que linhas se abrissem no rosto coriáceo.

— Martelo? Não. Por que eu ia querer um martelo se sou o Senhor da Espada?

Os olhos de Sam ficaram sombrios, ou talvez fosse meu brilho começando a desvanecer.

— Tem certeza? — perguntei. — Quer dizer, Senhor da Espada é legal, mas você também podia ser, sei lá, Donzelo do Martelo.

Gellir manteve o olhar grudado em Sam. Sua testa se franziu ainda mais.

— Um momento. Você é uma mulher?

— Hã... sim, príncipe Gellir. Meu nome é Samirah al-Abbas.

— Nós a chamamos de Gingado do Machado — falei.

— Eu vou bater em você — sussurrou Sam para mim.

— Uma mulher. — Gellir esfregou o queixo e arrancou parte dos bigodes de teia de aranha. — Que pena. Não posso desembainhar minha espada na presença de uma mulher.

— Ah, que saco — disse Jacques. — Eu quero conhecer Skoff!

Hearthstone se levantou. Ele sinalizou: *Vamos embora. Agora. Não deixar o zumbi empunhar a espada.*

— O que seu elfo está fazendo? — perguntou Gellir. — Por que faz esses gestos estranhos?

— É linguagem de sinais — respondi. — Ele, hã, não quer que você empunhe a espada. Disse que devíamos ir embora.

— Mas não posso permitir isso! Preciso demonstrar minha gratidão! Além disso, preciso matar vocês!

Meu brilho estava definitivamente sumindo agora. Quando Jacques falou, suas runas banharam a tumba com uma luz vermelha ameaçadora.

— Ei, sr. Zumbi? Gratidão significa mandar um cartão legal, e não *desejar matar a gente*.

— Ah, eu estou muito grato! — protestou Gellir. — Mas também sou um *draugr*, o *draugr* chefe deste dólmen. Vocês estão invadindo. Então, depois que eu terminar de agradecer adequadamente, vou consumir sua carne e devorar suas almas. Mas a espada Skofnung tem muitas restrições. Por exemplo, ela não pode ser desembainhada de dia nem na presença de uma mulher.

— Que coisa idiota — disse Sam. — Quer dizer, que regras *sensatas*. Então você não pode nos matar?

— Não — admitiu Gellir. — Mas não se preocupem. Eu ainda posso *mandar* matar vocês!

Ele bateu três vezes no chão com a bainha da espada. Para a surpresa de ninguém, os doze guerreiros mumificados saíram de seus nichos na parede.

Os *draugrs* tinham zero respeito por clichês de zumbis. Eles não se arrastavam, não gemiam coisas incoerentes nem agiam como se estivessem atordoados, como zumbis de verdade deviam fazer. Eles puxaram as armas em sincronia e aguardaram as ordens de Gellir.

— Isso é ruim — disse Jacques, o sr. Óbvio. — Não sei se vou conseguir derrotar tantos antes de eles matarem vocês. E não quero parecer incompetente diante daquela espada gata!

— Prioridades, Jacques.

— Exatamente! Espero que você tenha um plano que me faça brilhar!

Sam nos deu uma nova fonte de luz. Na mão livre, uma lança cintilante surgiu, a arma das valquírias. O brilho intenso fez o rosto dos zumbis começar a fumegar.

Hearthstone pegou a bolsa de runas. Blitzen tirou a gravata-borboleta, que, como toda a sua coleção de primavera, era forrada de cota de malha ultraflexível. Ele envolveu o punho com a gravata, pronto para dar na cara de uns zumbis.

Não gostei das nossas chances: quatro contra treze. Ou cinco, se a gente contasse Jacques como uma pessoa. Eu não contei, porque isso significaria que eu teria que lutar sozinho.

Eu me perguntei se podia invocar a Paz de Frey. Graças ao meu pai, um deus pacifista que não permitia brigas em seus locais sagrados, eu às vezes conseguia desarmar todo mundo em uma grande área ao meu redor, arrancando suas armas das mãos. Mas esse era meu *gran finale*. Eu pareceria idiota se tentasse agora, naquele lugar fechado, e os zumbis simplesmente pegassem as espadas no chão e nos matassem.

Antes que eu pudesse decidir o que fazer para impressionar uma espada gata, um dos zumbis levantou a mão.

— Temos quórum?

O príncipe Gellir murchou como se uma de suas vértebras tivesse se desintegrado.

— Arvid — disse ele —, nós estamos trancados nesta câmara há séculos. É *claro* que temos quórum! Estamos todos presentes porque não podemos sair!

— Então proponho que iniciemos a reunião — disse outro homem morto.

— Ah, pelo amor de Thor! — reclamou Gellir. — Estamos prestes a massacrar esses mortais, nos alimentar da carne deles e tomar suas almas. Isso é óbvio. Aí, teremos força suficiente para nos libertarmos desta tumba e provocar o caos em Cape Cod. Precisamos mesmo...?

— Eu apoio nosso colega — disse outro zumbi.

Gellir bateu com a mão na testa de esqueleto.

— Tudo bem! Todos a favor?

Os doze mortos levantaram a mão.

— Então o massacre, quer dizer, a reunião vai começar. — Gellir se virou para mim, com os olhos fervendo de irritação. — Minhas sinceras desculpas, mas nós votamos sobre tudo neste grupo. É tradição da Ping.

— Ping? Que Ping?

— A Ping — disse Gellir. — Da palavra Þingvellir, que quer dizer *campo de assembleia*. O conselho de votação norueguês.

— Ah. — Sam hesitou entre o machado e a lança, como se não soubesse qual usar... ou se essa decisão exigiria um novo movimento. — Eu já ouvi falar da Ping. Era um lugar onde os antigos nórdicos se reuniam para acertar disputas legais e tomar decisões políticas. Essas reuniões inspiraram a criação do parlamento.

— Sim, sim — disse Gellir. — Agora, o parlamento *inglês*, esse não foi culpa minha. Mas quando os peregrinos chegaram... — Ele apontou para o teto com o queixo. — Bem, naquela época, nossa tumba estava aqui havia séculos. Os peregrinos chegaram e acamparam acima de nós durante algumas semanas. Devem ter sentido nossa presença inconscientemente. Acabamos inspirando o Pacto de Mayflower, iniciando toda aquela história sobre direitos, democracia na América e blá-blá-blá.

— Posso fazer a ata? — perguntou um zumbi.

Gellir suspirou.

— Dagfinn, sinceramente... Tudo bem, você é o secretário.

— Eu adoro ser o secretário.

Dagfinn devolveu a espada à bainha. Pegou um bloco e uma caneta no cinto, e não, eu não faço ideia do que um cadáver viking estava fazendo com material escolar.

— Então... espere — disse Sam. — Se você estava preso naquela caixa, como sabe o que estava acontecendo do lado de fora da tumba?

Gellir revirou os lindos olhos verdes.

— Telepatia. *Dã*. De qualquer forma, desde que inspiramos os peregrinos, meus doze guarda-costas ficaram incrivelmente orgulhosos. Nós temos que fazer *tudo* por regras parlamentares... ou Pingamentares. Mas não se preocupem. Vamos matar vocês logo. Agora, faço uma moção...

— Mas, primeiro — interrompeu outro zumbi —, temos algum assunto antigo em pauta?

Gellir fez um punho tão apertado que achei que sua mão fosse se desfazer.

— Knut, somos *draugrs* do século VI. Para nós, *tudo* é assunto antigo!

— Sugiro lermos as atas da última reunião — disse Arvid. — Alguém concorda?

Hearthstone levantou a mão. Eu não o culpei. Quanto mais tempo eles passassem lendo as atas de massacres passados, menos tempo teriam para nos matar em um massacre futuro.

Dagfinn voltou algumas páginas do caderno. Elas viraram pó sob os dedos dele.

— Ah, na verdade, não tenho as atas.

— Muito bem, então! — disse Gellir. — Seguindo em frente...

— Espere! — gritou Blitzen. — Precisamos de um relato oral! Quero saber sobre seu passado: quem vocês são, por que foram todos enterrados juntos e os nomes e a história de todas as suas armas. Sou um anão. A história das coisas é importante para mim, principalmente se essas coisas vão me matar. Sugiro que vocês nos contem tudo.

— Eu apoio essa sugestão — disse Samirah. — Todos a favor?

Todos os zumbis levantaram a mão, inclusive Gellir, acho que por hábito, pois depois pareceu irritado consigo mesmo. Jacques subiu no ar para tornar a votação unânime.

Gellir deu de ombros, fazendo a armadura e os ossos estalarem.

— Vocês estão tornando esse massacre muito difícil, mas tudo bem, vou recontar nossa história. Cavalheiros, descansar.

Os outros zumbis embainharam as espadas. Alguns se sentaram no chão. Outros se recostaram na parede e cruzaram os braços. Arvid e Knut pegaram novelos de lã e agulhas de tricô em seus nichos e começaram a fazer luvinhas.

— Eu sou Gellir — começou o príncipe —, filho de Thorkel, um príncipe dos dinamarqueses. E esta — ele deu um tapinha na espada — é Skofnung, a lâmina mais famosa já carregada por um viking!

— Exceto pela companhia presente — murmurou Jacques. — Mas, ah, *cara*, Skofnung é um nome *maravilhoso*.

Eu não concordava com ele. Também não estava gostando da expressão de terror no rosto de Hearthstone.

— Hearth, você conhece essa espada?

O elfo sinalizou com cuidado, como se o ar pudesse queimar seus dedos. *Primeiro pertenceu ao rei H-R-O-L-F. Foi forjada com as almas de seus doze seguidores, todos berserkir.*

— O que ele está dizendo? — perguntou Gellir. — Esses gestos com as mãos são muito irritantes.

Comecei a traduzir, mas Blitzen me interrompeu, gritando tão alto que Arvid e Knut largaram as agulhas de tricô.

— É *aquela* espada? — Blitz encarou Hearthstone. — A que tem... a pedra... na sua casa?

Não fez sentido para mim, mas Hearth assentiu.

Entendeu agora?, sinalizou ele. *Nós não devíamos ter vindo.*

Sam se virou, com a luz da lança fazendo a poeira no chão cintilar.

— O que você quer dizer? Que pedra? E o que isso tem a ver com o martelo de Thor?

— Com licença — disse Gellir. — Não gosto de ser interrompido. Se vieram aqui procurando o martelo de Thor, alguém passou uma informação bem equivocada para vocês.

— A gente tem que sobreviver hoje — falei para meus amigos. — Porque preciso matar um bode.

— Ahã — continuou Gellir. — Como eu estava dizendo, Skofnung foi criada por um rei chamado Hrolf. Seus doze berserkir sacrificaram suas vidas para que suas almas incutissem a lâmina de poder. — Gellir olhou de cara feia para os próprios seguidores, dos quais dois agora estavam jogando cartas no canto. — Era uma época em que um príncipe conseguia encontrar *bons* guarda-costas. De qualquer modo, um homem chamado Eid roubou a espada do túmulo de Hrolf. Eid emprestou Skofnung para meu pai, Thorkel, que meio que... se esqueceu de devolver. Meu pai morreu em um naufrágio, mas a espada foi levada pelo mar até a Islândia. Eu a encontrei e usei em muitos massacres gloriosos. E agora... aqui estamos! Quando morri em batalha, a espada foi enterrada comigo, junto com meus doze berserkir, para proteção.

Dagfinn virou uma página do caderno e recitou:

— *Para... proteção*. Posso acrescentar que esperávamos ir para Valhala? Que fomos amaldiçoados a ficar nesta tumba para sempre porque sua espada era um bem roubado? E que odiamos nossa pós-vida?

— NÃO! — exclamou Gellir com rispidez. — Quantas vezes você quer que eu peça desculpa?

Arvid desviou o olhar das luvas de tricô pela metade.

— Sugiro que Gellir peça desculpa mais um milhão de vezes. Alguém apoia?

— Parem com isso! — disse Gellir. — Olhem, nós temos convidados. Não vamos lavar a túnica suja agora, não é? Além do mais, quando matarmos os mortais e devorarmos suas almas, vamos ter poder suficiente para sair desta tumba! Mal posso esperar para dar uma olhada em Provincetown.

Eu imaginei treze vikings zumbis andando pela rua Commercial, entrando no Café Wired Puppy e ameaçando os baristas com espadas.

— Chega de falar de coisa velha! — disse Gellir. — Posso, *por favor*, apresentar uma sugestão de matar esses invasores?

— Eu apoio. — Dagfinn balançou a caneta. — Acabou a tinta mesmo.

— Não! — gritou Blitzen. — Não discutimos o suficiente. Não sei os nomes dessas outras armas. E dessas agulhas de tricô! Contem-me sobre elas!

— Você está sendo inconveniente.

— Sugiro que nos mostrem a saída mais próxima — falei.

Gellir bateu o pé.

— Você também está sendo inconveniente! Eu peço uma votação!

Dagfinn olhou para mim como quem pede desculpas.

— É uma coisa da Ping. Você não entenderia.

Eu devia ter atacado imediatamente, quando eles ainda estavam desprevenidos, mas me pareceu uma atitude pouco democrática.

— Todos a favor? — perguntou Gellir.

— Sim! — gritaram ao mesmo tempo os vikings mortos.

Eles se levantaram, guardaram o baralho e as agulhas de tricô e puxaram as espadas novamente.

DEZESSEIS

Hearthstone desperta sua alma bovina

Jacques decidiu que aquele era um excelente momento para uma sessão de treinamento.

Apesar de ser totalmente capaz de lutar sozinho, ele acreditava mesmo que eu devia aprender a portá-lo com minha própria força. Era algo sobre ser digno e competente, sei lá. A questão é que eu era péssimo com a espada. Além disso, Jacques sempre decidia me treinar nas *piores* situações possíveis.

— Não tem hora melhor do que agora! — gritou ele, ficando pesado e inútil na minha mão.

— Pare com isso, cara! — Eu desviei da primeira lâmina, que não acertou minha cabeça por um triz. — Vamos treinar depois, com manequins ou algo do tipo!

— Desvie para a esquerda! — gritou Jacques. — Sua outra esquerda! Me deixe orgulhoso, senhor. A lâmina Skofnung está olhando!

Quase fiquei tentado a morrer só para constranger Jacques na frente da outra espada. Mas como eu não estava em Valhala e minha morte ali seria permanente, decidi que esse plano talvez não fosse lá muito inteligente.

Os zumbis se aproximaram.

O espaço apertado era nossa única vantagem. Cada *draugr* estava armado com uma espada de lâmina larga, que exigia pelo menos um metro e meio de espaço livre para ser manuseada com eficiência. Doze berserkir mortos com espadas largas, cercando um grupo unido de defensores em uma câmara pequena?

Não fazia diferença quanto eles eram bons de quórum, os zumbis não conseguiriam nos massacrar com facilidade sem acertar os próprios companheiros.

Nossa luta virou um empurra-empurra confuso com muitos xingamentos e bafo fedido de zumbi. Samirah enfiou a lança embaixo do maxilar de Arvid. A luz da arma queimou a cabeça dele como fogo em papel higiênico.

Outro zumbi cutucou o peito de Blitzen, mas o colete forrado de cota de malha fez a lâmina entortar. Blitzen bateu na barriga do *draugr* com o punho envolto na gravata-borboleta e, para desgosto de todos, ficou com a mão presa na cavidade abdominal do zumbi.

— Que nojo! — Blitzen deu um pulo para trás, puxando o zumbi consigo, balançando-o feito um parceiro de dança desajeitado e derrubando outros *draugrs* no caminho.

Hearthstone levou o prêmio de Melhor Preparado para Combate Corpo a Corpo. Ele pegou uma runa:

$$\bigcap$$

Hearth foi imediatamente envolto em luz dourada. Ficou mais alto. Os músculos incharam, como se alguém estivesse inflando suas roupas. Os olhos ficaram injetados. O cabelo se arrepiou com a estática. Ele agarrou o zumbi mais próximo e o jogou do outro lado da câmara. Pegou outro e literalmente o quebrou no meio usando o joelho.

Como vocês podem adivinhar, os outros zumbis recuaram para longe do elfo maluco e bombado.

— Que runa é *essa*?

Sem querer, acertei o topo do caixão de Gellir com Jacques, criando um teto solar. Blitz soltou a mão do parceiro de dança, que desabou em pedaços.

— *Uruz* — disse Blitz. — A runa do touro.

Acrescentei silenciosamente a runa de *uruz* à minha lista de Natal.

Enquanto isso, Samirah foi acertando os inimigos um a um, girando a lança em uma das mãos como uma vareta cintilante da morte. Qualquer zumbi que conseguisse evitar ser queimado, ela picava com o machado.

Jacques continuou gritando instruções inúteis.

— Se esquive, Magnus! Se abaixe! Padrão de defesa ômega!

Eu tinha quase certeza de que isso nem existia. Nas poucas vezes que consegui acertar um zumbi, Jacques o cortou em pedaços, mas duvidava que os golpes fossem impressionantes o bastante para ele conseguir um encontro com a outra espada.

Quando ficou claro que Gellir estava ficando sem guarda-costas, ele entrou na batalha, batendo em mim com a espada embainhada e gritando:

— Mortal mau! Mortal mau!

Eu tentei reagir, mas Jacques resistiu. Deve ter achado que não seria cavalheiresco lutar contra uma moça, principalmente se ela ainda estava na bainha. Jacques era mesmo um cara antiquado.

Finalmente, Gellir foi o único *draugr* que restou. Seus guarda-costas estavam caídos no chão em uma coleção assustadora de braços, pernas, armas e agulhas de tricô.

Gellir recuou na direção do caixão, aninhando a espada Skofnung contra o peito.

— Esperem. Sessão encerrada. Sugiro que adiemos o combate até...

Hearthstone contestou a sugestão de Gellir correndo até o príncipe e arrancando a cabeça dele. O corpo de Gellir caiu para a frente, e nosso elfo bombado pisou nele, chutando e espalhando os restos ressecados até não haver nada além da espada Skofnung.

Hearthstone começou a chutá-la também.

— Parem esse elfo! — gritou Jacques.

Segurei o braço de Hearth, o que foi a coisa mais corajosa que fiz naquele dia. Ele se virou para mim, os olhos ardendo de fúria.

Ele está morto, eu sinalizei. *Você pode parar agora.*

Havia uma boa chance de eu ser decapitado de novo.

Hearthstone piscou. Os olhos injetados ficaram límpidos. Os músculos murcharam. O cabelo se assentou na cabeça. Ele desmoronou, mas Blitzen e eu conseguimos segurá-lo. Estávamos acostumados com os desmaios pós-magia de Hearthstone.

Sam enfiou a lança no cadáver de Dagfinn e a deixou de pé como um bastão néon gigante. Ela andou pela tumba, xingando baixinho.

— Desculpe, pessoal. Tanto risco, tanto esforço e nada de Mjölnir.

— Ah, tudo bem — disse Jacques. — Nós resgatamos a espada Skofnung do dono malvado! Ela vai ficar *tão* agradecida. Nós temos que levá-la conosco!

Blitzen abanou o lenço laranja no rosto de Hearth, tentando acordá-lo.

— Levar essa espada seria uma ideia *muito* ruim.

— Por quê? — perguntei. — E por que Hearth ficou tão nervoso quando ouviu o nome dela? Você falou alguma coisa sobre uma pedra...

Blitz aninhou a cabeça de Hearth no colo como se estivesse tentando proteger o elfo da nossa conversa.

— Garoto, quem quer que tenha nos mandado aqui... Era uma armadilha, sim. Mas os *draugrs* não eram a coisa mais perigosa nesta câmara. Alguém queria que a gente libertasse essa espada.

Uma voz familiar disse:

— Você está totalmente certo.

Meu coração deu um salto. De pé na frente do caixão de Gellir estavam os dois homens que eu menos queria ver nos nove mundos: tio Randolph e Loki. Atrás deles, o painel nos fundos do caixão cortado tinha virado um portal tremeluzente. Do outro lado estava o escritório de Randolph.

Os lábios marcados de Loki se retorceram em um sorriso.

— Bom trabalho em encontrar o dote da noiva, Magnus. A espada será o presente de casamento *perfeito*!

DEZESSETE

Tio Randolph entra na minha lista negra PRA VALER

Foi Sam quem reagiu mais rápido. Ela pegou a lança e partiu para cima do pai.

— Não, querida.

Loki estalou os dedos.

Instantaneamente, os joelhos de Sam fraquejaram. Ela caiu no chão e ficou imobilizada, com os olhos semicerrados. A lança cintilante rolou pelas pedras.

— Sam! — Corri na direção dela, mas o tio Randolph me interceptou.

O corpo dele eclipsou tudo. Ele segurou meus ombros, o bafo uma combinação arrasadora de alho e peixe podre.

— Não, Magnus. — A voz dele estava falhando de pânico. — Não piore as coisas.

— *Piorar?*

Eu o empurrei.

Meu corpo vibrava de raiva. Jacques parecia leve na minha mão, pronto para atacar. Ao ver Samirah inconsciente aos pés do pai (ah, deuses, eu esperava que ela estivesse apenas inconsciente), senti vontade de cortar meu tio com a espada. Senti vontade de virar um *uruz* na cara de Loki.

Dê uma chance a Randolph, a voz de Annabeth sussurrou em minha mente. *Ele é da família.*

Eu hesitei... o suficiente para reparar na condição do tio Randolph.

O terno cinza estava gasto e manchado com cinzas, como se ele tivesse se arrastado por uma chaminé. E o rosto... pelo nariz, bochecha esquerda e sobrancelha havia uma cratera horrível de cicatrizes vermelhas e amarronzadas, uma marca de queimadura mal cicatrizada em forma de mão.

Senti como se um anão tivesse perfurado minha cavidade abdominal. Lembrei que a marca de Loki apareceu na bochecha de Randolph na fotografia da família. Pensei no meu sonho no campo de batalha em Valhala e me lembrei da dor ardente em meu rosto quando Loki se comunicou comigo, usando Randolph como condutor. Loki *marcou* meu tio.

Fixei o olhar no deus da trapaça. Ele ainda estava usando o smoking verde horrível que tinha experimentado durante a minha visão, com a gravata-borboleta estampada em um ângulo torto. Os olhos brilhavam como se ele estivesse pensando: *Vá em frente. Mate seu tio. Talvez seja divertido.*

Decidi não dar esse prazer a Loki.

— Você nos enganou para virmos aqui — rosnei. — Por que, se podia passar por uma passagem mágica em um caixão?

— Ah, mas nós não podíamos! — respondeu o deus. — Não enquanto você não abrisse o caminho. Quando abriu, bem... você e Randolph estão ligados. Ou ainda não tinha reparado nisso? — Ele bateu na lateral do próprio rosto. — O sangue é uma coisa poderosa, Magnus. Sempre posso encontrar você por meio dele.

— A não ser que eu te mate. Randolph, saia da frente.

Loki riu.

— Você ouviu o garoto, Randolph. Chegue para o lado.

Meu tio parecia estar tentando engolir um limão inteiro.

— Por favor, Loki. Não...

— Uau! — Loki ergueu as sobrancelhas. — Até parece que você está tentando me dar uma ordem! Mas isso não pode estar certo, pode? Isso violaria nosso acordo!

As palavras *nosso acordo* fizeram Randolph se encolher. Ele deu um passo para o lado, com os músculos do rosto se retorcendo ao redor da nova cicatriz.

Pelo canto do olho, vi Blitzen ajudando Hearthstone a se levantar. Desejei silenciosamente que eles recuassem e ficassem em segurança. Eu não queria mais ninguém no caminho de Loki.

Sam continuava imóvel.

Meu coração batucava contra as costelas. Dei um passo à frente.

— Loki, o que você fez com ela?

O deus olhou para a filha.

— Quem, Samirah? Ela está bem. Só a mandei parar de respirar.

— Você fez *o quê*?

Loki desconsiderou minha preocupação.

— Não para sempre, Magnus. Só gosto de ser firme com meus filhos. Os pais são tão *desinteressados* atualmente, você não acha?

— Ele os controla — grunhiu Randolph.

Loki lançou um olhar irritado para ele.

— Conte para a gente quão bem *você* se saiu como pai, Randolph. Ah, é verdade. Sua família está *morta*, e sua única esperança de vê-las de novo sou *eu*.

Randolph se encolheu.

Loki se virou para mim. Seu sorriso fez calafrios de nojo subirem pela minha coluna.

— Sabe, Magnus, meus filhos devem seus poderes a mim. Em troca, têm que me obedecer quando eu quero. É justo. Como falei, o sangue é uma ligação muito poderosa. Que bom que você me ouviu e deixou Alex em Valhala. Senão eu teria duas filhas inconscientes! — Ele esfregou as mãos. — Agora, você quer ver mais? Samirah sempre relutou em se metamorfosear. Talvez eu deva forçá-la a assumir a forma de um gato para você. Ou de um canguru? Ela seria um canguru bem fofo.

O nojo embrulhou meu estômago e ameaçou explodi-lo.

Finalmente, entendi a relutância de Samirah em se metamorfosear.

Cada vez que faço isso, ela me disse certa vez, *sinto como se mais da natureza do meu pai estivesse tentando tomar conta de mim.*

Era compreensível Sam ter medo de Loki poder obrigá-la a se casar com o gigante. Era compreensível ela se preocupar com Alex Fierro, que se metamorfoseava sem pensar duas vezes.

Será que os outros deuses tinham esse tipo de controle sobre os filhos? Frey podia...? Não, eu não me permitiria pensar nisso.

— Deixe ela em paz.

Loki deu de ombros.

— Como desejar. Eu só precisava dela apagada. Sem dúvida, Gellir contou: a espada Skofnung não pode ser desembainhada na presença de uma mulher. Felizmente, mulheres em coma não contam! Randolph, rápido. Essa é a parte em que você desembainha a espada.

Tio Randolph umedeceu os lábios.

— Talvez fosse melhor se... — Sua voz se dissolveu em um grito gutural. Ele se inclinou para a frente, com fumaça saindo das cicatrizes na bochecha. Meu rosto ardeu em solidariedade.

— Pare! — gritei.

Meu tio ofegou. Ele se levantou, ainda com fumaça saindo da lateral do nariz. Loki gargalhou.

— Rand, Rand, Rand. Você é *ridículo*. Nós já passamos por isso antes. Quer trazer sua família de volta de Helheim? Exijo pagamento *integral* e *adiantado*. Você carrega minha marca e faz o que eu digo. Não é tão difícil. — Ele apontou para a espada Skofnung. — Pegue, garoto. E, Magnus, se tentar interferir, sempre posso tornar o coma de Sam permanente. Mas espero que você não faça nada. Seria terrivelmente inconveniente, com o casamento tão próximo.

Eu queria parti-lo ao meio, como Hel. (Estou falando da filha dele, Hel, que tinha dois lados diferentes.) Depois, queria colá-lo de volta e parti-lo ao meio de novo. Não conseguia acreditar que pensei em Loki como carismático e persuasivo. Ele chamou meu tio de "Rand". Isso por si só já merecia a pena de morte.

Mas eu não sabia a extensão do controle de Loki sobre Sam. Ele podia mesmo deixá-la em um coma permanente apenas com o pensamento? Eu também estava preocupado (mais ou menos) com o que podia acontecer com meu tio. O idiota podia ter feito um acordo do mal com Loki, mas eu entendia o motivo. Eu me lembrei da esposa dele, Caroline, naquele barco afundando; de Aubrey com o barquinho de brinquedo; de Emma gritando enquanto agarrava a runa *herança*, o símbolo de todos os sonhos que ela não realizaria.

À minha esquerda, Hearthstone e Blitzen se aproximaram. Hearth tinha se recuperado o bastante para ficar de pé sozinho. Blitz estava segurando uma espada que devia ter pego de um zumbi. Eu levantei a mão, pedindo que eles ficassem onde estavam.

Randolph pegou a espada Skofnung. Tirou-a lentamente da bainha, uma lâmina dupla de ferro frio e cinzento. Na parte central, runas brilhavam levemente em todos os tons de azul, de gelo a azul-escuro.

Jacques tremeu.

— Ah... ah, *uau*.

— Realmente — disse Loki. — Se *eu* pudesse portar uma espada e não pudesse ter a famosa Espada do Verão, escolheria a Skofnung.

— O cara pode ser mau — sussurrou Jacques —, mas tem bom gosto.

— Infelizmente — prosseguiu Loki —, no meu estado atual, não estou totalmente presente.

Blitzen grunhiu.

— É a primeira coisa que ele diz com a qual concordo. Essa espada nunca devia ser desembainhada.

Loki revirou os olhos.

— Blitzen, filho de Freya, você é um anão *tão* dramático quando o assunto é armas mágicas! Não posso brandir Skofnung, mas os Chase descendem dos antigos reis nórdicos! Eles são perfeitos.

Eu me lembrei do tio Randolph ter me contado alguma coisa parecida, que a família Chase descendia da antiga realeza sueca e blá-blá-blá. Mas sinto muito: se isso nos qualificava a portar espadas do mal, eu *não* ia colocar isso no meu currículo.

Perigoso demais. Os sinais de Hearthstone foram desanimados e fracos. Os olhos estavam tomados de medo. *Morte. A profecia.*

— A lâmina tem alguns melindres — disse Loki. — Eu adoro melindres! Ela não pode ser usada na presença de mulheres. Não pode ser desembainhada à luz do dia. Só pode ser usada por alguém de linhagem nobre. — Loki cutucou o braço de Randolph. — Até *esse* cara serve. Além do mais, quando a espada é brandida, ela não pode ser embainhada enquanto não tiver sentido gosto de sangue.

Jacques zumbiu com um gemido metálico.

— Não é justo. Ela é atraente *demais*.

— Não é? — disse Loki. — E o último melindre da espada... Hearthstone, meu amigo, você quer contar ou conto eu?

Hearthstone oscilou. Ele segurou o ombro de Blitzen. Eu não sabia se era para ter apoio ou se para ter certeza de que o anão ainda estava ali.

Blitzen ergueu a espada, que era quase do tamanho dele.

— Loki, você não vai fazer isso com Hearth. Eu não vou deixar.

— Meu querido anão, agradeço por você ter encontrado a entrada da tumba! E é claro que eu precisava de Hearthstone para quebrar a barreira mágica ao redor do caixão. Cada um de vocês desempenhou bem sua parte, mas infelizmente preciso pedir um *pouco* mais dos dois. Vocês querem ver Samirah casada e feliz, não querem?

— Com um gigante? — Blitzen fez um ruído de desprezo. — Não.

— Mas é por uma boa causa! A devolução do martelo daquele fulano lá! Isso quer dizer que preciso de um dote apropriado, e Thrym pediu a espada Skofnung. É uma troca bem razoável. A questão é que a espada não está completa sem a pedra. As duas formam um conjunto.

— O que você quer dizer? — perguntei. — Que pedra?

— A pedra Skofnung, a pedra feita para afiar a lâmina! — Com os polegares e os dedos, Loki fez um círculo do tamanho de um prato de sobremesa. — Grande assim, azul com manchas cinzentas. — Ele piscou para Hearthstone. — Soa familiar?

Hearthstone pareceu estar sendo sufocado pelo cachecol.

— Hearth, do que ele está falando?

Meu amigo elfo não respondeu.

Tio Randolph cambaleou, agora usando as duas mãos para levantar a espada amaldiçoada. A lâmina de ferro ficou mais escura, e filetes de fumaça gelada saíram das beiradas.

— Está ficando mais pesada — disse Randolph, ofegante. — Mais fria.

— Então temos que correr. — Loki olhou para a forma inconsciente de Samirah. — Randolph, vamos alimentar a espada faminta.

— De jeito nenhum. — Eu levantei minha espada. — Randolph, não quero machucar você, mas vou.

Meu tio soltou um gemido trêmulo.

— Magnus, você não entende. Você não sabe o que ele está planejando...

— *Randolph* — sibilou Loki —, se você quer ver sua família de novo, ataque!

Meu tio partiu para cima, atacando com a espada amaldiçoada... e eu avaliei totalmente errado qual era seu alvo.

Burrice, Magnus. Uma burrice imperdoável.

Eu só pensava em Sam, caída indefesa aos pés de Loki. Precisava defendê-la. Não estava pensando em profecias nem em como tudo o que Loki fazia, até uma olhada casual na direção da filha, era puro teatro.

Eu me adiantei para interceptar o ataque do meu tio, mas ele passou direto por mim. Com um grito de horror, enfiou a espada Skofnung na barriga de Blitzen.

DEZOITO

Preciso aprender muito mais palavrões em linguagem de sinais

Eu uivei de fúria.

Ataquei com Jacques desferindo um arco para cima, e a espada Skofnung voou da mão de Randolph, junto com (eca, talvez vocês queiram pular essa parte) umas coisas rosadas que pareciam dedos.

Meu tio cambaleou para trás, segurando o punho contra o peito. A espada Skofnung tombou no chão.

— Ah. — Blitzen arregalou os olhos. A espada passou direto pelo colete de cota de malha. Sangue escorria por entre os dedos do anão.

Ele cambaleou. Hearthstone o segurou e o arrastou para longe de Randolph e Loki.

Eu me virei para Loki. Ergui a lâmina de Jacques de novo e cortei o rosto arrogante do deus, mas a forma dele só tremeluziu, como uma projeção.

— Ele ataca! Ele erra! — Loki balançou a cabeça. — Fala sério, Magnus, nós dois sabemos que você não pode me machucar. Não estou totalmente *aqui*. Além do mais, lutar não é seu ponto forte. Se precisar descontar a ira em alguém, pode ir em frente e matar Randolph, mas seja rápido. Temos muito o que conversar, e seu anão está sangrando.

Eu não conseguia respirar. A sensação era de que alguém estava derramando ódio puro goela abaixo. Eu queria atacar meu tio. Queria detonar aquela tumba até não sobrar pedra sobre pedra. De repente, entendi Ratatosk, o esquilo que tinha raiva de tudo e queria destruir a própria árvore onde morava.

Não foi fácil, mas sufoquei a raiva. Salvar Blitz era mais importante do que me vingar.

— Jacques — falei —, fique de olho nesses *meinfretrs*. Se eles tentarem machucar Sam ou pegar a espada Skofnung, ataque sem dó.

— Pode deixar — disse Jacques com voz mais grave do que a habitual, provavelmente para impressionar a espada Skofnung. — Vou proteger a espada gata com minha vida! Ah, e Sam também.

Corri até Blitz.

— Isso aí! — comemorou Loki. — Esse é o Magnus Chase que eu conheço e amo! Sempre pensando nos outros. Sempre o curandeiro!

Coloquei as mãos na barriga de Blitzen e olhei para Hearthstone.

— Você tem alguma runa que possa ajudar?

Ele fez que não. Seu ódio nível Ratatosk fervia nos olhos. Eu via o desespero neles, o desejo de fazer alguma coisa, *qualquer coisa*, mas Hearth já tinha usado duas runas naquela manhã. Mais uma provavelmente o mataria.

Blitzen tossiu. Seu rosto ficou branco como rejunte de banheiro.

— Eu... eu estou bem, pessoal. Só preciso... de um minuto.

— Aguente firme, Blitz.

Mais uma vez, conjurei o poder de Frey. Minhas mãos se aqueceram como as resistências de um cobertor elétrico, espalhando calor para todas as células do corpo do anão. Fiz a circulação dele ficar mais lenta. Diminuí a dor. Mas o ferimento em si se recusava a ser curado. Eu o senti lutando contra mim, abrindo tecidos e capilares mais rápido do que eu conseguia consertá-los, atacando com fome maliciosa.

Eu me lembrei da profecia de Hearthstone: *Blitzen. Banho de Sangue. Não pode ser impedido.*

Era culpa minha. Eu devia ter previsto aquilo. Devia ter insistido para Blitz ficar no esconderijo de Mímir comendo pizza. Devia ter ouvido aquele assassino de bodes idiota em Back Bay.

— Você vai ficar bem — prometi. — Fique comigo.

Os olhos de Blitz estavam começando a perder o foco.

— Tem... um kit de costura no bolso do colete... se ajudar.

Eu queria gritar. Que bom que Jacques não estava mais nas minhas mãos, porque eu teria dado um ataque de birra digno do Kylo Ren.

Eu me levantei e olhei para Loki e Randolph. Minha expressão devia estar bem assustadora. Randolph recuou até um dos nichos de zumbi, deixando uma trilha de sangue no chão. Eu provavelmente poderia curar sua mão ferida, mas não fiquei nem um pouco tentado.

— Loki, o que você quer? — perguntei. — Como posso ajudar Blitzen?

O deus abriu os braços.

— Estou *tão* feliz de você ter perguntado. Por sorte, as duas perguntas têm a mesma resposta!

— A pedra — ofegou Blitz. — Ele quer... a pedra.

— Exatamente! — concordou Loki. — Sabe, Magnus, os ferimentos feitos pela espada Skofnung *nunca* cicatrizam. Só ficam sangrando para sempre... ou até a morte, o que vier primeiro. O único jeito de curar essa ferida é com a pedra Skofnung. É por isso que os dois formam um conjunto tão importante.

Hearthstone explodiu em uma torrente de xingamentos em linguagem de sinais tão impressionante que seria uma bela arte performática. Mesmo para quem não sabia linguagem de sinais, os gestos transmitiam a raiva dele melhor do que qualquer gritaria.

— Minha nossa — disse Loki. — Não sou chamado de alguns desses nomes desde minha última competição de insultos com os aesires! Lamento por você se sentir assim, amigo elfo, mas você é o único capaz de conseguir a pedra. Você *sabe* que é a única solução. É melhor ir correndo para casa!

— Casa? — Minha mente se movia em câmera lenta. — Você quer dizer... Álfaheim?

Blitzen gemeu.

— Não faça Hearth voltar pra lá. Não vale a pena, garoto.

Olhei com raiva para o tio Randolph, que estava se acomodando no nicho do zumbi. Com o terno maltrapilho, o rosto marcado e os olhos vidrados devido à dor e à hemorragia, Randolph já estava a meio caminho de se tornar um morto-vivo.

— O que Loki quer? — perguntei a ele. — O que isso tem a ver com o martelo de Thor?

Ele me lançou a mesma expressão desolada do meu sonho, quando se virou para a família no iate açoitado pela tempestade e disse: *Vou levar a gente para casa.*

— Magnus, eu... eu sinto...

— Muito? — ofereceu Loki. — Sim, você sente muito, Randolph. Nós sabemos. Mas, falando sério, Magnus, você não vê a ligação? Talvez eu precise ser mais claro. Às vezes esqueço como vocês mortais podem ser lentos. Um-gigante--está-com-o-martelo.

Ele ilustrou cada palavra com linguagem de sinais exagerada.

— Gigante-dá-martelo-para-Samirah. Nós-trocamos-presentes-no-casamento. Martelo-por-S-K-O-F-N-U-N-G.

— Pare com isso! — rosnei.

— Então você entendeu tudo? — Loki balançou as mãos. — Que bom, porque meus dedos estavam ficando cansados. Eu não posso dar *metade* do dote, posso? Thrym nunca vai aceitar. Preciso da espada *e* da pedra. Felizmente, seu amigo Hearthstone sabe exatamente onde a pedra está!

— Foi *por isso* que você armou essa armadilha? Por que você...? — Eu indiquei Blitz, que estava deitado em uma poça vermelha cada vez maior.

— Pode chamar isso de incentivo — disse Loki. — Eu não sabia se você pegaria a pedra para mim só por causa do casamento de Samirah, mas vai fazer para salvar seu amigo. E, devo lembrar, tudo isso é para que *eu* possa ajudar *você* a recuperar aquele martelo idiota. Todo mundo sai ganhando. A não ser que o anão morra. São criaturas tão pequenas e ridículas. Randolph, vamos!

Meu tio andou na direção de Loki como um cachorro esperando uma surra. Eu não sentia muito amor por ele no momento, mas também odiava a maneira como Loki o tratava. Eu me lembrei da ligação que compartilhei com Randolph em meus sonhos... de sentir a dor arrasadora que o motivava.

— Randolph, você não tem que ir com ele.

Ele olhou para mim, e então percebi o quanto eu estava errado. Quando meu tio enfiou a espada em Blitzen, alguma coisa dentro dele se quebrou. Ele foi puxado tão fundo naquela negociação do mal, abriu mão de tanta coisa para recuperar a esposa e as filhas mortas, que não conseguia imaginar outro caminho.

Loki apontou para a espada Skofnung.

— A espada, Randolph. Pegue a espada.

As runas de Jacques pulsaram em um roxo furioso.

— Experimente, amigo, e você vai perder mais do que dois dedos.

Randolph hesitou, como as pessoas costumam fazer quando são ameaçadas por espadas falantes e brilhantes.

A confiança arrogante de Loki foi abalada. Seus olhos escureceram. Os lábios marcados se curvaram para baixo. Vi quanto ele queria aquela espada. Ele precisava dela para alguma coisa bem mais importante do que um presente de casamento.

Coloquei o pé em cima da lâmina de Skofnung.

— Jacques está certo. A espada não vai a lugar algum.

As veias no pescoço do deus pareciam prestes a explodir. Fiquei com medo de ele matar Samirah e pintar as paredes com desenhos abstratos de anão, elfo e einherji.

Eu o encarei mesmo assim. Não sabia qual era seu plano, mas estava começando a perceber que ele precisava de nós vivos... pelo menos por enquanto.

No espaço de um nanossegundo, o deus recuperou a compostura.

— Tudo bem, Magnus — disse ele, casualmente. — Leve a espada e a pedra quando entregar a noiva. Você tem quatro dias. Vou avisar o local. E *arrume* um smoking. Randolph, venha comigo. Vamos estar esperando de dedos cruzados!

Meu tio fez uma careta.

— Ah, desculpe. — Ele balançou o mindinho e o anelar. — Cedo demais?

Loki segurou a manga de Randolph. Os dois homens voltaram pelo portal como se estivessem sendo sugados para fora de um jato em movimento. O caixão implodiu em seguida.

Sam se mexeu. Sentou-se abruptamente, como se o despertador tivesse tocado. O hijab escorregou por cima do olho direito, como um tapa-olho de pirata.

— O que... o que aconteceu?

Eu estava entorpecido demais para explicar. Estava ajoelhado ao lado de Blitzen, fazendo tudo o que podia para mantê-lo estável. Minhas mãos brilhavam com poder de Frey suficiente para criar uma fusão nuclear, mas não estava ajudando. Meu amigo estava morrendo.

Os olhos de Hearth estavam cheios de lágrimas. Ele estava sentado ao lado de Blitz, com o cachecol de bolinhas sujo de sangue. De vez em quando, batia um sinal de V na própria testa: *Burro. Burro.*

A sombra de Sam assomou sobre nós.

— Não! Não, não, não. O que *aconteceu*?

Hearthstone fez outra sequência de sinais: *Eu falei! Perigoso demais! Sua culpa...*

— Amigo... — Blitzen puxou as mãos de Hearthstone com fraqueza. — Não é culpa... da Sam. Também não é sua. Foi... ideia minha.

Hearthstone balançou a cabeça. *Valquíria burra. Eu também sou burro. Deve ter um jeito de curar você.*

Ele olhou para mim, desesperado por um milagre.

Eu *odiava* ser um curandeiro. Pelas firulas de Frey, eu queria ser um guerreiro. Ou metamorfo, como Alex Fierro, ou mago das runas, como Hearthstone, ou até um berserker, como Mestiço, partindo para a batalha apenas com as roupas de baixo. Saber que meus amigos dependiam de minhas habilidades, ver a luz dos olhos de Blitzen se apagando aos poucos e saber que não havia nada que eu pudesse fazer... era insuportável.

— Loki não nos deixaria outra escolha — falei. — Temos que encontrar a pedra Skofnung.

Hearthstone grunhiu de frustração. *Eu a encontraria. Por Blitz. Mas não temos tempo. Demoraria pelo menos um dia. Ele terá morrido até lá.*

Blitzen tentou dizer alguma coisa. Nenhuma palavra saiu. A cabeça dele pendeu para o lado.

— Não! — disse Sam, chorando. — Não, ele não pode morrer. Onde está essa pedra? Eu vou buscar!

Observei a tumba, desesperado por ideias. Meus olhos encontraram a única fonte de luz: a lança de Sam, caída na poeira.

Luz. Luz do *sol*.

Havia um último milagre que eu podia tentar, um milagre bobo e meia-boca, mas era tudo o que eu tinha.

— Precisamos ganhar tempo — falei —, então vamos *criar* mais tempo. — Eu não sabia se Blitzen ainda estava lúcido, mas apertei o ombro dele. — Vamos trazer você de volta, amigão. Eu prometo.

Fiquei de pé. Ergui o rosto na direção do teto abobadado e imaginei o sol acima. Convoquei os poderes do meu pai, o deus do calor e da fertilidade, o deus das coisas vivas que abriam caminho pela terra para chegar à luz.

A tumba ribombou. Poeira caiu do alto. Acima de mim, o teto rachou como uma casca de ovo, e uma abertura irregular surgiu ali, permitindo que a luz do sol penetrasse a escuridão e iluminasse o rosto de Blitzen.

Enquanto eu observava, um dos meus melhores amigos nos nove mundos se transformou em pedra.

DEZENOVE

Devo ficar nervoso porque nossa piloto está rezando?

O aeroporto de Provincetown era o lugar mais deprimente que já conheci. Para ser justo, talvez fosse porque eu estava em companhia de um anão petrificado, um elfo de coração partido, uma valquíria furiosa e uma espada que não calava a boca.

Sam chamou um Uber para nos buscar no Pilgrim Monument. Eu me perguntei se ela usava o Uber como alternativa para transportar almas para Valhala. Durante todo o caminho até o aeroporto, espremido no banco de trás de um Ford Focus sedã, eu não conseguia parar de cantarolar "Cavalgada das Valquírias".

Ao meu lado, Jacques botou o cinto de segurança e me encheu de perguntas.

— Podemos desembainhar Skofnung de novo, só por um minuto? Quero dar um oi.

— Jacques, não. Ela não pode ser desembainhada de dia, nem na presença de mulheres. E, se nós a desembainhássemos, ela teria que matar alguém.

— É, mas, fora isso, não seria incrível? — Ele suspirou, suas runas iluminando a lâmina. — Ela é *tão* linda.

— Por favor, volte para a forma de pingente.

— Você acha que ela gosta de mim? Eu não falei nenhuma besteira, falei? Seja sincero.

Engoli alguns comentários mordazes. Não era culpa de Jacques estarmos naquela situação difícil. Mesmo assim, fiquei aliviado quando finalmente o convenci a virar pingente. Falei que ele precisaria do sono da beleza para o caso de desembainharmos Skofnung mais tarde.

Quando chegamos ao aeroporto, ajudei Hearthstone a tirar nosso anão de granito do carro enquanto Sam ia até o terminal. O aeroporto em si não era grande coisa, só uma sala para embarque e desembarque, alguns bancos na frente e, depois da cerca de segurança, duas pistas para aviões pequenos.

Sam não explicou por que estávamos ali. Imaginei que ela estivesse usando seus contatos de piloto para conseguir um voo para Boston. Obviamente, ela não podia levar nós quatro com o poder de valquíria, e Hearthstone não estava em condições de usar mais runas.

O elfo tinha gastado suas últimas energias mágicas para conjurar plástico bolha e fita adesiva, usando uma runa que parecia um X comum. Talvez fosse o símbolo viking antigo para um selo do correio. Talvez fosse a runa do Álfaheim Express. Hearthstone estava com tanta raiva e tão infeliz que não tive coragem de perguntar. Só fiquei do lado de fora do terminal, esperando Sam voltar enquanto Hearth embalava cuidadosamente seu melhor amigo.

Tínhamos chegado a uma espécie de trégua enquanto esperávamos o Uber. Hearth, Sam e eu nos sentíamos como fios desencapados, superenergizados com culpa e ressentimento, prontos para matar qualquer um que nos tocasse. Mas sabíamos que isso não ajudaria Blitzen. Nós não discutimos, mas chegamos a um acordo silencioso de só gritar, berrar e bater uns nos outros mais tarde. Naquele momento, tínhamos um anão para curar.

Finalmente, ela saiu do terminal. Sam devia ter feito uma parada no banheiro, porque suas mãos e seu rosto ainda estavam úmidos.

— O Cessna está a caminho — disse ela.

— O avião do seu instrutor?

Ela assentiu.

— Precisei implorar e suplicar. Mas Barry é muito legal. Ele entendeu que é uma emergência.

— Ele sabe sobre...?

Fiz um gesto ao redor, implicando fracamente os nove mundos, anões petrificados, guerreiros mortos-vivos, deuses perversos e todas as outras coisas malucas que faziam parte das nossas vidas.

— Não — disse ela. — E gostaria que continuasse assim. Não posso pilotar aviões se meu instrutor achar que eu sou doida.

Ela olhou para o projeto de plástico bolha de Hearthstone.

— Nenhuma mudança em Blitzen? Ele ainda não começou... a se desfazer?

Um nó se formou em minha garganta.

— Se desfazer? Diga que isso não vai acontecer.

— Eu espero que não. Mas, às vezes... — Sam fechou os olhos e demorou um segundo para se recompor. — Às vezes, depois de alguns dias...

Como se eu precisasse de outro motivo para me sentir mais culpado.

— Quando encontrarmos a pedra Skofnung... *deve haver* um jeito de despetrificar Blitz, certo?

Aquela parecia ser uma pergunta que eu devia ter feito *antes* de transformar meu amigo em um bloco de granito, mas, bem, eu estava sob muita pressão.

— Eu... eu espero que sim.

Isso me fez sentir muito melhor.

Hearthstone olhou para nós. Sinalizou para Sam com movimentos curtos e furiosos: *Avião? Você vai deixar Magnus e a mim. Depois vai embora.*

Sam pareceu magoada, mas levantou a mão ao lado do rosto, com o indicador apontando para cima. *Entendido.*

Hearthstone continuou embrulhando nosso anão.

— Dê um tempo a ele — falei para Sam. — Não é culpa sua.

Sam encarou o asfalto.

— Eu queria acreditar nisso.

Tive vontade de perguntar sobre o controle de Loki sobre ela, de dizer quanto eu me sentia mal por isso, de prometer que encontraríamos um jeito de derrotar seu pai. Mas achei que era cedo demais para tocar em todos esses assuntos. A vergonha dela estava recente demais.

— O que Hearthstone quis dizer com nos deixar? — perguntei.

— Explico quando estivermos no avião. — Sam pegou o celular e olhou a hora. — É a *zuhr*. Temos uns vinte minutos até o avião pousar. Magnus, posso conversar com você em particular?

Eu não sabia o que era *zuhr*, mas a segui até uma área gramada no meio de uma entrada circular para carros.

Sam remexeu na mochila, pegou um tecido azul que parecia um lenço enorme e abriu na grama. Meu primeiro pensamento foi: *vamos fazer um piquenique?*

Mas percebi que ela estava alinhando o pano virado para o sudeste.

— É um tapete para orações?

— É — disse ela. — Está na hora das orações do meio-dia. Você pode ficar vigiando para mim?

— Eu... espere. O quê? — Senti como se ela estivesse me entregando um bebê recém-nascido e me pedindo para cuidar dele. Desde que eu conheci Sam, nunca a tinha visto orar. Achei que ela não fazia isso com frequência. Era o que eu teria feito no lugar dela, a menor quantidade de coisas religiosas possível. — Como você pode orar em um momento desses?

Ela riu sem muito entusiasmo.

— A verdadeira pergunta é: como eu posso *não* orar em um momento desses? Só fique vigiando caso... sei lá, trolls ataquem, alguma coisa assim.

— Por que eu nunca vi você fazer isso?

Sam deu de ombros.

— Eu rezo todos os dias. Cinco vezes, como exigido. Normalmente, vou para um lugar tranquilo, mas se estiver viajando ou em uma situação perigosa, eu adio as orações até ter certeza de estar em segurança. Isso é permitido.

— Como quando estávamos em Jötunheim?

Ela assentiu.

— É um bom exemplo. Já que não estamos em perigo no momento e você está comigo, e também como está na hora... você se importa?

— Hã... não. Quer dizer, claro. Vá em frente.

Eu já tinha estado em situações bem surreais. Fui a um bar anão. Fugi de um esquilo gigante na Árvore do Mundo. Desci de rapel por uma cortina na sala de jantar de um gigante. Mas proteger Samirah al-Abbas enquanto ela orava no estacionamento do aeroporto... isso era novidade.

Sam tirou os sapatos. Ficou parada na ponta do tapete, com as mãos unidas na altura da barriga, os olhos fechados. Ela sussurrava alguma coisa, baixinho. Levou as mãos aos ouvidos por um momento, o mesmo gesto que usávamos em linguagem de sinais para *escute com atenção*. Então começou a orar, um cantarolar suave em árabe que parecia que ela estava recitando um poema que sabia de cor ou uma canção de amor. Sam se curvou, se empertigou e se ajoelhou com os pés embaixo do corpo e encostou a testa no pano.

134

Não estou dizendo que fiquei olhando. Parecia errado encarar. Mas fiquei vigiando do que eu esperava ser uma distância respeitosa.

Tenho que admitir que fiquei um pouco fascinado. E talvez também tenha sentido um pouco de inveja. Apesar de tudo o que acabara de acontecer com ela, depois de ter sido controlada e deixada inconsciente pelo pai do mal, Sam parecia em paz naquele momento. Ela estava criando sua própria bolha de tranquilidade.

Eu nunca rezava, porque não acreditava em um Deus Todo-Poderoso. Mas, como Sam, gostaria de ter fé em alguma coisa.

A oração não demorou. Sam dobrou o tapete e se levantou.

— Obrigada, Magnus.

Eu dei de ombros, ainda me sentindo um intruso.

— Está melhor agora?

Ela abriu um sorrisinho debochado.

— Não é magia.

— É, mas... nós vemos magia o tempo todo. Não é difícil acreditar, tipo, que existe por aí algo mais poderoso do que todos esses seres nórdicos que enfrentamos? Principalmente, e não quero ofender ninguém, considerando que esse Cara não intervém para ajudar?

Sam guardou o tapete de orações na bolsa.

— Não intervir, não interferir, não forçar... a mim, isso parece mais misericordioso e mais divino, não acha?

Eu assenti.

— Bom argumento.

Não vi Sam chorando, mas os cantos dos olhos dela estavam rosados. Eu me perguntei se ela chorava do mesmo jeito que rezava: em particular, em um lugar tranquilo, para nós não percebermos.

Ela olhou para o céu.

— Além do mais, quem disse que Alá não ajuda? — Ela apontou para a forma branca e brilhante de um avião se aproximando. — Vamos encontrar Barry.

Surpresa! Além de conseguir um avião e um piloto, a gente também conseguiu a companhia do namorado de Sam.

Ela estava correndo pela pista quando a porta do avião se abriu. A primeira pessoa a descer os degraus foi Amir Fadlan, vestindo uma jaqueta de couro marrom por cima da camiseta do Falafel do Fadlan, o cabelo penteado para trás com gel, e óculos escuros de aros dourados — ele parecia um personagem saído do filme *Top Gun*.

Sam diminuiu o passo quando o viu, mas era tarde demais para ela se esconder. Ela olhou para mim com uma expressão de pânico e foi encontrar o noivo.

Perdi o começo da conversa. Estava ocupado demais ajudando Hearthstone a carregar um anão de pedra até o avião. Sam e Amir ficaram junto à escada, trocando gestos exasperados e expressões de sofrimento

Quando finalmente os alcancei, Amir estava andando de um lado para outro como se estivesse treinando um discurso.

— Eu nem devia estar aqui. Achei que você estivesse em perigo. Achei que era uma questão de vida ou morte. Eu... — Ele parou na mesma hora. — Magnus?

Ele me olhou como se eu tivesse acabado de cair do céu, o que não era justo, pois eu não caía do céu havia horas.

— Oi, cara — cumprimentei. — Tem um bom motivo para isso tudo. Bom mesmo. Tipo, Samirah não fez... *nada* do que você possa estar achando que ela fez de errado. Porque ela não fez nada de errado.

Sam me olhou de cara feia. *Você não está ajudando.*

O olhar de Amir se desviou para Hearthstone.

— Eu reconheço você também. De uns meses atrás, na praça de alimentação. Do suposto grupo de estudos de matemática de Sam... — Ele balançou a cabeça com descrença. — Então você é o elfo de quem Sam falou? E, Magnus... você... você está morto. Sam disse que levou sua alma para Valhala. E o anão... — ele olhou para Blitzen enrolado em plástico bolha — é uma estátua?

— Temporariamente — respondi. — Isso também não foi culpa da Sam.

Amir soltou uma daquelas gargalhadas loucas que ninguém gosta de ouvir, do tipo que indica que o cérebro desenvolveu algumas rachaduras, e elas não vão sumir tão cedo.

— Nem sei por onde começar. Sam, você está bem? Está... está com algum problema?

As bochechas de Sam ficaram da cor de molho de cranberry.

— É... complicado. Desculpe, Amir. Eu não esperava...

— Que ele estivesse aqui? — disse uma nova voz. — Querida, ele não aceitou *não* como resposta.

Na porta do avião havia um homem magro de pele morena tão bem-vestido que Blitzen teria chorado de alegria: calça skinny marrom, camisa verde-pastel, colete trespassado e botas de bico fino. A identificação de piloto plastificada e pendurada no pescoço dele dizia BARRY AL-JABBAR.

— Queridos — disse Barry —, se queremos manter nosso plano de voo, precisamos subir a bordo. Só temos que reabastecer e podemos seguir viagem. E quanto a você, Samirah... — Ele ergueu uma sobrancelha. Tinha os olhos dourados mais calorosos que já vi. — Me perdoe por contar para Amir, mas, quando você ligou, fiquei preocupadíssimo. Amir é um amigo querido. E, seja qual for o drama rolando entre vocês, espero que resolvam! Assim que ele soube que você estava com problemas, insistiu em vir junto. Então... — Barry juntou as mãos em torno da boca e fingiu sussurrar: — Vamos dizer que estou supervisionando vocês, está bem? Agora, todos a bordo!

Barry se virou e desapareceu dentro do avião. Hearthstone foi atrás dele, puxando Blitzen junto pelos degraus.

Amir retorceu as mãos.

— Sam, eu estou tentando entender. De verdade.

Ela olhou para o cinto, talvez percebendo que ainda estava carregando o machado.

— Eu... eu sei.

— Eu faço qualquer coisa por você — disse Amir. — Só... não pare de falar comigo, está bem? Me *conte*. Por mais louco que seja, me *conte*.

Ela assentiu.

— É melhor você subir a bordo. Preciso fazer a inspeção externa.

Amir olhou para mim mais uma vez, como se estivesse tentando encontrar onde estavam meus ferimentos mortais, e subiu a escada.

Eu me virei para Sam.

— Ele veio até aqui por você. Sua segurança é a única coisa que importa para ele.

— Eu sei.

— Isso é *bom*, Sam.

— Eu não mereço. Não fui honesta com Amir. Eu só... Eu não queria contaminar a única parte *normal* da minha vida.

— A parte anormal da sua vida está bem aqui.

Os ombros dela murcharam.

— Desculpe. Sei que você está tentando ajudar. Eu não tiraria você da minha vida, Magnus.

— Ah, que bom — falei. — Porque tem muito mais maluquice a caminho.

Sam assentiu.

— Falando nisso, é melhor você ir se sentar e afivelar o cinto.

— Por quê? Barry pilota mal?

— Ah, Barry é um excelente piloto, mas ele não vai pilotar hoje. *Eu* vou, e direto para Álfaheim.

VINTE

Em caso de possessão demoníaca, sigam as luzes de emergência até a saída mais próxima

BARRY ESTAVA NO CORREDOR PARA falar conosco, os cotovelos apoiados no encosto dos assentos dos dois lados. A colônia dele deixava o avião com o cheiro do mercado de flores de Boston.

— Meus queridos, por acaso vocês já viajaram em um jatinho Citation XLS antes?

— Hã, não — respondi. — Acho que eu lembraria.

A cabine não era grande, mas tudo era revestido de couro branco com contornos dourados, feito uma BMW com asas. Havia quatro bancos de passageiros virados uns para os outros, como uma espécie de área de conferência. Hearthstone e eu nos sentamos virados para a frente. Amir se sentou de frente para mim, e Blitzen estava preso no cinto de frente para Hearth.

Sam estava no banco do piloto, verificando sintonizadores e acionando interruptores. Eu achava que todos os aviões tinham portas separando a cabine do piloto da área dos passageiros, mas o Citation não era assim. De onde eu estava, via direto pelo para-brisa. Fiquei tentado a pedir para Amir trocar de lugar comigo. A vista do banheiro seria menos perturbadora.

— Bem — disse Barry —, como seu copiloto neste voo, é meu trabalho dar a vocês as instruções de segurança. A saída principal é por aqui. — Ele bateu com os dedos na porta pela qual havíamos entrado. — Em caso de emergência, se Sam e eu não pudermos abri-la, vocês... *VOCÊ DEVIA TER ME DADO OUVIDOS, MAGNUS CHASE.*

A voz de Barry ficou grave e triplicou de volume. Amir, que estava sentado perto do cotovelo dele, quase caiu no meu colo.

Na cabine de comando, Sam se virou lentamente.

— Barry?

— *EU AVISEI.* — A nova voz de Barry estalava de distorção, e o tom oscilava. — *MAS VOCÊ CAIU NA ARMADILHA DE LOKI MESMO ASSIM.*

— O que há de errado com ele? — perguntou Amir. — Esse não é o Barry.

— Não — concordei, com a garganta tão seca quanto a de um berserker zumbi. — É o meu assassino favorito.

Hearthstone parecia ainda mais confuso do que Amir. Ele não podia ouvir a mudança na voz de Barry, obviamente, mas percebia que as instruções de segurança haviam sido interrompidas.

— *AGORA, NÃO HÁ ESCOLHA* — disse a voz de Barry. — *DEPOIS QUE CURAR SEU AMIGO, ME ENCONTRE EM JÖTUNHEIM. VOU DAR AS INFORMAÇÕES DE QUE VOCÊ PRECISA PARA IMPEDIR O PLANO DE LOKI.*

Observei o rosto do copiloto. Os olhos dourados pareciam desfocados, mas, fora isso, eu não via nenhuma diferença nele.

— Você é o assassino de bodes — afirmei com convicção. — O cara que estava me olhando do galho da árvore durante o banquete.

Amir não conseguia parar de piscar.

— Assassino de bodes? Galho de árvore?

— *PROCURE HEIMDALL* — disse a voz distorcida. — *ELE VAI MOSTRAR O CAMINHO. LEVE A OUTRA, ALEX FIERRO. ELA É SUA ÚNICA ESPERANÇA AGORA...* E isso é tudo. Alguma pergunta?

A voz de Barry tinha voltado ao normal. Ele sorriu com satisfação, como se não conseguisse pensar em um jeito melhor de passar o dia do que voando de um lado para outro por Cape Cod, ajudando os amigos e canalizando as vozes de ninjas de outro mundo.

Amir, Hearth e eu balançamos a cabeça com veemência.

— Sem perguntas — falei. — Nenhumazinha. Nada.

Olhei bem nos olhos de Sam. Ela deu de ombros e balançou a cabeça, como quem diz: *Sim, eu ouvi. Meu copiloto ficou possuído por um tempo. O que você quer que eu faça?*

— Tudo bem. — Barry bateu na cabeça de granito de Blitzen. — Os fones de ouvido estão nos compartimentos ao lado, se vocês quiserem falar conosco na cabine. É um voo bem curto até Norwood Memorial. Relaxem e divirtam-se!

Diversão não é a palavra que eu teria usado.

Uma pequena confissão: além de nunca ter voado em um Citation XLS, eu nunca tinha voado em um avião. Minha primeira vez provavelmente não devia ser em um jatinho de oito lugares pilotado por uma garota da minha idade que fazia aulas havia poucos meses.

Não foi culpa de Sam. Eu não tinha com o que comparar, mas a decolagem pareceu tranquila. Pelo menos, subimos ao céu sem fatalidades. Mesmo assim, minhas unhas deixaram marcas permanentes nos braços da poltrona. Cada sacolejo de turbulência me deixava tão nervoso que senti saudade de nosso velho amigo Stanley, o cavalo alado de oito patas mergulhador de penhascos. (Bem, quase.)

Amir recusou o fone de ouvido, talvez porque seu cérebro já estivesse lotado de informações nórdicas malucas. Ele ficou de braços cruzados, olhando demoradamente pela janela, como se pensando se algum dia voltaríamos a pousar no mundo real.

A voz de Sam estalou nos meus fones.

— Chegamos à altitude de cruzeiro. Alcançaremos nosso destino em trinta e dois minutos.

— Tudo bem aí? — perguntei.

— Sim... — A conexão apitou. — Pronto. Não tem mais ninguém neste canal. Nosso *amigo* parece bem agora. Mas não precisa se preocupar. Estou com os controles.

— Quem, eu? Preocupado?

Pelo que eu podia ver, Barry parecia tranquilo no momento. Ele estava relaxando no banco do copiloto, olhando para o iPad. Eu queria acreditar que ele estava de olho em leituras importantes de aviação, mas tinha quase certeza de que estava jogando *Candy Crush*.

— Alguma ideia? — perguntei a Sam. — Sobre o conselho do assassino de bodes?

Estática. Depois:

— Ele disse que devíamos procurá-lo em Jötunheim. Então, ele é um gigante. Isso não quer dizer necessariamente que seja mau. Meu pai... — ela hesitou, provavelmente tentando tirar da boca o gosto azedo daquela palavra — tem muitos inimigos. Seja lá quem for o assassino, ele tem magia poderosa. E estava certo sobre Provincetown. Devíamos ouvi-lo. *Eu* devia ter ouvido antes.

— Não faça isso. Não seja tão dura consigo mesma.

Amir tentou se concentrar em mim.

— Desculpe, o quê?

— Não você, cara. — Bati no microfone dos fones de ouvido. — Estou falando com a Sam.

Amir fez um "Ah" silencioso. E voltou a treinar o olhar perdido na janela.

— Amir consegue ouvir o que estou dizendo? — perguntou Sam.

— Não.

— Depois que eu deixar vocês, vou levar a espada Skofnung para Valhala, por segurança. Não posso levar Amir para o hotel, mas... vou tentar mostrar a ele o que puder. Mostrar minha vida.

— Boa. Ele é forte, Sam. Consegue aguentar.

Uma contagem de três segundos de ruídos.

— Espero que você tenha razão. Também vou atualizar a galera do andar dezenove.

— E Alex Fierro?

Sam olhou para mim. Era estranho vê-la a metros de distância, mas ouvir sua voz bem nos meus ouvidos.

— Levá-la junto é uma má ideia, Magnus. Você viu o que Loki conseguiu fazer comigo. Imagine o que...

Eu conseguia imaginar. Mas também tinha a sensação de que o assassino de bodes estava certo. Nós precisaríamos de Alex Fierro. A chegada dela em Valhala não tinha sido coincidência. As Nornas, ou algum outro deus maluco das profecias, entrelaçaram o destino dela com o nosso.

— Acho que não devíamos subestimá-la — falei, me lembrando da luta de Alex com os lobos e de quando montou no *lindwyrm* raivoso. — Além do mais, eu confio nela. Quer dizer, tanto quanto se pode confiar em uma pessoa que arrancou sua cabeça. Você tem alguma ideia de como encontrar o deus Heimdall?

A estática pareceu mais pesada, mais zangada.

— Infelizmente, sim — disse Sam. — Se prepare. Estamos quase em posição.

— Para pousar em Norwood? Achei que você tinha dito que íamos para Álfaheim.

— *Vocês* vão. Eu, não. O caminho de voo até Norwood nos coloca acima de uma área de salto perfeita.

— Área de *salto*?

Eu esperava ter ouvido errado.

— Olha, preciso me concentrar em pilotar este avião e não matar todo mundo. Pergunte a Hearthstone.

Meus fones de ouvido ficaram em silêncio.

Hearthstone estava fazendo competição de sério com Blitzen. O rosto de granito do anão aparecia no casulo de plástico bolha, a expressão congelada em sofrimento mortal. Hearthstone não parecia muito mais contente. A infelicidade em torno dele era quase tão fácil de ver quanto o cachecol de bolinhas manchado de sangue.

Álfaheim, eu sinalizei. *Como chegamos lá?*

Pulando, disse Hearth.

Meu estômago se embrulhou.

— Pulando? Pulando de um *avião*?

Hearth olhou para um ponto atrás de mim, da maneira que ele faz quando está pensando em como explicar uma coisa complicada por meio de linguagem de sinais... normalmente alguma coisa de que não vou gostar.

Álfaheim é um reino de ar, luz, sinalizou ele. *Só se pode entrar...* Ele fez uma pantomima de queda livre.

— Estamos em um avião — falei. — Não podemos simplesmente pular. Vamos morrer!

Morrer, não, prometeu Hearth. *E também não vamos exatamente pular. Só...* Ele fez um gesto de *puf*, que não me tranquilizou. *Não podemos morrer até salvarmos Blitzen.*

Para um cara que raramente emitia sons, Hearth conseguia ser bem assertivo quando queria. Ele tinha acabado de me dar ordens expressas: pular do avião; cair em Álfaheim; salvar Blitzen. Só depois eu teria permissão para morrer.

Amir se mexeu na poltrona.

— Magnus, você parece nervoso.

— E estou.

Fiquei tentado a inventar uma explicação simples, alguma coisa que não traumatizaria o generoso cérebro mortal de Amir. Mas já tínhamos passado desse ponto. Ele estava totalmente inserido na vida de Sam, para o bem ou para o mal, normal ou anormal. Amir sempre tinha sido gentil comigo. Tinha me alimentado quando eu era sem-teto, me tratara como uma pessoa quando os outros fingiam que eu era invisível. Ele tinha vindo nos salvar hoje sem saber nenhum detalhe, só porque Sam estava encrencada. Eu não podia mentir para ele.

— Aparentemente, Hearth e eu vamos fazer *puf*.

Contei para ele as ordens que tinha acabado de receber.

Amir pareceu tão perdido que senti vontade de abraçá-lo.

— Até semana passada, minha maior preocupação era para onde expandir nossa franquia de Falafel, se para Jamaica Plain ou Chestnut Hill. Agora, não sei nem sobre que *mundo* estamos voando.

Conferi o microfone do fone de ouvido para ter certeza de que estava desligado.

— Amir, Sam é a mesma de sempre. Ela é corajosa. É forte.

— Eu sei disso.

— E também é doida por você — falei. — Ela não pediu para ter essas coisas esquisitas na vida dela. A maior preocupação dela é não estragar o futuro de vocês. Confie na Sam.

Ele baixou a cabeça como um cachorrinho em um canil.

— Eu... eu estou tentando, Magnus. É que tudo é tão estranho.

— É — concordei. — Um alerta: vai ficar mais estranho ainda. — Então, liguei o microfone. — Sam?

— Eu ouvi a conversa toda — anunciou ela.

— Ah. — Aparentemente, eu não tinha entendido direito como mexer nos controles. — Hã...

— Vou matar você depois — disse ela. — Agora, sua parada está chegando.

— Espere. Barry não vai reparar se a gente simplesmente desaparecer?

— Ele é mortal. O cérebro vai se ajustar. Afinal de contas, gente não desaparece de aviões no meio do voo. Quando pousarmos em Norwood, ele provavelmente não vai nem lembrar que vocês estavam aqui.

Eu queria pensar que eu era um pouco mais memorável do que isso, mas estava nervoso demais para me preocupar.

Ao meu lado, Hearthstone soltou o cinto de segurança. Ele tirou o cachecol e o amarrou em volta de Blitzen, preparando uma espécie de cinto improvisado.

— Boa sorte — disse Sam para mim. — Vejo vocês em Midgard, supondo... você sabe.

Supondo que a gente sobreviva, pensei. *Supondo que a gente consiga curar Blitzen. Supondo que nossa sorte esteja melhor do que nos últimos dois dias... ou do que sempre.*

Entre um momento e o seguinte, o jato desapareceu. Eu me vi flutuando no céu, com os fones de ouvido ligados em nada.

E caí.

VINTE E UM

Os encrenqueiros levarão tiros, serão presos e levarão ainda mais tiros

Blitzen me contou certa vez que os anões nunca saíam de casa sem um paraquedas.

Agora, eu entendia o porquê disso. Hearthstone e eu despencamos pelo ar gelado — eu balançando os braços e gritando, Hearth em um mergulho perfeito com o Blitzen de granito preso à costas. Hearth olhou para mim com uma expressão tranquilizadora, como quem diz: *Não se preocupe. O anão está enrolado em plástico bolha.*

Minha única resposta foi mais gritos incoerentes, porque eu não sabia linguagem de sinais para *PELO AMOR DE AGGGHHH!*.

Passamos por uma nuvem, e tudo mudou. Nossa queda ficou mais lenta. O ar ficou quente e doce. A luz do sol se intensificou, quase me cegando.

Batemos no chão. Bom, foi mais ou menos isso. Meus pés tocaram lentamente uma grama recém-cortada, e eu quiquei, parecendo pesar apenas dez quilos. Saltei como um astronauta pelo gramado até recuperar o equilíbrio.

Apertei os olhos sob a luz intensa do sol, tentando ver onde eu estava: hectares de paisagem, árvores altas, uma casa grande ao longe. Tudo parecia envolto em fogo. Em qualquer direção que eu me virasse, a sensação era de que tinha um holofote na minha cara.

Hearthstone segurou meu braço. Ele me entregou alguma coisa: um par de óculos de sol bem escuros. Eu os coloquei no rosto, e o ardor intenso nos meus olhos diminuiu.

— Obrigado — murmurei. — É claro assim o tempo todo?

Hearthstone franziu a testa. Eu devia estar arrastando as palavras. Ele estava tendo dificuldade para ler meus lábios. Repeti a pergunta em linguagem de sinais.

Sempre, concordou Hearth. *Você se acostuma.*

Ele olhou ao redor como se procurasse ameaças.

Pousamos em um gramado na frente de uma grande propriedade. Muros baixos de pedra contornavam a fazenda, uma área do tamanho de um campo de golfe com canteiros de flores bem-cuidados e árvores finas e longas, como se a gravidade tivesse se invertido e as puxado para cima. A casa era uma mansão no estilo Tudor, e tinha janelas com vitrais e torres cônicas.

Quem mora aqui?, sinalizei para Hearth. *O presidente de Álfaheim?*

Só uma família. Os Makepiece. Ele soletrou o nome.

Eles devem ser importantes, sinalizei.

Hearth deu de ombros.

São comuns. Classe média.

Eu ri, mas percebi depois que ele não tinha feito uma piada. Se aquela era a casa de uma família de classe média em Álfaheim, eu não queria dividir a conta do almoço com ninguém da classe alta.

Precisamos ir, sinalizou Hearth. *Os Makepiece não gostam de mim.* Ele ajeitou o cachecol que servia de alças em Blitzen, que devia pesar o mesmo que uma mochila comum em Álfaheim.

Juntos, nós seguimos para a estrada.

Tenho que admitir, a gravidade mais leve me fez sentir... bem, mais leve. Segui em frente, percorrendo um metro e meio a cada passo. Tive que me segurar para não ir mais longe. Com minha força de einherji, se eu não tomasse cuidado, podia acabar pulando por cima de telhados de mansões de classe média.

Pelo que podia perceber, Álfaheim consistia em fileiras e mais fileiras de propriedades como a dos Makepiece, cada uma com vários hectares, cada qual com um gramado com canteiros de flores e arbustos bem-cuidados. Nas entradas de pedra, SUVs pretos de luxo cintilavam. O ar tinha cheiro de hibisco assado e notas novas de dólar.

Sam dissera que nosso percurso de voo até Norwood nos deixaria na melhor área de salto. Agora, isso fazia sentido. Da mesma maneira que Nídavellir lembrava Southie, Álfaheim me fazia pensar nos subúrbios chiques a oeste de Boston — Wellesley, talvez, com suas casas enormes e paisagens pastoris, estradas sinuosas, seus riachos pitorescos e sua aura sonolenta de total segurança... supondo que você fosse de lá.

O lado ruim era que a luz do sol era tão intensa que acentuava todas as imperfeições. Até uma folha caída ou uma flor murcha em um jardim se destacavam como um problema evidente. Minhas roupas pareciam mais sujas. Eu via todos os poros nas costas das mãos e as veias debaixo da pele.

Também entendia o que Hearthstone queria dizer sobre Álfaheim ser feita de ar e luz. O ambiente parecia irreal, como se tivesse sido construído de fibras de algodão-doce e pudesse se dissolver com um pouco de água. Ao andar pelo chão esponjoso, senti inquietação e impaciência. Os óculos escuros só aliviavam um pouco minha dor de cabeça.

Depois de alguns quarteirões, sinalizei para Hearthstone: *Aonde estamos indo?*

Ele repuxou os lábios. *Para casa.*

Segurei o braço dele e o fiz parar.

Para sua casa?, sinalizei. *Onde você cresceu?*

Hearth olhou para o muro do jardim mais próximo. Ao contrário de mim, ele não estava de óculos. Na luz brilhante do dia, os olhos do elfo cintilavam como formações de cristais.

A pedra Skofnung está na minha casa, sinalizou ele. *Com... meu pai.*

O sinal para *pai* era a mão aberta com a palma para cima e o polegar na testa. Isso me fez lembrar do L de *loser*. Considerando o que eu sabia sobre a infância de Hearth a comparação pareceu apropriada.

Certa vez, em Jötunheim, eu curei Hearth. Naquela ocasião, tive um vislumbre da dor que ele carregava dentro de si. Ele tinha sido maltratado e humilhado quando criança, principalmente por causa da surdez. O irmão dele morrera (eu não sabia os detalhes), e os pais haviam culpado Hearth. Ninguém teria vontade de voltar para uma casa assim.

Eu me lembrei da intensidade com que Blitzen protestara contra a ideia, mesmo sabendo que ia morrer. *Não faça Hearth voltar pra lá. Não vale a pena, garoto.*

Mas ali estávamos nós.

Por quê?, sinalizei. *Por que seu pai* (loser) *teria a pedra Skofnung?*

Em vez de responder, Hearthstone assentiu na direção pela qual tínhamos vindo. Tudo era tão brilhante no mundo elfo que eu só reparei nas luzes quando o carro preto parou diretamente atrás de nós. Na grade da frente do sedã, luzes sequenciais vermelhas e azuis pulsavam. Atrás do para-brisa, dois elfos de terno nos olhavam de cara feia.

O Departamento de Polícia de Álfaheim chegara para dar oi.

— Podemos ajudar? — perguntou o primeiro policial.

Nesse momento, eu soube que estávamos encrencados. Por experiência própria, podia afirmar que nenhum policial perguntava *podemos ajudar* se tivesse o desejo real de ajudar. Outra prova: a mão do policial estava apoiada no cabo da arma.

O segundo policial saiu pelo lado do carona, parecendo também pronto a dar uma ajuda bem fatal.

Os dois elfos estavam vestidos como detetives à paisana, com ternos escuros e gravatas de seda, os distintivos presos no cinto. O cabelo curto deles era tão louro quanto o de Hearthstone. Tinham os mesmos olhos claros e as expressões estranhamente calmas.

Fora isso, não se pareciam em nada com meu amigo. Os policiais aparentavam ser mais altos, mais magros e mais esquisitos. Emanavam um ar frio de desdém, como se tivessem aparelhos pessoais de ar-condicionado instalados embaixo do colarinho.

Outra coisa que achei estranha: *eles falavam*. Eu tinha passado tanto tempo com Hearthstone, que se comunicava num silêncio eloquente, que ouvir a voz de um elfo era perturbador. Parecia errado.

Os dois policiais olharam para Hearthstone. Era como se eu não existisse.

— Eu fiz uma pergunta, amigo — disse o primeiro policial. — Tem algum problema aqui?

Hearthstone balançou a cabeça. Ele recuou, mas eu segurei seu braço. Recuar só tornaria tudo pior.

— Nós estamos bem — falei. — Obrigado, policiais.

Os detetives me olharam como se eu fosse de outro mundo, coisa que, para ser justo, eu era mesmo.

A identificação no distintivo do primeiro policial dizia SUNSHINE, tipo raio de sol. Ele não parecia muito um raio de sol. Por outro lado, acho que eu também não parecia muito magno.

A identificação do segundo policial dizia WILDFLOWER, flor silvestre. Com um nome desses, eu esperaria que ele estivesse usando uma camisa florida ou pelo menos um lenço colorido, mas o traje dele era tão sem-graça quanto o do companheiro.

Sunshine franziu o nariz como se eu tivesse o fedor do dólmen de um *draugr*.

— Onde você aprendeu élfico, obtuso? Seu sotaque é horrível.

— *Obtuso?* — indaguei.

Wildflower deu uma risadinha para o companheiro.

— Quer apostar que élfico não é a língua materna dele?

Eu queria deixar claro que eu era um humano falando inglês e que aquela *era* minha língua materna. E a única que eu falava, aliás. Élfico e inglês eram a mesma coisa, assim como a linguagem élfica de sinais de Hearth e a linguagem de sinais que a gente usava nos Estados Unidos.

Eu duvidava que os policiais fossem ouvir ou dar atenção. A maneira como eles falavam *era* estranha aos meus ouvidos: um sotaque meio antiquado e aristocrático que eu tinha ouvido em documentários e filmes dos anos 1930.

— Olhem — comecei —, nós só estamos fazendo uma caminhada.

— Em um bairro chique — disse Sunshine —, onde suponho que vocês não moram. Os Makepiece do fim da rua fizeram uma queixa. Pessoas invadindo, vadiando. Levamos esse tipo de coisa a sério, obtuso.

Tive que controlar minha raiva. Como sem-teto, eu era alvo frequente de maus-tratos por parte da polícia. Meus amigos de pele mais escura sofriam ainda mais. Então, durante os dois anos que morei na rua, adquiri um novo nível de cautela quando lidava com policiais "simpáticos".

Ainda assim... não gostei de ser chamado de *obtuso*. Seja lá o que isso fosse.

— Policiais, estamos andando há uns cinco minutos. Estamos indo para a casa do meu amigo. Como isso pode ser vadiagem?

Hearthstone sinalizou para mim: *Cuidado*.

Sunshine franziu a testa.

— O que foi isso? Algum sinal de gangue? Fale élfico.

— Ele é surdo — esclareci.

— Surdo? — O rosto de Wildflower se franziu de nojo. — Que tipo de elfo...?

— Opa, parceiro. — Sunshine engoliu em seco. Puxou a gola como se o ar-condicionado pessoal tivesse parado de funcionar. — Esse é...? Só pode ser... você sabe, o filho do sr. Alderman.

A expressão de Wildflower mudou de desprezo para medo. Teria sido satisfatório de olhar, não fosse o fato de um policial temeroso ser *bem* mais perigoso do que um enojado.

— Sr. Hearthstone? — perguntou Wildflower. — É o senhor?

Hearthstone assentiu de modo sombrio.

Sunshine falou um palavrão.

— Tudo bem. Os dois, no carro.

— Opa, por quê? — perguntei. — Se vocês vão nos prender, quero saber quais são as acusações...

— Nós não vamos prender vocês, obtuso — rosnou Sunshine. — Vamos levá-los para a casa do sr. Alderman.

— Depois disso — acrescentou Wildflower —, você não vai mais ser problema nosso.

O tom dele fez parecer que não seríamos problema de *ninguém*, pois seríamos enterrados embaixo de um lindo canteiro de flores em algum lugar. A última coisa que eu queria era entrar naquele carro, mas os policiais bateram os dedos nas armas élficas, nos mostrando quanto estavam preparados para ajudar.

Subi no banco de trás do carro.

VINTE E DOIS

Tenho quase certeza de que o pai de Hearthstone é um alienígena abdutor de vacas

ERA O CARRO DE POLÍCIA mais chique em que eu já havia entrado, e olha que não tinham sido poucos. O interior de couro preto tinha cheiro de baunilha. O vidro que separava os bancos da frente do de trás estava tinindo de tão limpo. O banco tinha função de massagem, para eu poder relaxar depois de um dia puxado de vadiagem. Obviamente, serviam só os criminosos mais refinados em Álfaheim.

Depois de um quilômetro e meio de viagem confortável, saímos da rua principal e paramos em frente a um portão de ferro com um A rebuscado. De ambos os lados, os muros de pedra de mais ou menos três metros de altura tinham pontas decorativas para impedir a invasão da ralé de classe média que morava no fim da rua. Do alto do portão, câmeras de segurança se viraram para nos avaliar.

O portão foi aberto. Quando entramos na propriedade da família de Hearthstone, meu queixo quase caiu. E eu achava a mansão da *minha* família constrangedora.

O jardim da frente era maior do que o parque Boston Common. Cisnes deslizavam por um lago rodeado de salgueiros. Seguimos por duas pontes diferentes para passar por um riacho sinuoso, por outros quatro jardins e por um segundo portão antes de chegar à casa principal, que parecia uma versão pós-moderna do castelo da Bela Adormecida na Disney — paredes de tábuas brancas e cinza se projetavam em ângulos estranhos, torres estreitas feito canos de órgão, vitrais enormes de vidro laminado e uma porta de entrada de aço polido tão grande que devia ter que ser aberta por trolls puxando correntes.

Hearthstone mexia na bolsa de runas e olhava ocasionalmente para o porta-malas do carro, onde os policiais tinham guardado Blitzen.

Eles só falaram quando paramos em frente à porta principal.

— Para fora — disse Wildflower.

Assim que Hearthstone estava livre, ele andou até a parte de trás do carro e batucou na traseira.

— Tá, tudo bem. — Sunshine abriu o porta-malas. — Mas não sei por que você se importa. Deve ser o anão de jardim mais *feio* que já vi.

Hearthstone tirou Blitzen do porta-malas com delicadeza e apoiou o anão de granito no ombro.

Wildflower me empurrou na direção da porta.

— Anda, obtuso.

— Ei! — Eu quase peguei o pingente, mas me controlei. Pelo menos os policiais agora estavam tratando Hearthstone como intocável, mas ainda pareciam perfeitamente à vontade me empurrando de um lado para outro. — Seja lá o que *obtuso* queira dizer, eu não sou isso — resmunguei.

Wildflower riu com deboche.

— Você se olhou no espelho recentemente?

Percebi que, em comparação com os elfos, todos finos, delicados e lindos, eu devia parecer quadrado e desajeitado: *obtuso*. Tive a sensação de que o termo também queria dizer mentalmente lento, afinal, por que insultar alguém em um nível se você pode insultar em dobro?

Fiquei tentado a despejar minha vingança nos policiais pedindo a Jacques para cantar algumas canções de sucesso. Antes que eu tivesse a oportunidade, Hearthstone segurou meu braço e me guiou pelos degraus da frente. Os policiais ficaram atrás de nós, querendo distância de Hearthstone como se temessem que surdez pudesse ser contagiosa.

Quando chegamos ao último degrau, a grande porta de aço se abriu silenciosamente. Uma jovem veio correndo nos encontrar. Era quase tão baixa quanto Blitzen, mas tinha o cabelo louro e as feições delicadas de elfo. A julgar pelo vestido simples e pelo gorrinho branco, concluí que devia ser a empregada da casa.

— Hearth! — Os olhos dela se iluminaram de empolgação, mas ela sufocou o entusiasmo quando viu nossa escolta policial. — Quer dizer, sr. Hearthstone.

Hearth piscou, como se fosse começar a chorar. Ele sinalizou: *Oi/desculpe*, misturando as duas palavras em uma só.

O policial Wildflower pigarreou.

— Seu mestre está em casa, Inge?

— Ah... — Inge engoliu em seco. Olhou para Hearthstone e para os policiais novamente. — Sim, senhor, mas...

— Vá chamá-lo — disse Sunshine com rispidez.

Inge se virou e correu para dentro da casa. Enquanto se afastava, reparei em uma coisa pendurada na parte de trás da saia: um fio de pelo marrom e branco, desfiado na ponta como franjas decorativas. Mas o fio se moveu, e percebi que se tratava de algo vivo.

— Ela tem uma cauda de vaca — deixei escapar.

Sunshine riu.

— Bem, ela é uma huldra. Seria ilegal se escondesse a cauda. Teríamos que prendê-la sob acusação de incorporar um elfo respeitável.

O policial lançou um olhar rápido para Hearth, deixando claro que sua definição de *elfo respeitável* também não incluía meu amigo. Wildflower sorriu.

— Acho que o garoto nunca viu uma huldra, Sunshine. Qual é o problema, obtuso? Não existem espíritos da floresta domesticados no mundo do qual você rastejou?

Não respondi, mas em pensamento eu estava imaginando Jacques cantando músicas da Selena Gomez a plenos pulmões nos ouvidos dos policiais. Aquele pensamento me confortou.

Olhei para o saguão, uma colunata de pedras brancas iluminada pelo sol e claraboias de vidro, que, apesar disso, conseguia parecer claustrofóbico. Eu me perguntei o que Inge achava de ter que exibir a cauda o tempo todo. Era fonte de orgulho mostrar sua identidade, ou aquilo era visto como uma punição, um lembrete constante do seu status inferior? Decidi que a coisa realmente horrível era juntar as duas situações: *mostre-nos quem você é; agora, sinta-se mal por isso*. Não era muito diferente de Hearth sinalizando *oi* e *desculpe* como uma única palavra.

Senti a presença do sr. Alderman antes de vê-lo. O ar ficou mais frio e tinha um aroma de menta. Os ombros de Hearthstone baixaram, como se a gravidade fosse agora a de Midgard. Ele ajustou Blitzen no meio das costas, como se para escondê-lo. As bolinhas no cachecol do elfo pareceram oscilar. Então percebi que meu amigo estava tremendo.

Passos ecoaram no piso de mármore.

O sr. Alderman apareceu, surgindo por detrás de uma coluna e se aproximando de nós.

Todos demos um passo para trás — Hearth, eu e até os policiais. O sr. Alderman tinha mais de dois metros de altura e era tão magro que parecia um daqueles alienígenas que realizavam estranhos experimentos médicos e voavam em óvnis de Roswell. Os olhos eram grandes demais. Os dedos eram delicados demais. O maxilar era tão pontudo que me perguntei se o rosto estava preso em um triângulo isósceles.

Mas ele se vestia melhor do que o viajante comum de objetos voadores não identificados. O terno cinza combinava com a blusa verde de gola alta que deixava seu pescoço parecendo ainda mais comprido. O cabelo louro platinado era arrepiado como o de Hearth. Eu via certa semelhança no nariz e na boca, mas o rosto do sr. Alderman era bem mais expressivo. Ele parecia cruel, crítico, insatisfeito — tipo alguém que acabou de fazer uma refeição absurdamente cara e horrível e estava pensando na péssima crítica que ia escrever a respeito.

— Bem. — Os olhos dele perscrutaram o rosto do filho. — Você voltou. Pelo menos foi sensato o bastante para trazer o filho de Frey com você.

Sunshine engasgou com o próprio sorriso arrogante.

— Desculpe, senhor. Quem?

— Esse rapaz. — O sr. Alderman apontou para mim. — Magnus Chase, filho de Frey, não é?

— Isso mesmo.

Engoli o impulso de acrescentar *senhor*. Até o momento, aquele cara não estava merecendo.

Eu ainda não tinha me acostumado com as pessoas ficarem impressionadas ao saberem que meu pai era Frey. As reações costumavam variar de "Caramba, sinto muito" a "Quem é Frey?", passando por gargalhadas histéricas.

Então, não vou mentir. Gostei de como a expressão dos policiais mudou rapidamente de desprezo para: *Ah, droga, tratamos mal um semideus.* Eu não entendi, mas gostei.

— Nós... nós não sabíamos. — Wildflower limpou uma sujeira da minha camisa, como se fosse resolver a situação. — Nós, hã...

— Obrigado, homens — interrompeu o sr. Alderman. — Eu assumo a partir daqui.

Sunshine olhou para mim boquiaberto, como se quisesse me pedir desculpas ou oferecer um cupom de cinquenta por cento de desconto para a minha próxima prisão.

— Vocês ouviram — falei. — Podem ir, policiais Sunshine e Wildflower. E não se preocupem, eu vou me lembrar de vocês.

Eles fizeram uma reverência... uma reverência *de verdade*, e saíram bem rápido para a viatura.

O sr. Alderman avaliou Hearthstone, como se estivesse procurando defeitos visíveis no filho.

— Você não mudou nada — disse ele com desgosto. — Pelo menos o anão virou pedra. Já é um avanço.

Hearthstone trincou o maxilar. E fez sinais em explosões curtas e furiosas: *O nome dele é B-L-I-T-Z-E-N.*

— Pare — exigiu Alderman. — Nada desse sacolejo ridículo de mãos. Entre. — Ele me olhou de cima a baixo com uma expressão gelada. — Temos que dar as boas-vindas ao nosso hóspede.

VINTE E TRÊS

É, o outro carro dele é mesmo um óvni

Fomos levados até a sala de estar, onde nada parecia estar de fato. Entrava luz pelas janelas panorâmicas. O teto com pé-direito de nove metros cintilava com um mosaico prateado de luzes. O piso de mármore polido era branco a ponto de quase cegar. Cobrindo as paredes havia nichos iluminados, exibindo vários minerais, pedras e fósseis. Por toda a sala havia mais artefatos debaixo das vitrines de vidro em pódios brancos.

No que tangia a museus, bem, o espaço era ótimo. Mas como uma sala onde eu ia querer ficar... não, obrigado. Os únicos lugares para sentar eram dois bancos longos de madeira em ambos os lados de uma mesa de centro feita de aço. Acima da lareira fria, sorria para mim um gigantesco retrato a óleo de um garoto. Ele não se parecia com Hearthstone. O irmão morto, Andiron, eu supus. O terno branco do garoto e o rosto sorridente o faziam parecer um anjo. Eu me perguntei se Hearthstone alguma vez fora feliz assim quando criança. Eu duvidava. O garoto elfo sorridente era a única coisa alegre no cômodo, e o garoto elfo sorridente estava morto; congelado no tempo como os outros objetos.

Fiquei tentado a me sentar no chão em vez de nos bancos. Mas decidi tentar ser educado. Não era algo que costumava funcionar para mim, mas, de vez em quando, eu tentava.

Hearthstone colocou Blitzen no chão com cuidado. Então se sentou ao meu lado.

O sr. Alderman ficou pouco à vontade no banco em frente a nós.

— Inge — chamou ele —, traga as bebidas.

A huldra se materializou em uma porta próxima.

— Imediatamente, senhor. — Ela se afastou depressa, a cauda de vaca balançando nas dobras da saia.

O sr. Alderman lançou um olhar fulminante a Hearthstone, ou talvez aquela fosse a expressão normal dele de "uau, senti sua falta".

— Seu quarto está como você o deixou. Imagino que deseje ficar.

Hearthstone balançou a cabeça. *Precisamos da sua ajuda. Depois, vamos partir.*

— Use o quadro, filho. — O sr. Alderman apontou para a ponta da mesa, perto de Hearth, onde havia um pequeno quadro branco com uma caneta presa a um barbante. O velho elfo olhou para mim. — O quadro o encoraja a pensar antes de falar... isso se você chamar esse sacolejo de mão de falar.

Hearthstone cruzou os braços e olhou feio para o pai.

Decidi bancar o tradutor antes que os dois resolvessem se matar.

— Sr. Alderman, Hearth e eu precisamos da sua ajuda. Nosso amigo Blitzen...

— Virou pedra — interrompeu o sr. Alderman. — Sim, deu para perceber. Água corrente traz um anão petrificado de volta. Não vejo qual é o problema.

Essa informação por si só teria feito a viagem desagradável até Álfaheim valer a pena. Senti como se o peso de um ano de granito tivesse sido tirado das minhas costas. Infelizmente, nós precisávamos de mais.

— Mas, bem, eu transformei Blitzen em pedra de propósito. Ele foi ferido por uma espada. A espada Skofnung.

A boca do sr. Alderman tremeu.

— Skofnung.

— É. Acha isso engraçado?

O sr. Alderman mostrou os dentes brancos e perfeitos.

— Vocês vieram buscar minha ajuda. Para curar esse anão. Querem a pedra Skofnung.

— Você está com ela?

— Ah, claro.

O sr. Alderman indicou um dos pódios próximos. Debaixo de uma vitrine de vidro havia um disco de pedra do tamanho de um prato de sobremesa: cinza com manchas azuis, como Loki descrevera.

— Eu coleciono artefatos dos nove mundos — explicou o sr. Alderman. — A pedra Skofnung foi uma das minhas primeiras aquisições. Foi encantada para suportar o fio mágico da espada, para afiá-la se necessário, e, claro, para oferecer cura instantânea no caso de algum portador idiota se cortar.

— Ah, que ótimo — falei. — E como se cura com ela?

O sr. Alderman riu.

— É bem simples. Basta encostar a pedra no ferimento, e ele se fecha.

— E... podemos pegá-la emprestada?

— Não.

Por que não fiquei surpreso? Hearthstone me lançou um olhar como quem diz: *É, o melhor pai dos nove mundos.*

Inge voltou com três cálices prateados em uma bandeja. Depois de servir o sr. Alderman, ela colocou um cálice na minha frente, sorriu para Hearthstone e entregou o dele. Quando seus dedos se tocaram, as orelhas de Inge ficaram vermelhas. Ela saiu correndo para... o lugar onde tinha que ficar, fora do campo de visão, mas a uma distância de ouvir um chamado.

O líquido no meu cálice parecia ouro derretido. Eu não comia nem bebia nada desde o café da manhã, então estava torcendo por sanduíches élficos e água com gás. Fiquei na dúvida se devia perguntar sobre a criação do cálice e seus feitos famosos antes de beber, como era de praxe em Nídavellir, o mundo dos anões. Alguma coisa me disse que não. Os anões tratavam cada objeto que forjavam como únicos, merecedores de um nome. Pelo que eu tinha visto até o momento, elfos se cercavam de artefatos de valor inestimável e davam tanta atenção a eles quanto davam aos empregados. Eu duvidava que nomeassem os cálices.

Tomei um gole. Sem dúvida, era a melhor coisa que já havia bebido, com a doçura do mel, a intensidade do chocolate e a refrescância do gelo, mas tinha um gosto diferente de tudo isso. Encheu meu estômago de modo mais satisfatório do que uma refeição completa. Eu já não sentia sede. A energia que a bebida me deu fez o hidromel de Valhala parecer um energético chinfrim.

De repente, a sala foi tomada de luz caleidoscópica. Olhei para o gramado bem-cuidado, para as cercas vivas esculpidas, para as topiarias do jardim. Eu queria tirar os óculos escuros, quebrar a janela e sair saltitando alegremente por Álfaheim até o sol me cegar.

Percebi que o sr. Alderman estava me olhando, querendo saber como eu lidaria com a bebida élfica inebriante. Pisquei várias vezes para reorganizar meus pensamentos.

— Senhor — falei, porque a educação estava funcionando muito bem, não é mesmo? —, por que não quer ajudar? A pedra está bem aqui.

— Não vou ajudar porque não vou ganhar nada com isso. — Ele tomou um gole da bebida, levantando o dedo mínimo para ostentar um anel de ametista brilhante. — Meu... *filho*... Hearthstone não merece minha ajuda. Ele foi embora anos atrás sem dizer uma palavra. — Ele fez uma pausa e soltou uma gargalhada. — Sem dizer uma palavra. Bom, isso é óbvio. Mas você entende o que eu quero dizer.

Fiquei com vontade de enfiar meu cálice entre os dentes perfeitos dele, mas me controlei.

— Hearthstone foi embora. Isso é crime, por acaso?

— Devia ser. — Alderman fez uma expressão de desprezo. — Ao fazer isso, ele matou a mãe.

Hearthstone engasgou e deixou o cálice cair. Por um momento, o único som na sala foi o do cálice rolando no piso de mármore.

— Você não sabia? — perguntou o sr. Alderman. — Claro que não. Por que se importaria? Depois que foi embora, ela ficou preocupada e deprimida. Você não faz ideia de como nos constrangeu ao desaparecer. Houve boatos de você estar estudando magia de runas, logo isso, de ter se unido a Mímir e à ralé dele e de ter feito amizade com um *anão*. Bem, certa tarde, sua mãe estava atravessando a rua no vilarejo, voltando do country club. Ela tinha ouvido comentários horríveis das amigas durante o almoço. Temia que sua reputação estivesse arruinada. Não estava olhando para onde andava. Quando um caminhão de entregas avançou o sinal vermelho...

O sr. Alderman olhou para o mosaico no teto. Por um segundo, quase consegui imaginar que ele sentia emoções além da raiva. Pensei detectar tristeza nos olhos do elfo. Mas logo o olhar reprovador voltou.

— Como se causar a morte do seu irmão já não fosse ruim o bastante.

Hearthstone tentou pegar o cálice. Seus dedos pareciam feitos de argila. Ele precisou de três tentativas para equilibrá-lo na mesa. Gotas de líquido dourado sujavam as costas de sua mão.

— Hearth. — Eu toquei o braço dele. E sinalizei: *Estou aqui*.

Eu não conseguia pensar no que dizer. Queria que ele soubesse que não estava sozinho, que pelo menos uma pessoa naquela sala gostava dele. Pensei na runa que ele havia me mostrado meses antes: *perthro*, o símbolo do cálice vazio, sua runa favorita. Hearthstone foi drenado pela infância em Álfaheim. Ele escolheu encher a vida com magia de runa e uma nova família, que me incluía. Eu queria gritar para o sr. Alderman que Hearthstone era um elfo melhor do que os pais.

Mas aprendi uma coisa sendo filho de Frey: nem sempre era possível lutar as batalhas dos meus amigos. O melhor que eu podia fazer era estar presente para curar as feridas deles.

Além do mais, gritar com o sr. Alderman não nos daria aquilo de que precisávamos. Claro, eu podia conjurar Jacques, quebrar o vidro que protegia a pedra e pegá-la. Mas estava certo de que o sr. Alderman tinha seguranças de primeira. Não adiantaria nada curar Blitzen só para sermos mortos logo em seguida pela SWAT de Álfaheim. Eu nem sabia se a pedra *funcionaria* se não fosse dada por vontade própria pelo dono. Itens mágicos tinham regras estranhas, principalmente os que se chamavam Skofnung.

— Sr. Alderman. — Tentei manter a voz controlada. — O que o senhor quer em troca?

Ele ergueu uma sobrancelha platinada.

— Perdão?

— Além de deixar seu filho infeliz, claro — acrescentei. — O senhor é muito bom nisso. Mas disse que não ganharia nada nos ajudando. O que *faria* valer a pena?

Ele deu um sorriso fraco.

— Ah, um jovem que entende de negócios. De você, Magnus Chase, não quero muito. Você sabia que os vanires são nossos deuses ancestrais? O próprio Frey é nosso patrono e senhor. Toda Álfaheim foi dada a ele como presente pelo nascimento do primeiro dente quando ele era bebê.

— Então... ele mastigou vocês e cuspiu?

O sorriso do sr. Alderman sumiu.

— O que quero dizer é que um filho de Frey seria um amigo valioso para nossa família. Eu só pediria que você ficasse conosco por um tempo, talvez fosse a uma pequena recepção... só algumas centenas de amigos íntimos. Apareça e tire algumas fotos comigo para a imprensa. Essas coisas.

O líquido dourado deixou um gosto ruim na minha boca. Tirar fotos com o sr. Alderman pareciam algo quase tão doloroso quanto ser decapitado pelo garrote de Alex.

— O senhor está preocupado com a própria reputação — falei. — Tem vergonha do seu filho e quer que *eu* te dê uma moral.

Os grandes olhos alienígenas do elfo se estreitaram, deixando-os quase do tamanho normal.

— Não conheço essa expressão, filho de Frey, mas acredito que estejamos na mesma página.

— Ah, eu entendo. — Olhei para Hearthstone em busca de orientação, mas ele continuava com o olhar perdido e infeliz. — Então, sr. Alderman, eu aceito sua proposta de sessão de fotos e o senhor nos dá a pedra?

— Ah, bem... — Alderman tomou um longo gole do cálice. — Eu esperaria alguma coisa do meu filho cabeça-dura também. Ele tem assuntos pendentes por aqui. Precisa recompensar. Precisa pagar seu *wergild*.

— O que é *wergild*?

Eu rezei silenciosamente para não ser alguma coisa parecida com um lobo ou lobisomem.

— Hearthstone sabe o que quero dizer. — O sr. Alderman olhou para o filho. — Nem um único pelo pode aparecer. Você sabe o que deve ser feito, o que devia ter feito anos atrás. Enquanto cuida disso, seu amigo vai ficar hospedado em nossa casa.

— Espere aí. De quanto tempo estamos falando? Temos um evento importante para ir em menos de quatro dias.

O sr. Alderman mostrou os dentes brancos de novo.

— Bem, então é melhor Hearthstone se apressar. — Ele se levantou e gritou: — Inge!

A huldra se aproximou correndo com um pano de prato nas mãos.

— Providencie o necessário para meu filho e seu convidado — ordenou o sr. Alderman. — Eles vão ficar hospedados no antigo quarto de Hearthstone. E, Magnus Chase, nem pense em me desafiar. Minha casa, minhas regras. Se você tentar pegar a pedra, as coisas não vão terminar bem para você, filho de Frey ou não.

Ele jogou o cálice no chão, como se não pudesse permitir que Hearthstone tivesse o derramamento de líquido mais impressionante.

— Limpe isso — disse ele rispidamente para Inge antes de sair da sala.

VINTE E QUATRO

Ah, você quer respirar? Pague mais três moedas

O QUARTO DE HEARTHSTONE? Parecia mais a "câmara de isolamento de Hearthstone".

Depois de limpar a sujeira (nós insistimos em ajudar), Inge nos guiou por uma escadaria ampla até o segundo andar, por um corredor coberto de tapeçarias luxuosas e artefatos expostos até uma porta simples de metal. Ela a abriu com uma chave grande e antiquada, embora a ação tenha feito Inge se encolher como se a porta estivesse em chamas.

— Peço desculpas — disse ela. — As trancas da casa são todas feitas de ferro. É incômodo para espíritos da floresta como eu.

A julgar pelo suor em seu rosto, acho que ela quis dizer *doloroso* em vez de incômodo. Concluí que o sr. Alderman não devia querer Inge destrancando muitas portas, ou talvez ele só não se importasse com seu sofrimento.

Dentro, o quarto era quase do tamanho da minha suíte em Valhala, mas enquanto minha suíte era feita para ser tudo o que eu pudesse querer, aquele lugar era feito para não ser nada que Hearthstone pudesse querer. Diferentemente de todas as partes da casa que eu tinha visto, o quarto não tinha janelas. Fileiras de luzes fluorescentes brilhavam intensamente no teto, oferecendo a ambientação de uma loja de móveis. No chão, em um canto, havia um colchão de solteiro forrado com lençóis brancos. Sem cobertor, sem edredom, sem travesseiro. À esquerda, uma porta levava ao que supus ser o banheiro. À direita, um armário estava aberto, deixando à mostra exatamente um traje: um terno branco mais ou menos do tamanho de Hearth, mas, fora isso, idêntico ao terno do retrato de Andiron lá embaixo.

Nas paredes, quadros brancos como os usados em salas de aula exibiam listas de tarefas em letra de forma.

Algumas listas estavam escritas com pilot preto:
LAVAR A PRÓPRIA ROUPA, DUAS VEZES POR SEMANA = +2 MOEDAS
VARRER O CHÃO, OS DOIS ANDARES = +2 MOEDAS
TAREFAS DE VALOR = +5 MOEDAS

Outras estavam escritas com pilot vermelho:
CADA REFEIÇÃO = -3 MOEDAS
UMA HORA DE TEMPO LIVRE = -3 MOEDAS
FRACASSOS CONSTRANGEDORES = -10 MOEDAS

Contei umas doze listas assim, junto com centenas de frases motivacionais como: NUNCA SE ESQUEÇA DAS SUAS RESPONSABILIDADES. LUTE PARA TER VALOR. A NORMALIDADE É A CHAVE DO SUCESSO.

Senti como se estivéssemos cercados de adultos enormes com o dedo em riste, despejando vergonha, me deixando cada vez menor. E eu só estava ali havia um minuto. Não conseguia imaginar como seria *morar* ali.

E os quadros brancos dos Dez Mandamentos não eram a coisa mais estranha ali. Esticado no chão estava o couro azul de um animal enorme. A cabeça fora removida, mas as quatro patas ainda tinham as garras, lâminas curvas de marfim que seriam anzóis perfeitos para pegar tubarões-brancos. Havia moedas de ouro em cima da pele, talvez duzentas ou trezentas, cintilando no mar de denso pelo azul.

Hearthstone depositou Blitzen delicadamente ao pé do colchão. Olhou os quadros brancos, o rosto uma máscara de ansiedade, como se procurasse sua nota em uma lista de resultado de provas.

— Hearth? — Fiquei tão chocado com o quarto que não conseguia formar uma pergunta coerente, tipo *Por quê?* ou *Posso quebrar os dentes do seu pai?*.

Ele fez um dos primeiros sinais que me ensinou, ainda nas ruas, quando estava me ajudando a ficar longe de confusão. Cruzou dois dedos e passou pela palma da outra mão, como se estivesse escrevendo uma multa: *Regras*.

Minhas mãos demoraram um momento para lembrar como fazer sinais. *Seus pais fizeram isso para você?*

Regras, repetiu ele. Seu rosto revelava pouco. Comecei a me perguntar se, quando era criança, Hearthstone sorria mais, chorava mais, demonstrava *alguma* emoção. Talvez tenha aprendido a controlar as expressões como forma de defesa.

— Mas por que os preços? — perguntei. — Parece um cardápio...

Olhei para as moedas douradas no tapete de couro.

— Espere, as moedas eram sua mesada? Ou... seu *pagamento*? Por que as jogava no tapete?

Inge estava parada em silêncio na porta, com o rosto baixo.

— É o couro do animal — disse ela, também sinalizando as palavras. — O que matou o irmão dele.

Minha boca ficou com gosto de ferrugem.

— Andiron?

Inge assentiu. Ela olhou para trás, provavelmente com medo de o mestre aparecer.

— Aconteceu quando Andiron tinha sete anos, e Hearthstone, oito. — Enquanto falava, ela sinalizava de maneira quase tão fluente quanto Hearth, como se tivesse praticado por anos. — Eles estavam brincando no bosque nos fundos da casa. Tem um velho poço...

Ela hesitou e olhou para Hearthstone, pedindo permissão para dizer mais.

Hearthstone estremeceu.

Andiron amava aquele poço, sinalizou ele. *Achava que concedia desejos. Mas tinha um espírito maligno...*

Ele fez uma estranha combinação de sinais: um A de água, depois apontou para baixo, o símbolo de poço. Depois fez um V na frente de um dos olhos, o sinal de fazer xixi. (Nós usávamos muito esse nas ruas, também.) Juntos, parecia que ele estava chamando o espírito maligno de *Xixi No Poço*.

Eu franzi a testa para Inge.

— Ele disse...?

— Sim — confirmou ela. — É o nome do espírito. Na linguagem antiga, se chama *brunnmigi*. Ele saiu do poço e atacou Andiron na forma... *daquilo*. Uma criatura grande e azulada, uma mistura de urso e lobo.

Sempre os lobos azuis. Eu os odiava.

— E matou Andiron — resumi.

Na luz fluorescente, o rosto de Hearthstone parecia tão petrificado quanto o de Blitzen. *Eu estava brincando com umas pedras*, sinalizou ele. *Estava de costas. Eu não ouvi. Eu não podia...*

Ele prendeu a respiração.

— Não foi sua culpa, Hearth — disse Inge.

Ela parecia muito jovem com o vestido azul-claro, as bochechas rosadas e cheias, o cabelo louro encaracolado saindo pelas beiradas do gorrinho, mas falava como se tivesse presenciado o ataque.

— Você estava lá? — perguntei.

Ela ficou ainda mais vermelha.

— Não exatamente. Eu era só uma garotinha, mas minha mãe trabalhava como empregada do sr. Alderman. Eu... eu me lembro de Hearthstone correndo para dentro de casa, chorando, sinalizando um pedido de ajuda. Ele e o sr. Alderman saíram correndo de novo. E, mais tarde... o sr. Alderman voltou carregando o corpo do mestre Andiron.

A cauda de vaca tremeu e roçou na moldura da porta.

— O sr. Alderman matou o *brunnmigi*, mas fez Hearthstone... tirar o couro da criatura sozinho. Hearthstone só teve permissão de voltar para casa depois de terminar. Quando o couro estava curtido e foi transformado em tapete, ele colocou aqui.

— Deuses.

Eu andei pelo quarto. Tentei apagar algumas das palavras de um quadro branco, mas elas estavam escritas com marcador permanente. Claro.

— E as moedas? — perguntei. — Os itens do cardápio?

Minha voz saiu mais dura do que eu pretendia. Inge se encolheu.

— O *wergild* de Hearthstone — disse ela. — A dívida de sangue pela morte do irmão.

Cubra o tapete, Hearthstone sinalizou mecanicamente, como se estivesse citando uma coisa que tinha ouvido um milhão de vezes. *Ganhe moedas de ouro até não dar para ver um único pelo. Aí, minha dívida estará paga.*

Olhei para a lista de valores, os mais e os menos do livro-caixa da culpa de Hearthstone. Olhei para as moedas cintilantes jogadas em uma área de pelo azul. Imaginei Hearthstone com oito anos, tentando ganhar dinheiro para cobrir uma pequena porção daquele tapete enorme.

Estremeci, mas não consegui afastar a raiva.

— Hearth, eu achava que seus pais batiam em você. Isso é ainda pior.

Inge retorceu as mãos.

— Ah, não, senhor, surras são apenas para os empregados. Mas você está certo. A punição do sr. Hearthstone é muito mais difícil.

Surras. Inge mencionou como se fosse um fato infeliz da vida, como biscoitos queimados ou pias entupidas.

— Eu vou destruir este lugar — decidi. — Vou jogar seu pai...

Hearthstone me olhou nos olhos. Minha raiva ficou engasgada na garganta. Não era coisa minha. Não era a minha história. Mesmo assim...

— Hearth, nós não podemos fazer esse joguinho doentio. Ele quer que você complete esse *wergild* como condição para nos ajudar? É impossível! Sam vai se casar com um gigante em quatro dias. Nós não podemos pegar a pedra? Viajar para outro mundo antes de Alderman perceber?

Hearth balançou a cabeça.

A pedra Skofnung tem que ser dada como presente. Só funciona se for entregue por vontade própria.

— E tem guardas — acrescentou Inge. — Espíritos seguranças que... você não quer conhecer.

Eu esperava todas essas coisas, mas isso não me impediu de falar palavrões até as orelhas de Inge ficarem vermelhas.

— E magia de runa? — perguntei. — Você não consegue conjurar ouro suficiente para cobrir a pele?

Wergild não pode ser por trapaça, sinalizou Hearth. *O ouro precisa ser conquistado ou ganhado por esforço próprio.*

— Isso vai levar anos!

— Talvez não leve tanto tempo — murmurou Inge, como se falasse com o tapete azul. — Há um jeito.

Hearth se virou para ela. *Como?*

Inge retorceu as mãos, nervosa. Eu não sabia se ela estava ciente de que estava fazendo o sinal de *casamento*.

— Eu... eu não quero me intrometer. Mas tem o Cauteloso.

Hearth levantou as mãos no gesto universal de: *Você está de brincadeira?* Ele sinalizou: *O Cauteloso é só uma lenda.*

— Não — disse Inge. — Eu sei onde ele está.

Hearth olhou para ela, consternado. *Mesmo assim. Não. Perigoso demais. Todo mundo que tenta roubá-lo acaba morto.*

— Nem todo mundo — retrucou Inge. — Seria perigoso, mas você conseguiria, Hearth. Eu *sei* que conseguiria.

— Espere — falei. — Quem é o Cauteloso? Do que vocês estão falando?

— Tem... tem um anão — disse Inge. — O único anão em Álfaheim além de... — Ela indicou nosso amigo petrificado. — O Cauteloso tem um estoque de ouro grande o bastante para cobrir esse tapete. Posso dizer onde encontrá-lo... se vocês não se importarem com as chances meio altas de morrerem.

VINTE E CINCO

Hearthstone,
o destruidor de corações

Não se deve fazer um comentário sobre morte iminente e depois dizer:

— Boa noite! Conversamos amanhã!

Mas Inge insistiu que devíamos ir atrás do anão apenas na manhã seguinte. Ela notou que precisávamos descansar. Levou roupas, comida, bebida e uns travesseiros. Depois, saiu correndo, talvez para limpar algum líquido derramado, tirar o pó de algum artefato ou pagar cinco moedas ao sr. Alderman pelo privilégio de ser sua empregada.

Hearth não queria falar sobre o anão assassino Cauteloso e nem sobre o ouro da criatura. Não queria ser consolado pela morte da mãe nem pelo pai vivo. Depois de uma refeição rápida e melancólica, ele sinalizou *Preciso dormir* e desabou no colchão.

Só de raiva, decidi dormir no tapete azul. Claro que era sinistro, mas com que frequência você pode se deitar em pele de Xixi No Poço cem por cento genuína?

Hearthstone já havia contado que o sol nunca se punha em Álfaheim. Apenas chegava perto do horizonte e voltava para o alto, como o verão no Ártico. Eu me perguntei se teria dificuldade para dormir se não houvesse noite. Mas não precisava ter me preocupado: no quarto sem janelas de Hearthstone, um clique no interruptor me deixou na escuridão total.

Eu tivera um dia longo, lutando contra zumbis democráticos e sendo largado de um avião nos subúrbios abastados de Elitistaheim. A pele da criatura do mal era surpreendentemente quente e confortável. Antes que eu percebesse, apaguei em um sono não muito tranquilo.

Falando sério, não sei se há um deus nórdico dos sonhos, mas, se houver, vou encontrar a casa dele e destruir seu colchão com um machado.

Fui exposto a uma confusão de imagens perturbadoras, nenhuma delas fazendo muito sentido. Vi o barco do tio Randolph emborcando na tempestade, ouvi as filhas dele gritando de dentro da cabine de comando. Sam e Amir, que não tinham motivo algum para estar lá, encontravam-se em lados opostos do convés, tentando alcançar a mão um do outro até que uma onda quebrou sobre eles e os jogou no mar.

O sonho mudou. Vi Alex Fierro na sua suíte em Valhala, jogando vasos de cerâmica pelo átrio. Loki estava no quarto dela, ajeitando casualmente a gravata estampada no espelho enquanto vasos passavam por ele e se quebravam na parede.

— É um pedido tão simples, Alex — disse ele. — A alternativa vai ser desagradável. Você acha que só porque morreu não tem mais nada a perder? Você está *muito* enganada.

— Sai daqui! — gritou Alex.

Loki se virou, mas ele não era mais *ele*. O deus tinha se transformado em uma mulher com longos cabelos ruivos e olhos impressionantes, com um vestido de gala verde-esmeralda valorizando suas curvas.

— Calma, meu amor — ronronou ela. — Lembre-se das suas origens.

As palavras reverberaram, destruindo a cena.

Depois me vi em uma caverna com poças sulfúricas borbulhantes e grossas estalagmites. O deus Loki, vestindo apenas uma tanga, estava preso a três colunas de pedra — os braços bem abertos, as pernas unidas, tornozelos e punhos amarrados com fios escuros brilhantes de entranhas endurecidas. Havia uma serpente verde enorme enrolada em uma estalactite acima da cabeça dele, com a boca aberta, os dentes pingando veneno nos olhos do deus. Mas, em vez de gritar, Loki ria enquanto o rosto queimava.

— Logo, logo, Magnus! — gritou o deus. — Não esqueça seu convite para o casamento!

Outra cena: uma encosta em Jötunheim, no meio de uma nevasca. No cume da montanha estava o deus Thor, a barba ruiva e o cabelo desgrenhado salpicados de gelo, os olhos em chamas. Usando capa de pele grossa, com as roupas de couro cobertas de neve, ele parecia o Abominável Homem-Biscoito das Neves. Mil gigantes subiam o aclive para matá-lo; um exército de seres enormes e musculosos, de armaduras feitas de placas de pedra, com lanças do tamanho de sequoias.

Com suas manoplas, Thor levantou o martelo, o poderoso Mjölnir. A cabeça era um bloco de ferro com a forma de uma tenda de circo achatada, arredondado dos lados e pontudo no meio. Desenhos de runas serpenteavam pelo metal. Thor segurava o martelo com as duas mãos, o cabo de Mjölnir tão curto que era quase cômico, como uma criança levantando uma arma pesada demais para ela. O exército de gigantes riu e debochou.

Então, Thor golpeou com o martelo. Aos seus pés, a lateral da montanha explodiu. Gigantes saíram voando em um turbilhão de pedras e neve, com relâmpagos estourando entre eles, filetes famintos de energia os queimando até virarem cinzas.

O caos cessou. Thor olhou para os mil inimigos, agora mortos, cobrindo a encosta da montanha. E, depois, dirigiu-se a mim.

— Você acha que posso fazer isso com um *cajado*, Magnus Chase? — gritou ele. — ACHE LOGO ESSE MARTELO!

E então, por ser Thor, ele levantou a perna direita e peidou um trovão.

Na manhã seguinte, Hearthstone me acordou.

Eu estava com a sensação de que havia passado a noite toda fazendo levantamento de Mjölnir, mas consegui cambalear até o chuveiro e me vestir com brim e linho élficos. Precisei enrolar as mangas e as bainhas umas dezesseis vezes para caber na roupa.

Eu não estava muito a fim de deixar Blitzen para trás, mas Hearthstone concluiu que nosso amigo estaria mais seguro aqui do que aonde estávamos indo. Nós o colocamos no colchão e o cobrimos. Em seguida, nos esgueiramos para fora da casa, felizmente sem encontrar o sr. Alderman.

Inge havia combinado de nos encontrar nos fundos da propriedade. Ela já estava nos esperando lá, onde o gramado bem-cuidado levava a uma linha irregular de árvores e vegetação baixa. O sol estava alto de novo, deixando o céu laranja-avermelhado. Mesmo de óculos escuros, meus olhos gritavam de dor. O belo nascer do sol idiota do Mundo Élfico idiota.

— Não tenho muito tempo — disse Inge, meio nervosa. — Comprei um intervalo de dez minutos com o mestre.

Isso me deixou com raiva outra vez. Eu queria perguntar quanto custaria comprar dez minutos pisoteando o sr. Alderman com chuteiras, mas concluí que não devia desperdiçar o tempo valioso de Inge.

Ela apontou para o bosque.

— O lar de Andvari fica no rio. Sigam a corrente até a cachoeira. Ele vive na lagoa na base dela.

— Andvari? — perguntei.

Ela assentiu com inquietação.

— É o nome dele; o Cauteloso em linguagem antiga.

— E esse anão mora debaixo d'água?

— Na forma de um peixe — disse Inge.

— Ah. Naturalmente.

Hearthstone sinalizou para Inge: *Como você sabe disso?*

— Eu... bem, mestre Hearthstone, as huldras ainda têm um pouco de magia da natureza. Não devemos usar, mas... eu senti o anão na última vez que fui ao bosque. O sr. Alderman só tolera essa parte de natureza selvagem na propriedade porque... você sabe, uma huldra precisa de uma floresta por perto para sobreviver. E ele sempre pode... contratar mais empregados lá.

Ela disse *contratar*. Eu ouvi *capturar*.

A sessão de dez minutos de pisoteio com chuteira estava parecendo cada vez mais tentadora.

— Então esse anão... — eu falei —, o que ele está fazendo em Álfaheim? A luz do sol não o transforma em pedra?

A cauda de vaca de Inge estremeceu.

— De acordo com os boatos que ouvi, Andvari tem mais de mil anos. Ele tem magia poderosa. A luz do sol quase não o afeta. Além do mais, ele fica nas profundezas mais escuras da lagoa. Eu... eu acho que ele pensou que Álfaheim era um lugar seguro para se esconder. O ouro dele já foi roubado antes, por anões, humanos e até por deuses. Mas quem procuraria um anão e seu tesouro aqui?

Obrigado, Inge, sinalizou Hearth.

A huldra corou.

— Só tome cuidado, mestre Hearth. Andvari é ardiloso. O tesouro dele deve estar escondido e protegido por vários tipos de encantamento. Sinto muito por só poder dizer onde encontrá-lo, não como derrotá-lo.

Hearthstone deu um abraço em Inge. Fiquei com medo de o gorrinho da pobre garota voar longe como uma tampa de garrafa.

— Eu... por favor... boa sorte!

Ela saiu correndo.

Eu me virei para Hearthstone.

— Ela é apaixonada por você desde que vocês eram crianças?

Hearth apontou para mim e fez um círculo com o dedo na lateral da cabeça. *Você está maluco.*

— Sei lá, cara. Só estou feliz por você não ter dado um beijo nela. Ela teria desmaiado.

Hearthstone soltou um grunhido irritado. *Venha. Temos um anão para roubar.*

VINTE E SEIS

Nós explodimos todos os peixes

Eu já tinha caminhado por florestas em Jötunheim. Já tinha morado nas ruas de Boston. E, por algum motivo, o trecho de terra não cultivada atrás da Mansão Alderman parecia ainda mais perigoso.

Ao olhar para trás, eu ainda avistava as torres da casa acima das árvores. Ouvia o trânsito na rua. O sol brilhava com a alegria de sempre. Mas, debaixo das árvores retorcidas, a sombra era persistente. Raízes e pedras pareciam determinadas a me fazer tropeçar. Nos galhos mais altos, pássaros e esquilos me olhavam de cara feia. Era como se aquele trecho de natureza estivesse se esforçando muito para permanecer selvagem com o intuito de evitar ser transformado em um jardim.

Se nós virmos você trazendo uma tesoura de poda para cá, as árvores pareciam dizer, *vamos fazer você comê-la inteirinha.*

Gostei da atitude, mas tornou nossa caminhada meio tensa.

Hearthstone parecia saber para onde estava indo. A ideia de Andiron e Hearthstone brincando neste bosque quando pequenos renovou meu respeito pela coragem deles. Depois de abrir caminho por alguns hectares de arbustos espinhentos, nós saímos em uma clareira pequena com uma pilha de pedras no meio.

— O que é isso? — perguntei.

A expressão de Hearthstone era tensa e sofrida, como se ele ainda estivesse avançando em meio à floresta espinhenta. Ele sinalizou: *O poço.*

A melancolia do lugar penetrava pelos meus poros. Aquele era o local onde o irmão dele havia morrido. O sr. Alderman devia ter enchido o poço, ou talvez tenha forçado Hearthstone a fazer isso depois que terminou de arrancar a pele da criatura do mal. O ato devia ter valido algumas moedas de ouro para Hearth.

Fiz um círculo com o punho no peito, o sinal de *Sinto muito*.

Hearth ficou me olhando como se não compreendesse o sentimento. Ajoelhou-se ao lado do monte e pegou uma pedrinha no alto. Entalhada nela em vermelho-escuro havia uma runa:

◊

Othala. *Herança*. O mesmo símbolo que a filhinha de Randolph, Emma, estava segurando no meu sonho. Ao vê-lo na vida real, senti enjoo novamente. Meu rosto ardeu com a lembrança da cicatriz de Randolph.

Eu me lembrei do que Loki disse na tumba do *draugr*: *O sangue é uma coisa poderosa, Magnus. Sempre posso encontrar você por meio dele*. Por um segundo, me perguntei se Loki havia colocado a runa ali como uma mensagem para mim, mas Hearthstone não pareceu surpreso por encontrá-la.

Eu me ajoelhei ao lado dele e sinalizei: *Por que isso está aqui?*

Hearthstone apontou para si mesmo. E colocou a pedra com cuidado no alto da pilha.

Quer dizer lar, sinalizou ele. *Ou o que é importante*.

— Herança?

Ele pensou por um momento e então assentiu.

Eu coloquei aqui no dia em que parti, anos atrás. Essa runa eu não vou usar. Pertence a ele.

Olhei para a pilha de pedras. Será que algumas eram as mesmas que o Hearthstone de oito anos usava para brincar quando o monstro atacou seu irmão? Aquele lugar era mais do que um memorial para Andiron. Parte de Hearthstone também havia morrido ali.

Eu não era feiticeiro, mas pareceu errado um conjunto de runas estar sem um símbolo. Como era possível dominar uma língua, principalmente a língua do universo, sem todas as letras?

Eu queria encorajar Hearth a pegar a runa de volta. Claro que Andiron ia querer isso. Hearth tinha uma nova família agora. Era um grande feiticeiro. Seu cálice da vida estava cheio novamente.

Mas Hearthstone evitou o meu olhar. É fácil ignorar alguém quando se é surdo. Basta não olhar para a pessoa. Ele se levantou e saiu andando, fazendo sinal para que eu o seguisse.

Alguns minutos depois, encontramos o rio. Não era impressionante — só um riacho pantanoso como o que atravessava o cinturão verde de Fenway. Nuvens de mosquitos pairavam sobre a área de brejo. O chão parecia pudim quente. Seguimos a corrente por áreas densas de arbustos e água até os joelhos. O anão milenar Andvari havia escolhido um lugar lindo para se aposentar.

Depois dos sonhos da noite anterior, meus nervos estavam à flor da pele.

Eu ficava pensando em Loki preso na caverna. E no aparecimento dele na suíte de Alex Fierro: *É um pedido tão simples*. Se isso tinha realmente acontecido, o que Loki queria?

Eu me lembrei do assassino, do matador de bodes que gostava de possuir instrutores de voo. Ele me disse para levar Alex para Jötunheim: *ELA É SUA ÚNICA ESPERANÇA AGORA*. Isso não era um bom presságio.

O gigante Thrym esperava um casamento em três dias. Ele ia querer a noiva e também o dote: a espada e a pedra Skofnung. Em troca, talvez, conseguíssemos recuperar o martelo de Thor e impedir que hordas de Jötunheim invadissem Boston.

Pensei nos mil gigantes que tinha visto no meu sonho, marchando para desafiar Thor. Eu não estava ansioso para enfrentar uma força como aquela; não sem um martelo grande que pudesse explodir montanhas e fritar exércitos invasores em pedacinhos torrados.

Pensei que o que Hearth e eu estávamos fazendo agora fazia sentido: andávamos por Álfaheim tentando pegar ouro de um anão velho para obtermos a pedra Skofnung e curar Blitz. Mesmo assim... senti como se Loki estivesse nos distraindo intencionalmente, sem nos dar tempo para pensar. Ele era como um armador de basquete balançando os braços na nossa cara, nos distraindo para não corrermos para a cesta. Havia mais coisa envolvida nesse acordo de casamento do que recuperar o martelo de Thor. O plano de Loki tinha muitas camadas. Ele recrutou o tio Randolph por um motivo. Se ao menos eu pudesse parar um momento para organizar os pensamentos sem ser puxado de um problema mortal para outro...

Ah, claro. Você acabou de descrever toda a sua vida e sua pós-vida, Magnus.

Tentei dizer para mim mesmo que tudo ficaria bem. Infelizmente, meu esôfago não acreditou em mim. Ficava pulando do meu peito até os dentes.

A primeira cachoeira que encontramos era um gotejar delicado sobre um patamar cheio de musgo. Campinas amplas se espalhavam nas duas margens. A água não era funda o bastante para um peixe se esconder. As campinas eram planas demais para camuflar armadilhas eficientes como espinhos envenenados, minas terrestres e fios que acionassem dinamite ou roedores raivosos por catapultas. Nenhum anão que se preze esconderia seu tesouro ali. Seguimos em frente.

A *segunda* cachoeira tinha mais chances. O terreno era mais pedregoso, com muitos musgos escorregadios e vãos traiçoeiros entre as pedras nas duas margens. As árvores acima faziam sombra na água e ofereciam esconderijos em potencial para bestas e lâminas de guilhotina. O próprio rio cascateava por uma escadaria de pedra natural antes de despencar três metros em uma lagoa do diâmetro de uma cama elástica. Com toda a espuma e as ondulações, eu não conseguia ver abaixo da superfície, mas a julgar pela água azul-escura, devia ser funda.

— Pode ter qualquer coisa lá embaixo — falei para Hearth. — Como fazemos isso?

Hearthstone indicou meu pingente. *Fique preparado.*

— Hã, tá.

Peguei minha runa e chamei Jacques.

— Oi, pessoal! — disse ele. — Opa! Estamos em Álfaheim! Vocês trouxeram óculos escuros para mim?

— Jacques, você não tem olhos.

— É, mas eu fico lindo de óculos escuros! O que vamos fazer?

Resumi a história para ele enquanto Hearthstone remexia no saco de runas, tentando decidir que sabor de magia usar em um anão/peixe.

— Andvari? — perguntou Jacques. — Já ouvi falar desse cara. Vocês podem roubar o ouro dele, mas não devem matá-lo. Daria muito azar.

— O que isso quer dizer, exatamente?

Espadas não podiam dar de ombros, mas Jacques se balançou de um lado para outro, que era o equivalente mais próximo.

— Não faço ideia do que aconteceria. Sei que está na lista de coisas que não se deve fazer, junto com quebrar espelhos, atravessar o caminho dos gatos de Freya e tentar beijar Frigga debaixo do visco. Cara, eu cometi esse erro uma vez!

Tive a sensação horrível de que Jacques ia me contar essa história. Mas Hearthstone levantou uma runa acima da cabeça. Só tive tempo de reconhecer o símbolo:

ᚦ

Thurisaz: a runa de Thor.

Hearthstone a jogou na lagoa.

KA-BLAM! Vapor embaçou meus óculos escuros. A atmosfera ficou tomada de vapor e ozônio tão rápido que minhas narinas inflaram como air bags.

Limpei as lentes. Onde antes ficava a lagoa, agora havia um buraco lamacento com nove metros de profundidade. No fundo, dezenas de peixes surpresos se debatiam, as guelras agitadas.

— Opa — falei. — Para onde a cachoeira...?

Olhei para o alto. O rio fazia uma curva por cima da nossa cabeça como um arco-íris líquido, ultrapassando a lagoa e caindo no rio mais para a frente.

— Hearth, como é...?

Ele se virou para mim, e dei um passo cauteloso para trás. Os olhos do elfo ardiam de raiva. Sua expressão era mais assustadora e ainda menos típica de Hearth do que quando ele se *uruzou* e virou o elfo-touro.

— Hã, só estou falando, cara... — Levantei as mãos. — Você explodiu uns cinquenta peixes inocentes.

Um deles é um anão, sinalizou Hearth.

Ele pulou no buraco, as botas afundando na lama. Andou de um lado para outro, puxando os pés com barulhos altos de sucção, examinando cada peixe.

Acima de mim, o rio continuava a fazer um arco no ar, rugindo e cintilando à luz do sol.

— Jacques — falei —, o que a runa *thurisaz* faz?

— É a runa de Thor, senhor. Ei... *Thor, senhor*. Até que rima!

— É, legal. Mas, hã, por que a lagoa fez *bum*? Por que Hearthstone está tão estranho?

— Ah! Porque *thurisaz* é a runa da força destrutiva. Como Thor. Explode coisas. Além do mais, quando você a invoca, pode acabar ficando meio... tipo Thor.

Tipo Thor. Era isso que eu esperava ouvir. Agora eu não queria mesmo pular naquele buraco. Se Hearthstone começasse a peidar como o deus do trovão, o ar lá embaixo ia ficar tóxico rapidinho.

Por outro lado, eu não podia deixar aqueles peixes à mercê de um elfo furioso. Tudo bem que eram só peixes. Mas eu não gostava da ideia de tantos deles morrerem apenas para descobrirmos um anão disfarçado. Vida era vida. Acho que era uma coisa de Frey. Também pensei que Hearthstone se sentiria mal quando estivesse livre da influência de *thurisaz*.

— Jacques, fique aqui. Fique vigiando.

— Coisa que seria mais fácil e mais bacana com óculos escuros — reclamou Jacques.

Eu o ignorei e pulei lá dentro.

Pelo menos, Hearth não tentou me matar quando apareci ao lado dele. Olhei ao redor, mas não vi sinal de tesouro: nada de X marcando o local, só um monte de peixes sufocando.

Como encontramos Andvari?, sinalizei para Hearth. *Os outros peixes precisam de água para respirar*.

Nós esperamos, sinalizou Hearth. *O anão também vai sufocar se não mudar de forma*.

Não gostei dessa resposta. Eu me agachei e apoiei as mãos na lama, espalhando o poder de Frey pela gosma. Sei que pode parecer estranho, mas achei que, se eu podia curar com um toque, intuindo tudo o que havia de errado no corpo de alguém, talvez pudesse ampliar um pouco mais minha percepção, da mesma maneira que se estreita os olhos para ver mais longe, e sentir todas as formas de vida diferentes ao redor.

Funcionou, mais ou menos. Minha mente tocou na consciência fria e em pânico de uma truta se debatendo a alguns centímetros. Localizei uma enguia enterrada na lama que estava considerando seriamente morder o pé de Hearthstone (eu a convenci a não fazer isso). Toquei nas mentes pequeninas de barrigudinhos, cujo processo de pensamento era todo composto de *Eek! Eek! Eek!*. Depois, senti uma coisa diferente: uma garoupa com pensamentos disparados demais, como se estivesse calculando planos de fuga.

Eu a peguei com meus reflexos de einherji. A garoupa gritou:

— *AI!*

— Andvari, presumo. Prazer em conhecer você.

— ME SOLTE AGORA! — gritou o peixe. — Meu tesouro não está nesta lagoa! Na verdade, eu não tenho tesouro! Esqueça que falei isso!

— Hearth, que tal a gente sair daqui? — sugeri. — Deixe a lagoa se encher outra vez.

O fogo dos olhos de Hearthstone sumiu de repente. Ele cambaleou.

Do alto, Jacques gritou:

— Ei, Magnus! Acho que você devia se apressar.

A magia da runa estava enfraquecendo. O arco de água começou a se dissolver, soltando gotas. Com uma das mãos apertando bem minha garoupa prisioneira, passei o outro braço pela cintura de Hearthstone e pulei para o alto com toda a minha força.

Pessoal, não tentem fazer isso em casa. Sou um einherji treinado que teve uma morte dolorosa, foi para Valhala e agora passa a maior parte do tempo lutando com uma espada. Sou um profissional qualificado, capaz de pular de buracos lamacentos de nove metros de profundidade. Espero que vocês não sejam.

Caí na margem na hora que a cachoeira desabou, concedendo a todos os peixinhos um milagre bem molhado e uma história para contar aos netos.

A garoupa tentou se soltar.

— Me largue, seu patife!

— Contraproposta. Andvari, este é meu amigo Jacques, a Espada do Verão. Ele consegue cortar quase qualquer coisa. Ele canta músicas pop como um anjo demente. Também consegue transformar um peixe em filé com mais facilidade do que você poderia acreditar. Estou prestes a pedir a Jacques para fazer todas essas coisas de uma vez só. Ou você pode voltar à sua forma verdadeira, calma e tranquilamente, para nós batermos um papo.

Em um momento, em vez de estar segurando um peixe, minha mão estava ao redor do anão mais velho e gosmento que eu já tinha visto. Ele era tão nojento que o fato de eu não soltá-lo devia ter provado minha bravura e feito com que eu pudesse ir para Valhala de novo.

— Parabéns — grunhiu o anão. — Você me pegou. E agora vai ter um fim trágico!

VINTE E SETE

Me largue agora, ou eu faço você ficar bilionário

Ah, um fim!

Normalmente, não sou ameaçado com um *fim*. A maioria dos seres dos nove mundos não usa uma palavra assim. Só dizem "VOU TE MATAR!". Ou deixam que os punhos envoltos em cota de malha falem por eles.

Fiquei tão impressionado com o vocabulário de Andvari que apertei a garganta dele com mais força.

— Ai! — O anão se debateu e se sacudiu.

Ele era escorregadio, mas não pesado. Mesmo para os padrões dos anões, o sujeito era pequenininho. Usava uma túnica de pele de peixe e uma cueca que era basicamente uma fralda de musgo. Gosma cobria suas pernas. Os braços gorduchos tentavam me bater, mas não foi pior do que ser acertado por uma pistola d'água. E o rosto dele... sabe como o polegar fica depois de usarmos um band-aid molhado por muito tempo, todo enrugado, sem cor e nojento? Imaginem isso como o rosto dele, uns bigodes brancos e os olhos verde-mofo, e dá para ter uma ideia de como é Andvari.

— Onde está o ouro? — perguntei. — Não me faça liberar a playlist da minha espada.

Andvari se contorceu mais um pouco.

— Vocês não vão querer meu ouro! Não sabem o que acontece com as pessoas que o pegam?

— Ficam ricas? — arrisquei.

— Não! Bem, sim. Mas, depois disso, morrem! Ou... pelo menos ficam *desejando* morrer. Elas sempre sofrem. E todo mundo ao redor delas também!

Ele balançou os dedinhos melequentos como quem diz: *Uuu, uuu, que ameaçador!*

Hearthstone estava cambaleando um pouco, mas conseguiu ficar de pé. Ele sinalizou: *Uma pessoa roubou o ouro e não sofreu nenhuma consequência.* E fez o sinal do meu nome menos favorito: indicador e polegar apertados na lateral da cabeça, uma combinação da letra L e do sinal do *diabo*, que era perfeito para nosso amigo Loki.

— Loki pegou seu ouro uma vez — interpretei — e *ele* não morreu nem sofreu.

— Ah, é, mas era Loki! — disse Andvari. — Todas as outras pessoas que receberam o ouro depois dele ficaram malucas! Tiveram vidas horríveis, deixaram uma trilha de mortos! É isso que vocês querem? Querem ser como Fafnir? Como Siegfried? Como os vencedores da loteria Powerball?

— Quem?

— Ah, não é possível! Vocês ouviram as histórias. Toda vez que perco meu anel, ele passeia pelos nove mundos por um tempo. Algum mané o encontra. Acerta a loteria e ganha milhões. Mas sempre acaba pobre, divorciado, doente, infeliz ou morto. É isso que vocês querem?

Hearth sinalizou: *Anel mágico, sim. É o segredo da riqueza dele. Precisamos disso.*

— Você mencionou um anel...

Andvari ficou imóvel.

— Mencionei? Não. Devo ter me confundido. Não tenho anel nenhum.

— Jacques — falei —, o que você acha dos pés dele?

— Péssimos, senhor. Precisam de um tratamento.

— Vá em frente.

Jacques começou a agir. É uma espada rara, que consegue remover sujeira grudada de lagoa, lixar calos, aparar unhas enormes e deixar um par de pés de anão limpo e brilhando sem 1) matar o tal anão, 2) cortar fora os pés agitados do tal anão, ou 3) cortar as pernas do einherji que estava segurando o dito anão... E durante todo o tempo cantando "Can't Feel My Face". Jacques é mesmo muito especial.

— Tá bom! Tá bom! — gritou Andvari. — Chega de tortura! Vou mostrar onde está o tesouro! Está debaixo daquela pedra!

Ele apontou freneticamente para tudo ao redor, até seu dedo parar na direção de uma pedra perto da beirada da cachoeira.

Armadilhas, sinalizou Hearthstone.

— Andvari — falei —, se eu mover aquela pedra, que tipo de armadilha vou disparar?

— Nenhuma!

— E se eu a mover usando sua cabeça como alavanca?

— Tudo bem, tem uma armadilha! Feitiços explosivos! Disparadores de catapultas!

— Eu *sabia*! Como se desarma? *Todas* elas.

O anão estreitou os olhos com concentração. Pelo menos, eu *esperava* que fosse isso que ele estava fazendo. Se não fosse, estava fazendo um depósito na fralda de musgo.

— Pronto. — Ele suspirou, infeliz. — Desarmei todas as armadilhas.

Olhei para Hearthstone. O elfo esticou as mãos, provavelmente testando os arredores em busca de magia da mesma maneira que eu consegui sentir enguias e garoupas. (Ei, todos temos talentos diferentes.)

Hearth assentiu. *Seguro.*

Com Andvari ainda pendurado na minha mão, andei até a rocha e a virei com o pé. (Força einherji também é um bom talento.)

Debaixo da pedra, um buraco forrado de lona estava cheio de... Uau. Eu normalmente não ligava para dinheiro. Não sou assim. Mas minhas glândulas salivares dispararam quando vi o volume de ouro: pulseiras, colares, moedas, adagas, anéis, cálices, notas do Banco Imobiliário. Eu não sabia qual era o valor do ouro por peso atualmente, mas avaliei que estava olhando um gazilhão de dólares.

Jacques gritou.

— Ah, vejam aquelas adagas! São *adoráveis*.

Os olhos de Hearthstone recuperaram a vivacidade. Todo aquele ouro parecia ter nele o mesmo efeito de passar uma xícara de café debaixo do nariz.

Fácil demais, sinalizou Hearth. *Deve ter alguma pegadinha.*

— Andvari, se seu nome quer dizer *Cauteloso*, por que é tão fácil roubar você?

— Eu sei! — choramingou o anão. — Eu *não* sou cauteloso! Sou roubado toda hora! Acho que o nome é uma ironia. Minha mãe era uma mulher cruel.

— Então seu tesouro vive sendo roubado, mas você o recupera? Por causa do anel que mencionou?

— Que anel? Tem um monte de anéis naquela pilha. Podem levar!

— Não, o anel mágico. Onde ele está?

— Hã, deve estar em algum lugar daquela pilha. Vá procurar! — Andvari tirou rapidamente um anel de um dos dedos e o enfiou na fralda. As mãos dele estavam tão imundas que eu não teria reparado na joia se ele não tivesse tentado esconder.

— Você acabou de colocá-lo dentro da calça — acusei.

— Não coloquei, não!

— Jacques, acho que esse anão quer uma depilação completa.

— Não! — berrou Andvari. — Tá, tudo bem, meu anel mágico está na minha calça. Mas, *por favor*, não o leve. Encontrá-lo sempre dá muito trabalho. Eu *falei* que é amaldiçoado. Você não quer acabar como um ganhador da loteria, quer?

Eu me virei para Hearth.

— O que você acha?

— Diga para ele, sr. Elfo! — gritou Andvari. — Obviamente, o senhor é um elfo sábio. Conhece suas runas. Aposto que sabe a história de Fafnir, não é? Diga para seu amigo que esse anel só vai trazer problemas.

Hearth olhou ao longe, como se lesse uma lista em um quadro branco divino: -10 moedas por levar um anel amaldiçoado para casa. +10 gazilhões de moedas por roubar um gazilhão de ouro.

Ele sinalizou: *O anel é amaldiçoado. Mas também é a chave para o tesouro. Sem o anel, o tesouro nunca vai ser suficiente. Sempre vai faltar.*

Olhei para o depósito de ouro do tamanho de uma banheira de hidromassagem.

— Não sei, cara. Parece suficiente para cobrir o tapete *wergild*.

Hearth balançou a cabeça. *Não vai ser. O anel é perigoso. Mas temos que levar só por garantia. Se não usarmos, podemos devolver.*

Virei o anão para me encarar.

— Desculpa aí, Andvari.

Jacques riu.

— Ei, isso quase rimou!

— O que o elfo *disse?* — perguntou Andvari. — Não consigo ler esses gestos! — Ele acenou as mãos sujas, fazendo acidentalmente os sinais de *burro, garçom, panqueca.*

Eu estava perdendo a paciência com o velho nojento, mas fiz o possível para transmitir a mensagem de Hearth.

Os olhos verde-musgo de Andvari escureceram. Ele mostrou os dentes, que pareciam não ver fio dental desde que os zumbis tinham inspirado o Pacto de Mayflower.

— Então você é um tolo, sr. Elfo — resmungou ele. — O anel vai acabar voltando para mim. Sempre volta. Enquanto isso, causará morte e infelicidade para quem o usar. E não pense que vai resolver seus problemas. Essa não será a última vez que você vai ter que voltar para casa. Só adiou um acerto de contas bem mais perigoso.

A mudança no tom de Andvari me deixou mais nervoso do que sua transformação de garoupa para anão. Não havia mais choramingo nem berros. Ele falou com uma certeza fria, feito um carrasco explicando o funcionamento de uma forca.

Hearthstone não pareceu abalado. Ele estava com a mesma expressão que fizera no amontoado de pedras do irmão, como se revivesse uma tragédia que tinha acontecido muito tempo antes e que não podia ser modificada.

O anel, sinalizou ele.

O gesto foi tão óbvio que até Andvari entendeu.

— Tudo bem. — O anão olhou para mim com raiva. — Você também não vai escapar da maldição. Em pouco tempo, vai ver o que advém de presentes roubados!

Os pelos nos meus braços se eriçaram.

— O que você quer dizer?

Ele deu um sorriso cruel.

— Ah, nada. Nadinha.

Andvari deu uma sacudida de bunda. O anel caiu pelo buraco da perna da fralda.

— Um anel mágico — anunciou ele —, completo, com maldição e tudo.

— Peguei!

Jacques mergulhou e agiu como uma espátula para pegar o anel na lama com a parte achatada da lâmina.

Andvari olhou com tristeza enquanto minha espada brincava de jogar o anel de um lado da lâmina para outro.

— O acordo de sempre? — perguntou o anão. — Você poupa minha vida e leva tudo o que eu tenho?

— O de sempre parece ótimo — assenti. — E todo esse ouro do buraco? Como carregamos?

Andvari fez um ruído debochado.

— Amadores! O forro de lona é um grande saco mágico. Puxe as cordas e *voilà*! Tenho que deixar o tesouro pronto para fugas rápidas nas *poucas* vezes que consigo evitar ser roubado.

Hearthstone se agachou ao lado do esconderijo. Saindo de um buraco na beirada da lona havia um barbante. Hearth o puxou, e o saco se fechou, encolhendo até o tamanho de uma mochila. O elfo levantou para que eu visse: um gazilhão de dólares em ouro com um tamanho superconveniente para ser transportado.

— Agora honre sua parte do acordo! — exigiu Andvari.

Eu o larguei.

— Humf. — O velho anão massageou o pescoço. — Apreciem seu fim, amadores. Espero que tenham dor e sofrimento e ganhem em *duas* loterias!

Com essa maldição cruel, ele pulou na lagoa e desapareceu.

— Ei, senhor! — chamou Jacques. — Atenção!

— Não ouse...

Ele jogou o anel para mim. Eu o peguei por reflexo.

— Ai, *eca*.

Como era um anel mágico, eu esperava um grande momento *O Senhor dos Anéis* quando o objeto caiu na minha mão — um sussurro frio e pesado, uma névoa rodopiante cinza, uma fileira de Nazgûl fazendo o *moon walk*. Nada disso aconteceu. O anel só ficou ali, com cara de anel de ouro, ainda que um anel de ouro recentemente caído da fralda de musgo de um anão de mil anos.

Coloquei o anel no bolso da calça e depois observei o resíduo circular de gosma na palma da minha mão.

— Minha mão nunca mais vai ficar limpa.

Hearthstone colocou a nova e preciosa mochila nas costas, como um Papai Noel gazilionário. Ele olhou para o sol, que já tinha passado do seu ápice. Eu não tinha me dado conta de quanto tempo ficamos andando pela floresta no quintal do sr. Alderman.

Temos que ir, sinalizou Hearth. *Meu pai deve estar esperando.*

VINTE E OITO

E, se você comprar agora, também vai receber esse anel amaldiçoado!

O PAI DELE ESTAVA MESMO esperando. Andava pela sala, tomando suco dourado em um cálice prateado com Inge ali perto, esperando um derramamento qualquer.

Quando entramos, o sr. Alderman se virou para nós, o rosto feito uma máscara de raiva gélida.

— Onde vocês...?

O queixo dele caiu.

Acho que não esperava nos ver encharcados de suor, cobertos de grama e galhos, com sapatos sujos deixando marcas no piso de mármore. A expressão do sr. Alderman foi uma das melhores recompensas que já tive, juntinho com morrer e ir para Valhala.

Hearthstone largou o saco de lona no chão com um estalo abafado. Ele sinalizou *Pagamento* com a palma para cima e um dedo apontando para o pai, como se estivesse jogando uma moeda para ele. O jeito como Hearth sinalizou fez parecer que era um insulto. Gostei disso.

O sr. Alderman esqueceu que não devia entender linguagem de sinais e perguntou:

— Pagamento? Mas como...?

— Venha para o andar de cima e vamos mostrar. — Eu olhei para trás do sr. Alderman, onde Inge estava de pé com olhos arregalados e um sorriso surgindo lentamente no rosto. — Temos um tapete de pele de demônio para cobrir.

Ah, o som das moedinhas de ouro do Banco Imobiliário caindo por um tapete de pele... Não tem nada mais doce, eu juro. Hearthstone virou a bolsa de lona e andou pelo tapete, cobrindo-o com uma torrente de riquezas. O rosto do sr. Alderman ficou mais pálido. Na porta, Inge dava pulinhos enquanto batia palmas de empolgação, alheia ao fato de que não tinha pagado ao mestre pelo privilégio.

Quando a última moeda caiu, Hearthstone deu um passo para trás e jogou a bolsa vazia no chão. Ele sinalizou: Wergild *pago*.

O sr. Alderman parecia perplexo. Ele não disse "Bom trabalho, filho!" nem "Caramba, estou rico!" muito menos "Você assaltou o Departamento de Tesouro Élfico?".

Ele se agachou e examinou a pilha, moeda por moeda, adaga por adaga.

— Tem cachorros em miniatura e trens a vapor — observou. — Por quê?

Eu tossi.

— Acho que, hã, o dono anterior gostava de jogos de tabuleiro. De *ouro* maciço.

— Hum. — O sr. Alderman continuou a inspeção, para garantir que o tapete estava todo coberto. Sua expressão foi ficando cada vez mais azeda. — Você saiu da propriedade para adquirir isto? Porque eu não dei permissão...

— Não — respondi. — Você é dono daquela floresta no quintal, certo?

— É, sim! — afirmou Inge. O mestre olhou para ela com raiva, e a huldra acrescentou rapidamente: — Porque, ah, o sr. Alderman é um homem *muito* importante.

— Olhe, senhor, está na cara que Hearthstone conseguiu. O tapete está coberto. Admita.

— Eu vou decidir isso! — rosnou ele. — A questão é *responsabilidade*, coisa que vocês jovens não entendem.

— Você *quer* que Hearthstone fracasse, não é?

O sr. Alderman fez cara de desprezo.

— Eu *espero* que ele fracasse. Tem uma diferença. Esse garoto mereceu a punição. Não estou convencido de que ele tenha potencial para pagá-la.

Eu quase gritei: *Hearthstone está pagando a vida toda!* Senti vontade de enfiar o tesouro de Andvari pela goela do sr. Alderman e ver se isso o convencia do potencial do filho.

Hearthstone roçou os dedos no meu braço. Ele sinalizou: *Calma. Fique preparado com o anel.*

Tentei controlar minha respiração. Eu não entendia como Hearth suportava os insultos do pai. Ele tinha muita prática, claro, mas o velho elfo era intolerável. Fiquei feliz por Jacques estar em forma de pingente, porque eu o teria mandado fazer aquela depilação completa no sr. Alderman.

No bolso da minha calça, o anel de Andvari era tão leve que eu mal conseguia senti-lo. Tive que resistir à vontade de tocar nele a cada segundo pra conferir se ainda estava lá. Percebi que esse era um dos motivos de eu sentir tanta irritação com o sr. Alderman. Eu queria que ele dissesse que a dívida estava paga. E não queria que Hearthstone estivesse certo sobre precisarmos do anel.

Eu meio que queria ficar com ele para mim. Não, esperem. Isso não está certo. Eu queria devolvê-lo para Andvari, para não termos que lidar com a maldição. Meus pensamentos sobre o assunto estavam começando a ficar confusos, como se minha cabeça estivesse cheia de lama.

— Ahá! — gritou o sr. Alderman, triunfante. Ele apontou para a parte de cima do tapete, onde o pelo era mais denso. Um único pelo azul apareceria no meio do tesouro como uma erva daninha teimosa.

— Ah, qual é! Um pequeno ajuste vai resolver.

Mexi no tesouro para cobrir o pelo. Mas, assim que consegui, outro pelo surgiu no lugar de onde tinha tirado o ouro. Parecia que o mesmo pelo azul idiota estava me seguindo e desafiando meus esforços.

— Isso não é problema — insisti. — Vou pegar minha espada. Ou, se você tiver uma tesoura...

— A dívida *não* está paga! — insistiu o sr. Alderman. — A não ser que vocês consigam cobrir aquele último pelo agora com mais ouro, vou cobrar de você por me decepcionar e me fazer perder tempo. Digamos... metade desse tesouro.

Hearthstone se virou para mim, sem surpresa no rosto, só uma triste resignação. *O anel.*

Uma onda de ressentimento assassino tomou conta de mim. Eu não queria abrir mão do anel. Mas olhei para todos os quadros brancos ao redor do quarto: todas as regras e os itens de cardápio, todas as expectativas que o sr. Alderman torcia para que Hearthstone *não* cumprisse. A maldição do anel de Andvari era bem forte. Sussurrava para mim, me dizendo para ficar com ele e me tornar podre de rico. Mas a vontade de ver Hearthstone livre do pai, reencontrando Blitzen e longe daquela casa tóxica... isso foi mais forte.

Peguei nosso último elemento secreto do tesouro.

Uma luz faminta se acendeu nos olhos de alienígena do sr. Alderman.

— Muito bem. Coloque na pilha.

Pai, sinalizou Hearthstone. *Um aviso: o anel é amaldiçoado.*

— Eu não vou ouvir seus gestos de mão!

— Você sabe o que ele está dizendo. — Levantei o anel. — Esta coisa contamina o dono. Vai destruir você. Caramba, fiquei alguns minutos com ele e já está fazendo mal para a minha cabeça. Pegue o ouro que já está no tapete. Considere a dívida paga. Mostre um pouco de misericórdia, e vamos devolver este anel ao dono.

O sr. Alderman deu uma gargalhada amarga.

— *Misericórdia?* O que eu posso comprar com misericórdia? Isso vai trazer Andiron de volta para mim?

Eu teria dado um soco na cara dele, mas Hearthstone deu um passo na direção do pai. Ele parecia genuinamente preocupado. *Maldição de F-A-F-N-I-R*, sinalizou ele. *Não.*

Andvari mencionou aquele nome. Parecia vagamente familiar, mas não consegui identificar. Talvez Fafnir fosse um ganhador da loteria.

Hearthstone sinalizou *por favor* — a mão aberta no peito fazendo um círculo. Percebi que *por favor* era só uma versão mais relaxada e menos raivosa de *desculpe*.

Os dois elfos se encararam por cima da pilha de ouro. Eu quase conseguia sentir Álfaheim oscilando nos galhos da Árvore do Mundo. Apesar de tudo o que o sr. Alderman fizera para ele, Hearthstone ainda queria ajudar o pai... estava fazendo um último esforço de tirá-lo de um buraco muito mais fundo do que o de Andvari.

— Não — decidiu o sr. Alderman. — Pague o *wergild* ou fique em dívida. Vocês *dois*.

Hearthstone baixou a cabeça, derrotado. Fez sinal para eu entregar o anel.

— Primeiro, a pedra Skofnung — falei. — Me mostre que vai cumprir seu lado da barganha.

Alderman grunhiu.

— Inge, traga a pedra Skofnung. O código de segurança da vitrine é *Greta*.

Hearthstone fez uma careta. Supus que Greta fosse o nome da mãe dele.

A huldra saiu correndo.

Por alguns momentos tensos, Hearthstone, o sr. Alderman e eu ficamos parados ao redor do tapete, nos encarando. Ninguém sugeriu jogarmos Banco Imobiliário. Ninguém gritou "Iupi!" e pulou na pilha de ouro (mas tenho que admitir que fiquei tentado).

Finalmente, Inge voltou, a pedra de amolar azul e cinza nas mãos. Ela ofereceu para o sr. Alderman com uma reverência.

O homem a pegou e entregou ao filho.

— Eu lhe dou isto livremente, Hearthstone, para você fazer o que quiser. Que o poder desta pedra seja seu. — O sr. Alderman olhou para mim de cara feia. — Agora, o anel.

Eu não tinha mais motivos para enrolar, mas mesmo assim foi difícil. Respirando fundo, me ajoelhei e acrescentei o anel de Andvari ao tesouro, cobrindo o último pelo.

— O acordo está cumprido — falei.

— Ah, é? — O olhar do sr. Alderman estava grudado no tesouro. — Sim, exceto por uma coisa. Você me prometeu exposição na mídia, Magnus Chase. Marquei uma festinha para esta noite. Inge!

A huldra deu um pulo.

— Sim, senhor! Os preparativos estão indo bem. Todos os quatrocentos convidados confirmaram.

— *Quatrocentos?* — perguntei, espantado. — Como você teve tempo de organizar isso? Como sabia que íamos conseguir?

— Há! — A luz maluca nos olhos do sr. Alderman não acalmou meus nervos. — Eu não sabia que vocês conseguiriam, mas não me importava. Eu planejava dar festas *todas* as noites enquanto vocês estivessem aqui, Magnus, de preferência para sempre. Mas como vocês pagaram o *wergild* tão rápido, hoje à noite vai ter que valer a pena. Quanto a *como*, eu sou Alderman da Casa Alderman. Ninguém ousaria recusar meu convite!

Atrás dele, Inge acenou freneticamente e passou o dedo pelo pescoço.

— E agora... — O sr. Alderman pegou o anel amaldiçoado no meio da pilha, colocou no dedo e levantou para admirá-lo, como alguém que acabou de ficar noivo. — Sim, vai ficar *lindo* com meu traje de gala. Hearthstone, espero que você e seu convidado... *Hearthstone*, aonde você vai?

Aparentemente, Hearth já estava de saco cheio do pai. Com a pedra Skofnung em uma das mãos, ele levantou Blitzen pela alça de cachecol e o levou para o banheiro.

Um instante depois, ouvi o chuveiro ser aberto.

— Eu, hã, tenho que ir ajudar — falei.

— O quê? — disse o sr. Alderman. — Sim, claro. Que anel *lindo*. Inge, faça com que nossos jovens patifes estejam vestidos de maneira apropriada para a festa e mande alguns empregados para me ajudar com todo esse ouro. Preciso pesar e contar cada peça do tesouro. Polir também! Vai ficar lindíssimo polido. E, já que estamos falando nisso...

Eu não queria deixar Inge sozinha no mesmo quarto que o sr. Anel Maluco, mas estava ficando enjoado de ver o sr. Alderman flertar com a fortuna. Corri para me juntar aos meus amigos no banheiro.

Sabem qual é a única coisa mais perturbadora que uma cabeça de deus cortada no banho de espuma? Um anão de granito sangrando no seu boxe.

Hearth colocou Blitzen debaixo do chuveiro. Assim que a água corrente caiu na cabeça do anão, o corpo dele começou a amolecer. O rosto cinza e frio escureceu em pele quente e morena. Sangue jorrou do ferimento e escorreu pelo ralo. Os joelhos dele falharam. Corri até o boxe para segurá-lo.

Hearthstone pegou a pedra Skofnung um pouco sem jeito. Apertou no ferimento que sangrava, e Blitz ofegou. O fluxo de sangue parou na mesma hora.

— Eu estou condenado! — balbuciou Blitz. — Não se preocupe comigo, seu elfo maluco! Só... — Ele cuspiu água. — Por que está chovendo?

Hearthstone o abraçou com força, esmagando o rosto do anão contra o peito.

— Ei! — reclamou Blitz. — Não dá para respirar!

Hearth, claro, não o ouviu e não pareceu se importar. Ele se balançou para a frente e para trás com o anão nos braços.

— Tudo bem, cara. — Blitz deu tapinhas fracos nele. — Pronto, pronto.

Ele olhou para mim e fez mil perguntas silenciosas com os olhos, inclusive: *Por que nós três estamos tomando banho juntos? Por que não estou morto? Por que vocês estão com cheiro de lodo? O que tem de errado com meu elfo?*

Quando tivemos certeza de que ele estava despetrificado, Hearth fechou a torneira. Blitzen estava fraco demais para se mexer, então o colocamos sentado lá no chuveiro mesmo.

Inge entrou correndo no banheiro com uma pilha de toalhas e roupas limpas. Do quarto de Hearth veio o som de moedas se espalhando, como uma dezena de máquinas caça-níquel pagando a um vencedor, pontuado por ocasionais gargalhadas histéricas.

— Talvez seja melhor vocês ficarem mais um pouco aqui — avisou Inge, olhando com nervosismo para trás. — Está meio... confuso lá fora.

E saiu, fechando a porta ao passar.

Nós fizemos o melhor possível para nos limparmos. Usei um cinto para fazer uma tira para a pedra Skofnung e a amarrei na cintura, botando a camisa por cima para não ficar óbvio demais caso o sr. Alderman tivesse um surto e tentasse pegar ela de volta.

O ferimento de Blitzen fechou direitinho, deixando apenas uma pequena cicatriz esbranquiçada, mas ele reclamou do dano ao terno: o corte de espada no colete, as manchas grandes de sangue.

— Nenhuma quantidade de suco de limão vai tirar isso — disse ele. — Quando tecido vira granito e depois volta, a descoloração é permanente.

Não me dei ao trabalho de observar que pelo menos ele estava vivo. Eu sabia que Blitz estava em choque e lidando com a situação se concentrando em coisas que entendia e era capaz de consertar, como o guarda-roupa.

Nós nos sentamos juntos no chão do banheiro. Blitzen usou seu kit de reparos para costurar toalhas de banho para uma proteção adicional contra o sol de Álfaheim, enquanto Hearthstone e eu nos revezávamos contando o que havia acontecido.

Blitzen balançou a cabeça, impressionado.

— Vocês fizeram isso tudo por *mim*? Seus idiotas malucos e maravilhosos, vocês podiam ter morrido! E, Hearth, você se sujeitou ao seu pai? Eu *nunca* pediria a você para fazer isso. Você jurou que nunca voltaria para cá, e foi por um bom motivo!

Eu também jurei proteger você, sinalizou Hearth. *Foi minha culpa você ser perfurado. E de Samirah.*

— Pare com isso agora mesmo — disse Blitz. — Não foi culpa sua e nem dela. Não se pode enganar uma profecia. Aquele ferimento mortal estava fadado a acontecer, mas agora você consertou, então podemos parar de nos preocupar com ele! Além do mais, se você quiser culpar alguém, culpe aquele tolo do Randolph. — Ele olhou para mim. — Sem querer ofender, garoto, mas tenho um desejo forte de assassinar seu tio com bastante brutalidade.

— Não estou ofendido — afirmei. — Até fico tentado a ajudar.

Mas me lembrei do grito horrorizado de Randolph quando ele enfiou a espada em Blitzen, e do modo como seguiu Loki feito um cachorro maltratado. Por mais que eu quisesse odiar meu tio, não podia deixar de sentir pena dele. Agora que eu tinha conhecido o sr. Alderman, estava começando a me dar conta de que, por pior que seja a sua família, sempre tem como piorar.

Hearth terminou de contar tudo para Blitzen em linguagem de sinais, explicando como roubamos Andvari e fomos ameaçados com múltiplos ganhos na loteria Powerball.

— Vocês dois estavam loucos de encarar aquele anão — disse Blitzen. — Ele é famoso em Nídavellir, ainda mais ardiloso do que Eitri Júnior!

— Podemos não falar nele? — pedi. Eu ainda tinha pesadelos com o velho anão que desafiou Blitz em uma competição de confecção, em janeiro. Eu nunca mais queria ver um andador impulsionado por foguetes na minha vida.

Blitzen franziu a testa para Hearth.

— E você disse que seu pai está com o anel agora?

Hearthstone assentiu. *Eu tentei alertá-lo.*

— Sim, mas mesmo assim… aquela coisa pode distorcer a mente do dono para algo irreconhecível. Depois do que aconteceu com Hreidmar, Fafnir, Regin e todos aqueles ganhadores da loteria… Bem, tem uma lista interminável de gente que aquele anel destruiu.

— Quem são essas pessoas? — perguntei. — Essas aí que você mencionou?

Blitzen ergueu sua criação feita de toalhas de banho, uma espécie de burca felpuda com óculos escuros sobre os buracos dos olhos.

— É uma longa e trágica história, garoto. Com muitas mortes. O importante é que precisamos convencer o sr. Alderman a abrir mão daquele anel antes que seja tarde demais. Temos que ficar nessa festa por um tempo, certo? Isso vai nos dar oportunidade. Talvez ele esteja de bom humor e a gente consiga fazer com que tenha bom senso.

Hearthstone grunhiu. *Meu pai? Duvido.*

— É — concordei. — E se ele não tiver bom senso?

— Aí, nós fugimos — disse Blitz. — E torcemos para que Alderman não...

Do quarto, Inge chamou:

— Sr. Hearthstone?

O tom dela beirava o pânico.

Saímos do banheiro cambaleando e descobrimos que o quarto de Hearth tinha sido totalmente esvaziado. O colchão tinha sumido. Os quadros brancos haviam sido removidos, deixando sombras brancas em paredes um pouco menos brancas. A pilha do tesouro e o tapete de pele azul tinham sumido como se o *wergild* nunca tivesse acontecido.

Inge estava na porta, o gorrinho torto na cabeça. O rosto dela estava vermelho, e ela puxava ansiosamente tufos da ponta da cauda.

— Mestre Hearth, os... os convidados chegaram. A festa começou. Seu pai está chamando você, mas...

Hearthstone sinalizou: *Qual é o problema?*

Inge tentou falar. Nenhuma palavra saiu. Ela deu de ombros, impotente como se não conseguisse descrever os horrores que tinha testemunhado na festinha do sr. Alderman.

— Talvez... seja melhor o senhor ver por si mesmo.

VINTE E NOVE

Um nøkkaute

O SR. ALDERMAN SABIA DAR uma festa. Também sabia dar um vexame daqueles.

Do alto da escada, vimos a sala lotada de elfos bem-vestidos com tons elegantes de branco, dourado e prata. Os olhos e cabelos claros e as joias caras cintilavam no sol da noite que entrava pelas janelas. Dezenas de huldras se moviam pela multidão servindo canapés. E, em todos os pedestais onde artefatos e minerais ficavam expostos, pilhas do tesouro de Andvari cintilavam, deixando o cômodo parecido com um depósito de joalheria depois de um tornado.

Acima da prateleira da lareira, no pé do retrato do sr. Andiron, havia uma faixa dourada com letras vermelhas: BEM-VINDO, MAGNUS CHASE, FILHO DE FREY, PATROCINADO PELA CASA ALDERMAN! E, debaixo disso, com letras menores: HEARTHSTONE FOI TRAZIDO PARA CASA.

Não "voltou". *Foi trazido*. Como se o serviço policial élfico o tivesse apreendido e arrastado até a casa acorrentado.

O próprio sr. Alderman circulava rápido entre as pessoas, jogando moedas de ouro para os convidados, abordando-os com joias e murmurando:

— Você acredita nesse tesouro todo? Incrível, não é? Quer um trenzinho de ouro? Estaria interessado em uma adaga?

Com o smoking branco, os olhos enlouquecidos e o sorriso brilhante, ele parecia um maître diabólico levando grupos às suas mesas no restaurante Chez Assassinato em Massa. Os convidados riam com nervosismo quando Alderman jogava tesouros neles. Quando Alderman passava, os elfos cochichavam, talvez se perguntando em quanto tempo poderiam fugir da festa sem parecerem mal-educados. O sr. Alderman andou pela sala distribuindo peças de ouro, e as pessoas se afastavam dele como gatos fugindo de um aspirador de pó descontrolado.

Atrás de nós, Inge murmurou:

— Ah, caramba. Ele está piorando.

Hearthstone sinalizou: *O anel o está afetando.*

Eu assenti, mas me perguntei quão são o sr. Alderman era antes. Há décadas, ele vivia com ressentimento, culpando Hearthstone pela morte de Andiron. Agora, de repente, Hearthstone tinha se livrado dessa dívida. O anel de Andvari simplesmente preenchera o vazio com loucura.

Blitzen segurou o corrimão com as mãos enluvadas.

— Isso não é bom.

Ele estava usando a burca de toalhas de banho para se proteger da luz de Álfaheim. Blitz havia nos explicado que o chapéu de safári com rede e o protetor solar não seriam suficientes, pois ele ainda estava fraco da petrificação. Mesmo assim, o traje era meio perturbador. Ele parecia uma versão em miniatura do Primo Itt, da Família Addams.

— Ahá! — O sr. Alderman nos viu na escada e sorriu ainda mais. — Apresento meu filho e seus amigos! O anão, ou pelo menos eu suponho que seja o anão embaixo daquelas toalhas. E Magnus Chase, filho de Frey!

As pessoas se viraram e olharam para nós, emitindo uma boa quantidade de *oohs* e *aahs*. Eu nunca gostei de ser o centro das atenções. Odiava na escola e, mais tarde, em Valhala. Odiei mais ainda aqueles elfos glamourosos me olhando como se eu fosse uma deleitável fonte de chocolate que tinha acabado de entrar em funcionamento.

— Sim, sim! — O sr. Alderman riu como um maluco. — Sabem todo esse tesouro que vocês veem, meus amigos? Não é nada em comparação a Magnus Chase! Meu filho finalmente fez uma coisa certa. Trouxe um filho de Frey como parte do pagamento de *wergild*. E agora, esse garoto, Magnus Chase, vai ser meu hóspede permanente! Vamos começar uma fila para fotos no bar...

— Espere aí — falei. — Esse *não* foi o acordo, sr. Alderman. Nós não vamos ficar depois que acabar a festa.

Hearthstone sinalizou: *Pai, o anel. Perigoso. Tire.*

A multidão se mexeu com inquietação, sem saber como interpretar aquilo.

O sorriso de Alderman foi sumindo. Ele estreitou os olhos.

— Meu filho está me pedindo para tirar meu novo anel. — Ele levantou a mão e balançou o dedo, deixando que o aro de ouro refletisse a luz. — Por que ele pediria isso? E por que Magnus Chase ameaçaria ir embora? A não ser que esses patifes estejam planejando roubar meu tesouro.

Blitzen riu com deboche.

— Eles acabaram de *trazer* o tesouro para você, seu elfo burro. Por que o roubariam de novo?

— Então você admite!

Alderman bateu palmas. Todas as portas do cômodo se fecharam. Ao redor da sala, doze colunas de água surgiram do chão e viraram formas vagamente humanoides, como balões em forma de animais cheios de água... só que sem o balão.

Blitzen deu um gritinho.

— São seguranças *nøkks*.

— O quê? — perguntei.

— Também conhecidos como *nixes* — disse ele. — São espíritos da água. Coisa ruim.

Hearthstone segurou o braço de Inge. Ele sinalizou: *Você ainda tem familiares no bosque?*

— T-tenho — respondeu a huldra.

Vá agora, disse ele. *Eu liberto você do serviço à minha família. Não volte. E chame a polícia.*

Inge parecia atordoada e magoada, mas olhou para os espíritos aquáticos ao redor das pessoas lá embaixo.

Ela deu um beijo na bochecha de Hearthstone.

— Eu... eu te amo.

Ela sumiu em uma explosão de fumaça com cheiro de roupa lavada.

Blitzen arqueou as sobrancelhas.

— Eu perdi alguma coisa?

Hearthstone lançou um olhar irritado para ele, mas não teve tempo de explicar. Na sala, um elfo mais velho gritou:

— Alderman, o que significa tudo isso?

— O significado, sr. prefeito? — Alderman sorriu com uma intensidade que não era totalmente sã. — Eu agora entendo por que todos vocês vieram aqui. Queriam roubar meu tesouro, mas peguei vocês com a boca na botija! Seguranças *nøkks*, dominem esses ladrões! Ninguém sai daqui vivo!

Dica de etiqueta: para saber a hora certa de ir embora de uma festa, o momento é quando o anfitrião gritar "Ninguém sai daqui vivo".

Elfos gritaram e correram para as saídas, mas as portas de vidro estavam trancadas. Seguranças nixes se moveram pela multidão, mudando da forma animalesca para humana e para onda sólida, envolvendo os elfos um a um e os deixando desacordados no chão em elegantes amontoados molhados. Enquanto isso, Alderman ria e dançava pela sala, pegando os objetos de ouro dos convidados caídos.

— Temos que sair daqui *agora* — disse Blitzen.

— Mas precisamos ajudar os elfos — observei.

Era verdade que, com exceção de Hearthstone, eu não me importava muito com os elfos que conhecia. Gostava mais dos barrigudinhos da lagoa de Andvari. Mas também não conseguia suportar a ideia de deixar quatrocentos elfos à mercê do sr. Alderman e de seus valentões nixes líquidos. Peguei meu pingente e chamei Jacques.

— Ei, pessoal! — cumprimentou a espada. — O que está rolando... ah, *nøkks*? Vocês estão de brincadeira? Não dá pra cortar esses caras.

— Faça o que puder! — gritei.

Tarde demais, sinalizou Hearthstone. *Violinos!*

Eu não tive certeza se tinha interpretado o último sinal corretamente. Mas olhei para baixo. Metade dos nixes tinha se posicionado ao redor da sala em forma humanoide e estava pegando violinos e arcos do... bem, de algum lugar dentro de seus eus líquidos. Parecia um lugar bem ruim para guardar instrumentos de corda, mas os nixes levantaram os violinos de madeira até os queixos aquosos.

— Tape os ouvidos! — avisou Blitz.

Apertei as mãos nas laterais da cabeça na hora que os *nøkks* começaram a tocar. Só ajudou um pouco. A canção era tão triste e dissonante que meus joelhos bambearam. Lágrimas surgiram nos meus olhos. Por toda a sala, mais elfos desabaram em crises de choro, exceto o sr. Alderman, que parecia imune à música. Ele ficava rindo e pulando de um lado para outro, chutando de vez em quando os convidados VIP na cara.

De dentro do capuz atoalhado, Blitz soltou um grito abafado.

— Faça parar, senão vamos morrer de coração partido em questão de minutos! Eu não achei que ele estava sendo metafórico.

Felizmente, Hearthstone não foi afetado.

Ele estalou os dedos pedindo atenção e apontou para Jacques: *Espada. Cortar violinos.*

— Você ouviu — falei para Jacques.

— Não ouvi, não! — reclamou minha espada.

— Destrua os violinos!

— Ah. Será um prazer.

Jacques saiu voando para agir.

Enquanto isso, Hearthstone pegou uma runa. Jogou-a do alto da escada, e ela explodiu no ar, fazendo uma forma gigante e brilhante de H acima das cabeças dos elfos:

ᚺ

Lá fora, o céu escureceu. A chuva caiu nas janelas de vidro, sufocando o barulho dos violinos.

Me sigam, ordenou Hearthstone.

Ele desceu a escada enquanto a tempestade aumentava. Pedras de granizo gigantes batiam nas janelas, rachando o vidro e fazendo a casa toda tremer. Apertei a mão contra a cintura para ter certeza de que a pedra Skofnung ainda estava segura e corri atrás de Hearth.

Jacques voou de *nøkk* em *nøkk*, picando os violinos e esmagando as esperanças e os sonhos de músicos nixes muito talentosos. As criaturas da água atacaram Jacques. Pareciam tão capazes de machucar a espada quanto ela era de machucá-los, mas Jacques os manteve ocupados tempo o bastante para chegarmos no pé da escada.

Hearthstone fez uma pausa e levantou os braços. Com um *BUM!* tremendo, todas as janelas e portas de vidro da casa se estilhaçaram. Granizo entrou, acertando os elfos, as huldras e os nixes.

— Vamos! — gritei para as pessoas. — Venham!

— Tolos! — gritou o sr. Alderman. — Vocês são meus! Não podem escapar!

Fizemos o melhor que pudemos para levar todo mundo para o jardim. Estar do lado de fora foi como correr por um furacão de bolas de beisebol, mas era melhor do que morrer cercado de violinistas *nøkk*. Eu queria ter tido o bom senso de me cobrir com toalhas de banho, como Blitzen.

Elfos se espalharam e fugiram. Os nixes correram atrás de nós, mas o granizo os deixou lentos, caindo neles e formando espuma até parecerem raspadinhas de gelo que escaparam de copos.

Estávamos na metade do gramado, seguindo para a floresta, quando ouvi as sirenes. Com o canto do olho, vi luzes de emergência piscando enquanto carros de polícia e ambulâncias chegavam pela entrada principal da propriedade.

Acima de nós, as nuvens escuras começaram a se abrir. O granizo diminuiu. Peguei Hearthstone quando ele tropeçou. Quase achei que chegaríamos na floresta quando uma voz atrás de nós gritou:

— Parem!

A cinquenta metros, nossos velhos amigos, os policiais Wildflower e Sunshine, tinham puxado as armas e estavam se preparando para atirar em nós por vadiagem, invasão ou por fugir sem permissão.

— Jacques! — gritei.

Minha espada disparou na direção dos policiais e cortou o cinto deles. As calças caíram até os tornozelos na hora. Descobri que elfos não deviam usar short nunca. Eles têm pernas pálidas e finas que não são elegantes e nem graciosas.

Enquanto os policiais tentavam recuperar a dignidade, nós entramos na floresta. A força de Hearthstone estava quase esgotada. Ele se apoiou em mim enquanto corríamos, mas eu tinha muita prática em carregá-lo. Jacques voou até o meu lado.

— Isso foi divertido! — declarou ele. — Mas, infelizmente, eu só os atrapalhei. Estou sentindo um bom lugar para fazer um corte ali à frente.

— Fazer um corte? — perguntei.

— Ele quer dizer entre os mundos! — disse Blitzen. — Não sei você, mas, para mim, qualquer um dos outros oito é preferível agora!

Cambaleamos na clareira onde ficava o velho poço.

Hearthstone balançou a cabeça com fraqueza. Sinalizou com uma das mãos, apontando em direções diferentes. *Qualquer lugar, menos aqui.*

Blitzen se virou para mim.

— Que lugar é este?

— É onde o irmão de Hearth... você sabe.

O anão pareceu se encolher debaixo do amontoado de toalhas.

— Ah.

— É o melhor lugar, pessoal — insistiu Jacques. — Tem um portal bem fino entre os mundos em cima daquele amontoado de pedras. Eu posso...

Atrás de nós, um tiro soou. Todos se encolheram, exceto Hearthstone. Uma coisa zumbiu perto do meu ouvido, como um inseto irritante.

— Faça agora, Jacques! — gritei.

Ele disparou até o amontoado de pedras. A lâmina cortou o ar, abrindo uma fenda para a escuridão absoluta.

— Eu amo escuridão — disse Blitzen. — Venham!

Juntos, nós puxamos Hearthstone na direção do velho lar de Xixi No Poço e pulamos na fenda entre os mundos.

TRINTA

Além do arco-íris
há coisas esquisitas acontecendo

TROPEÇAMOS POR ALGUNS DEGRAUS ATÉ um patamar de concreto. Nós três caímos amontoados, ofegantes e atordoados. Parecíamos estar em uma escada de emergência: paredes de tijolo exposto, corrimão verde industrial, extintores de incêndio e placas iluminadas indicando a saída. Acima de nós, a porta de metal mais próxima estava marcada com as palavras 6º ANDAR.

Levei a mão à cintura, mas a pedra Skofnung ainda estava presa em segurança, sem danos. Jacques tinha voltado à forma de pingente. Estava pendurado confortavelmente no cordão enquanto toda a energia que ele tinha gastado lutando contra os nixes era retirada da minha alma. Meus ossos pareciam de chumbo. Minha visão oscilou. Quem poderia imaginar que cortar violinos e fazer cair as calças de policiais exigia tanto esforço?

Hearthstone não estava em melhores condições. Ele agarrou o corrimão para se levantar, mas as pernas não pareciam estar funcionando. Eu poderia achar que ele estava bêbado, mas não o vi consumir nada mais forte do que refrigerante diet em Nídavellir.

Blitzen tirou a burca de toalhas de banho.

— Estamos em Midgard — anunciou ele. — Eu reconheceria esse cheiro em qualquer lugar.

Para mim, a escada apenas cheirava a elfo, anão e Magnus molhados, mas confiei na palavra de Blitz.

Hearth cambaleou, uma mancha vermelha aparecendo na camisa.

— Amigão! — Blitz correu para perto dele. — O que aconteceu?

— Opa, Hearth. — Eu o fiz se sentar e examinei o ferimento. — Tiro de revólver. Nossos amigos da polícia élfica deram um presente de despedida.

Blitz tirou o chapéu de Frank Sinatra e deu um soco nele.

— Podemos, *por favor,* passar vinte e quatro horas sem que um de nós seja mortalmente ferido?

— Relaxa — respondi. — Foi só de raspão nas costelas. Segura ele.

Eu sinalizei para Hearth: *Não foi grave. Posso curar.*

Apertei a mão no ferimento. Calor se irradiou pelo peito de Hearth. Ele inspirou fundo e começou a respirar com mais facilidade. A abertura na pele se fechou.

Até afastar a mão, eu não tinha percebido quanto estava preocupado. Meu corpo todo tremia. Eu não usava meus poderes de cura desde que Blitzen fora ferido, e acho que temia não funcionassem mais.

— Está vendo? — Tentei dar um sorriso confiante, mas achei que parecia que eu estava tendo um derrame. — Está melhor.

Obrigado, sinalizou Hearth.

— Você ainda está mais fraco do que eu gostaria — comentei. — Vamos descansar aqui um minuto. Esta noite você vai precisar de uma boa refeição, muito líquido e sono.

— Falou o dr. Chase. — Blitz olhou de cara feia para o elfo. — E chega de correr para cima de balas perdidas, está ouvindo?

O canto da boca de Hearth tremeu. *Não consigo ouvir. Sou surdo.*

— Humor — falei. — É um bom sinal.

Nós nos sentamos juntos e apreciamos a novidade de não estarmos sendo caçados, feridos e nem aterrorizados.

Bom, eu ainda estava bem aterrorizado, mas um de três até que não era ruim.

A desgraça total das nossas últimas trinta e poucas horas em Álfaheim começou a ficar clara. Eu queria acreditar que tínhamos deixado aquele lugar maluco para trás para sempre: os policiais loucos para puxarem as armas, as propriedades bem-cuidadas e o sol ofuscante. O sr. Alderman. Mas não consegui me esquecer do que Andvari nos disse: em pouco tempo, pagaríamos o preço dos bens roubados, e Hearthstone estava destinado a voltar para casa.

Você só adiou um acerto de contas bem mais perigoso.

A runa *othala* ainda estava em cima das pedras onde Andiron tinha morrido. Eu tinha a sensação de que um dia Hearthstone teria que buscar a letra que faltava no alfabeto cósmico dele, independentemente de sua vontade.

Olhei para Hearth sacudindo a camisa, tentando limpar o sangue que havia nela. Quando ele olhou nos meus olhos, eu sinalizei: *Sinto muito pelo seu pai.*

Ele meio assentiu, meio deu de ombros.

— A maldição de Fafnir — falei. — Posso perguntar...?

Blitzen limpou a garganta.

— Talvez devêssemos esperar até ele estar recuperado.

Tudo bem, sinalizou Hearth.

Ele se recostou na parede para se firmar e poder usar as duas mãos para sinalizar. *Fafnir era um anão. O anel de Andvari o levou à loucura. Ele matou o pai e roubou o ouro dele. Guardou o tesouro em uma caverna. Acabou virando um dragão.*

Eu engoli em seco.

— O anel pode fazer isso?

Blitzen puxou a barba.

— O anel desperta o pior nas pessoas, garoto. Talvez o sr. Alderman não tenha tanto mal dentro de si. Talvez só... fique sendo um elfo desagradável e ganhe na loteria.

Eu me lembrei do pai de Hearth rindo enquanto expulsava os convidados, dançando enquanto os nixes atacavam as pessoas. O que quer que o sr. Alderman tivesse dentro de si, eu duvidava que fosse um gatinho fofinho.

Olhei para o alto da escadaria, onde uma placa dizia ACESSO AO TELHADO.

— Nós devíamos procurar por Sam — anunciei. — Temos que falar com o deus Heimdall e pegar instruções para chegar a algum lugar em Jötunheim...

— Ah, garoto? — O olho de Blitzen tremeu. — Acho que Hearth talvez precise de mais um pouco de sossego antes de irmos encontrar Samirah e sairmos correndo para lutar com gigantes. Eu também preciso descansar.

— Certo. — Eu me senti mal por falar na nossa lista de coisas a fazer. Eram pessoas demais para encontrar e mundos perigosos demais para visitar. Tínhamos três dias para achar o martelo de Thor. Até o momento, tínhamos encontrado uma espada gata e uma pedra azul, mal tínhamos sobrevivido, e havíamos deixado o pai de Hearthstone criminalmente insano. Nada além do esperado.

— Querem passar a noite em Valhala? — perguntei.

Blitzen grunhiu.

— Os lordes não gostam de mortais se misturando com os honoráveis mortos. Pode ir. Eu levo Hearth para Nídavellir e deixo que descanse na minha casa. A câmara de bronzeamento dele está pronta.

— Mas... como vocês vão chegar lá?

Blitz deu de ombros.

— Como já disse, tem um monte de entradas para o mundo dos anões debaixo de Midgard. Deve existir uma no porão deste prédio. Se não tiver, vamos encontrar o esgoto mais próximo.

Sim, sinalizou Hearth. *Nós amamos esgotos.*

— Não comece com o sarcasmo — disse Blitz. — Garoto, que tal a gente se encontrar amanhã de manhã no antigo local de sempre?

Não consegui evitar um sorriso com as lembranças dos velhos tempos, andando com Hearth e Blitz sem saber quando faríamos a próxima refeição e quando seríamos roubados. Os velhos tempos eram horríveis, mas eram horríveis de um jeito bem menos complicado do que a atualidade maluca.

— No antigo local de sempre, então. — Abracei os dois. Eu não queria que Hearth e Blitz fossem embora, mas nenhum deles estava em condição de encarar mais perigos naquela noite, e eu não sabia o que encontraria no telhado. Soltei a pedra Skofnung do cinto e entreguei a Blitz. — Guarde isto. Mantenha em segurança.

— Pode deixar — prometeu Blitz. — E, garoto... obrigado.

Eles cambalearam escada abaixo de braços dados, apoiados um no outro.

— Pare de pisar nos meus dedos — resmungou Blitz. — Você engordou? Não, vá com o pé esquerdo primeiro, elfo bobo. Assim.

Subi até o alto da escada, me perguntando em que parte de Midgard eu tinha ido parar.

Um fato irritante sobre viajar entre os mundos: é comum que você saia exatamente onde precisa estar, quer você *queira* estar lá ou não.

Quatro pessoas que eu conhecia se encontravam no telhado, embora eu não tivesse ideia do motivo. Sam e Amir estavam discutindo em voz baixa na base de um enorme outdoor iluminado. E não era um outdoor *qualquer*, eu percebi. Acima de nós estava a famosa propaganda do Boston Citgo, seis metros quadrados de LEDs que banhavam o telhado de branco, laranja e azul.

Sentados na beirada do telhado, com cara de tédio, estavam Mestiço Gunderson e Alex Fierro.

Sam e Amir estavam ocupados demais discutindo para reparar em mim, mas Mestiço assentiu em cumprimento. Ele não pareceu surpreso.

Andei até meus colegas einherjar.

— Hã... e aí?

Alex jogou uma pedra de cascalho, que saiu quicando pelo telhado.

— Ah, está tudo *tão* divertido. Samirah queria trazer Amir para ver a placa do Citgo. Tem alguma coisa a ver com arco-íris. Ela precisava de um parente homem tomando conta.

Eu pisquei.

— Então você...?

Alex fez uma reverência exagerada de *ao seu dispor*.

— Eu sou o parente homem.

Tive um momento de vertigem ao me dar conta de que, sim, Alex Fierro no momento era *ele*. Não sei como eu percebi, além do fato de ele ter me contado. As roupas não eram específicas de gênero. Ele estava usando os All Star de cano alto de sempre, com calça skinny verde e uma camiseta rosa de manga comprida. O cabelo parecia um pouco mais longo, ainda verde com raízes pretas, agora penteado para um lado formando uma onda.

— Meus pronomes são *ele* e *dele* — confirmou Alex. — E pode parar de encarar.

— Eu não estava... — Tive que me controlar. Discutir não faria sentido. — Mestiço, o que você está fazendo aqui?

O berserker sorriu. Ele tinha colocado uma camiseta do Bruins e uma calça jeans, talvez para se misturar com os mortais, apesar de o machado preso às costas ainda ser meio revelador.

— Ah, eu? Estou tomando conta de quem veio tomar conta. E meu gênero não mudou, obrigado por perguntar.

Alex deu um tapa nele, o que deixaria Mallory Keen orgulhosa.

— Ai! — reclamou Mestiço. — Você bate forte para um *argr*.

— O que eu falei sobre o termo? — disse Alex. — *Eu* decido o que é masculino, não masculino, feminino ou não feminino para mim. Não me faça matar você de novo.

Mestiço revirou os olhos.

— Você me matou *uma* vez. E nem foi uma luta justa. Eu me vinguei no almoço.

— Não importa.

Olhei para os dois. Percebi que, no último dia e meio, eles tinham se tornado amigos... uma amizade cheia de xingamentos e assassinatos, aparentemente.

Alex tirou o garrote dos passadores da calça.

— Magnus, você conseguiu curar seu anão?

— Há, consegui. Você soube disso?

— Sam nos contou. — Ele começou a fazer uma cama de gato com o fio, conseguindo, não sei como, não cortar os dedos no processo.

Eu me perguntei se era um bom sinal Samirah ter compartilhado informações com Alex. Talvez tivessem começado a confiar um no outro. Ou talvez o desespero de Sam para impedir Loki a tivesse feito deixar a cautela de lado. Eu queria perguntar a Alex sobre o sonho que tive com Loki na suíte dele, fazendo *um pedido tão simples* enquanto Alex jogava vasos no pai. Concluí que talvez não fosse o melhor momento, principalmente com o garrote de Fierro tão perto do meu pescoço.

Alex apontou para Sam e Amir com o queixo.

— Você devia ir até lá. Eles estão te esperando.

O casal feliz ainda estava discutindo. Sam fazia gestos suplicantes com as palmas das mãos para cima; Amir puxava o cabelo como se quisesse arrancar o próprio cérebro.

Franzi a testa para Mestiço.

— Como eles sabiam que eu viria para cá? Nem *eu* sabia.

— Os corvos de Odin — respondeu o berserker, como se fosse uma explicação perfeitamente lógica. — Faça o favor de ir até lá e interromper. Eles não vão chegar a lugar algum com essa discussão, e eu estou morrendo de tédio.

A definição de Mestiço para tédio era: *Não estou matando ninguém no momento e não estou vendo ninguém ser morto de maneira interessante*. Portanto, não fiquei ansioso para deixá-lo animado. Mesmo assim, me aproximei de Sam e Amir.

Felizmente, Samirah não me empalou com o machado. Ela até pareceu aliviada em me ver.

— Magnus, que bom. — A luz da placa do Citgo a estava iluminando, deixando o hijab da cor de um tronco de árvore. — Blitzen está bem?

— Está melhor. — Contei o que aconteceu, embora ela tenha parecido distraída. Os olhos ficavam se desviando para Amir, que ainda tentava arrancar o cérebro.

— E então — encerrei a história —, o que vocês andaram fazendo?

Amir deu uma gargalhada.

— Ah, você sabe. O de sempre.

O pobre sujeito não parecia estar fazendo magia com um conjunto completo de runas. Olhei para a mão dele, para ter certeza de que não estava usando um novo anel amaldiçoado.

Sam uniu os dedos na frente da boca. Eu esperava que ela não planejasse pilotar aviões hoje, porque parecia exausta.

— Magnus... Amir e eu estamos conversando desde que você foi embora. Eu o trouxe aqui com esperanças de lhe dar uma prova.

— Prova de quê? — perguntei.

Amir abriu os braços.

— Dos deuses, ao que parece! Dos nove mundos! Prova de que nossa vida toda é uma mentira!

— Amir, nossa vida não é uma mentira. — A voz de Sam tremeu. — É só... é só mais complicada do que você imaginava.

Ele balançou a cabeça, o cabelo agora espetado como a crista de um galo furioso.

— Sam, gerenciar restaurantes é complicado. Agradar ao meu pai e aos meus e aos seus avós é complicado. Esperar mais dois anos para nos casarmos quando só quero estar com você... isso é complicado. Mas valquírias? Deuses? Einher... Não consigo nem pronunciar essa palavra!

Samirah talvez estivesse vermelha. Era difícil saber por causa das luzes.

— Eu também quero estar com você. — A voz dela estava baixa, mas cheia de convicção. — E estou tentando mostrar.

Ficar no meio da conversa deles me fez sentir tão constrangido quanto um elfo de sunga. Também me senti culpado, porque encorajei Sam a ser sincera com Amir. Eu disse que ele era forte o bastante para encarar a verdade. E não queria ver que estava errado.

Meu instinto foi de recuar e deixá-los em paz, mas tive a sensação de que Sam e Amir só estavam falando tão abertamente um com o outro por terem três acompanhantes. Eu nunca vou entender os adolescentes noivos de atualmente.

— Sam — comecei —, se você só quer mostrar para ele uma prova de coisa esquisita, pegue sua lança iluminada. Voe ao redor do telhado. Você pode fazer um milhão de coisas...

— E nenhuma delas deve ser vista por mortais — observou ela com amargura. — É um paradoxo, Magnus. Eu não *devo* revelar meus poderes para um mortal, então, se eu tentar fazer de propósito, meus poderes não vão funcionar. Se eu disser "Ei, vou voar!", de repente, não vou conseguir voar.

— Isso não faz sentido.

— Obrigado — concordou Amir.

Sam bateu o pé.

— Tente, Magnus. Mostre a Amir que é um einherji. Pule para o alto da placa do Citgo.

Olhei para cima. Dezoito metros... difícil, mas era possível. Porém, só de pensar, meus músculos ficaram frouxos. Minha força me abandonou. Desconfiei que, se tentasse, pularia quinze centímetros e faria papel de trouxa, o que sem dúvida seria muito divertido para Mestiço e Alex.

— Entendi o que você quis dizer — admiti. — Mas e quanto a mim e Hearth desaparecendo do avião? — Eu me virei para Amir. — Você reparou, não é?

Amir pareceu perdido.

— Eu... eu acho que sim. Sam fica me lembrando disso, mas estou cada vez mais confuso. Vocês *estavam* naquele voo?

Sam suspirou.

— A mente dele está tentando compensar. Amir é mais flexível que Barry, que se esqueceu de vocês assim que pousamos. Mesmo assim...

Olhei nos olhos da valquíria e percebi por que ela estava tão preocupada. Ao explicar sua vida para Amir, ela estava fazendo mais do que ser sincera.

Estava tentando reconfigurar a mente do namorado. Se conseguisse, ela talvez ampliasse a percepção dele. Amir veria os nove mundos como nós os víamos. Se fracassasse... na melhor perspectiva, ele talvez acabasse esquecendo tudo. A mente dele embotaria tudo o que aconteceu. Na pior perspectiva, a experiência deixaria cicatrizes permanentes. Ele talvez nunca se recuperasse. De qualquer modo, como Amir poderia olhar para Samirah do mesmo modo novamente? Ele sempre teria uma dúvida persistente de que havia alguma coisa *errada*, meio fora do padrão.

— Tudo bem — falei —, então por que você o trouxe aqui?

— Porque — começou Sam, como se já tivesse explicado isso vinte vezes naquele dia — a coisa sobrenatural mais fácil de mortais conseguirem ver é a ponte Bifrost. Precisamos encontrar Heimdall, não é? Pensei que, se eu conseguisse ensinar Amir a ver Bifrost, isso poderia expandir permanentemente os sentidos dele.

— Bifrost — repeti. — A ponte arco-íris que vai até Asgard.

— É.

Olhei para a placa do Citgo, o maior outdoor iluminado da Nova Inglaterra, que anunciava gasolina na praça Kenmore havia quase um século.

— Você está me dizendo...

— É o ponto estacionário mais claro de Boston — disse Sam. — A ponte arco-íris nem *sempre* se ancora aqui, mas, na maioria das vezes...

— Pessoal — interrompeu Amir. — Vocês não precisam provar nada para mim. Eu só... vou acreditar na palavra de vocês! — Ele soltou uma gargalhada nervosa. — Eu te amo, Sam. Acredite em mim. Posso estar tendo um colapso nervoso, mas tudo bem! Tudo bem. Vamos fazer outra coisa!

Eu entendia por que Amir queria ir embora. Já tinha visto muitas coisas malucas: espadas falantes, zumbis que tricotavam, a garoupa de água doce mais rica do mundo. Mas até *eu* tinha dificuldade de acreditar que a placa do Citgo era o portal para Asgard.

— Escute, cara. — Eu segurei os ombros dele. Achei que o contato físico seria minha maior vantagem. Samirah era proibida de tocar nele até estarem casados, mas não havia nada tão convincente quanto sacudir um amigo até ele criar bom senso. — Você tem que tentar, tá? Sei que você é muçulmano e não acredita em deuses politeístas.

— Eles não são deuses — disse Sam. — São só entidades poderosas.

— Não importa — respondi. — Cara, eu sou ateu. Não acredito em *nada*. Mas... essas coisas são reais. São coisas bem malucas, mas são reais.

Amir mordeu o lábio.

— Eu... não sei, Magnus. Isso me deixa nervoso.

— Eu sei, cara. — Deu para perceber que ele estava tentando ouvir, mas senti como se estivesse gritando com Amir enquanto ele usava fones de ouvido com cancelamento de ruído. — Isso também me deixa nervoso. Algumas das coisas que aprendi... — Eu parei. Decidi que não era hora de falar da minha prima Annabeth e dos deuses gregos. Eu não queria que Amir tivesse um aneurisma. — Se concentre em mim — ordenei. — Olhe nos meus olhos. Você consegue?

Uma gota de suor escorreu pela lateral do rosto dele. Com o esforço de alguém levantando cento e quarenta quilos, ele conseguiu me olhar nos olhos.

— Tudo bem, agora escute. Repita comigo: nós vamos olhar juntos.

— Nós v-vamos olhar juntos.

— Nós vamos ver a ponte arco-íris.

— Nós vamos — a voz dele falhou — ver a ponte arco-íris.

— E nossos cérebros não vão explodir.

— ... não vão explodir.

— Um, dois, três.

Nós olhamos.

E, caramba... ali estava ela.

O eixo do mundo pareceu mudar. Agora, estávamos olhando para a placa do Citgo de um ângulo de quarenta e cinco graus em vez de perpendicular. Do alto do outdoor, uma lâmina ardente de cores subia pelo céu noturno.

— Amir, você está vendo isso?

— Não acredito — murmurou ele, com um tom que deixou claro que ele estava vendo.

— Graças a Alá — disse Sam, sorrindo mais do que eu já tinha visto em qualquer outra ocasião —, o misericordioso, o compassivo.

Nesse momento, uma voz falou no céu, ao mesmo tempo aguda e nada divina.

— *OI, PESSOAL! SUBAM!*

TRINTA E UM

Heimdall tira selfie com todo mundo

Amir quase ganhou a força de um einherji. Ele teria pulado uns vinte metros se eu não o estivesse segurando.

— O que foi isso? — perguntou ele.

Samirah abriu um sorriso largo.

— Você ouviu a voz? Que fantástico! É só Heimdall nos convidando para subir.

— Subir, tipo, *subir*? — Amir se afastou da placa. — Como isso pode ser fantástico?

Mestiço e Alex se aproximaram.

— Nossa… — Alex não parecia particularmente impressionado com a ponte cósmica subindo pelo céu. — É seguro?

Mestiço inclinou a cabeça.

— Provavelmente, se Heimdall convidou. A outra opção é eles pegarem fogo e virarem cinzas assim que pisarem no arco-íris.

— *O quê?* — gritou Amir.

— Nós *não* vamos pegar fogo. — Sam olhou para Mestiço de cara feia. — Vamos ficar bem.

— Estou dentro — anunciou Alex. — Os dois malucos aqui ainda precisam de um acompanhante para não fazerem nada irresponsável.

— *Irresponsável?* — A voz de Amir subiu mais meia oitava. — Tipo subir no céu em um arco-íris incandescente?

— Está tudo bem, cara — falei, mas percebi que minha definição de *tudo bem* havia se tornado bem flexível nos últimos meses.

Mestiço cruzou os braços.

— Divirtam-se. Eu vou ficar aqui.

— Por quê? — perguntou Alex. — Está com medo?

O berserker riu.

— Já conheço Heimdall. Só preciso ter essa honra uma vez.

Não gostei do que o tom dele insinuava.

— Por quê? Como ele é?

— Você vai descobrir. — Mestiço deu um sorrisinho. — Encontro vocês em Valhala. Divirtam-se explorando o espaço interdimensional!

Sam abriu um sorriso.

— Amir, mal posso esperar para mostrar *tudo* a você. Vamos!

Ela deu um passo na direção da placa do Citgo e se vaporizou em uma mancha de luz multicolorida.

— Sam? — gritou Amir.

— Ah, legal!

Alex deu um pulo à frente e também desapareceu.

Eu botei a mão no ombro de Amir.

— Eles estão bem. Fica frio, cara. Agora eu vou pagar todos os pratos de falafel que você me deu quando eu era sem-teto. Você vai poder conhecer os nove mundos!

Amir respirou fundo. Devo dizer que fiquei impressionado por ele não ter desmaiado, se encolhido em posição fetal ou chorado, reações que seriam perfeitamente aceitáveis ao se descobrir que havia seres de voz aguda no céu que convidavam você para subir em seu arco-íris.

— Magnus — disse ele.

— O quê?

— Me lembre de nunca mais te dar falafel.

Juntos, nós pisamos no brilho laranja.

Não havia nada de interessante para se ver. Apenas quatro adolescentes subindo um arco-íris nuclear.

Uma luz radiante nos envolveu, difusa e quente. Em vez de andar por uma superfície lisa e sólida, senti como se estivéssemos atravessando um campo de trigo... se trigo fosse feito de luz altamente radioativa.

Não sei como, mas perdi os óculos escuros de Álfaheim. E duvidava que fossem me ajudar agora. Aquela luz era intensa de um jeito diferente. As cores faziam meus olhos latejarem. O calor parecia girar a um milímetro da minha pele. Debaixo dos nossos pés, a ponte emitia um zumbido baixo como a gravação de uma explosão tocada em looping. Acho que Mestiço Gunderson estava certo: sem a bênção de Heimdall, seríamos vaporizados no momento que botássemos o pé em Bifrost.

Às nossas costas, a paisagem de Boston virou uma mancha indistinta. O céu ficou escuro e cheio de estrelas, como nas viagens que eu fazia com a minha mãe. A lembrança ficou entalada na minha garganta. Pensei no cheiro da fogueira e dos marshmallows assados, minha mãe e eu contando histórias um para o outro, inventando novas constelações como a Twinkie e a Wombat e morrendo de rir feito dois bobos.

Andamos por tanto tempo que comecei a me perguntar se havia alguma coisa no fim do arco-íris. Nada de potes de ouro ou duendes. Nada de Asgard. Talvez tudo aquilo não passasse de uma pegadinha. Heimdall faria Bifrost desaparecer e nos deixaria flutuando no vácuo. *VOCÊ ESTÁ CERTO*, a voz aguda anunciaria. *NÓS NÃO EXISTIMOS. TROUXA!*

Aos poucos, a escuridão foi esmaecendo. A paisagem de outra cidade surgiu no horizonte: paredes brilhantes, portões dourados e, atrás deles, os pináculos e domos dos palácios dos deuses. Eu só tinha visto Asgard uma vez, de dentro, olhando por uma janela em Valhala. De longe era ainda mais impressionante. Eu me imaginei avançando pela ponte com um exército invasor de gigantes. Estava certo de que perderia as esperanças quando visse aquela vasta fortaleza.

De pé na nossa frente, com as pernas bem abertas, estava um guerreiro alto com uma espada enorme.

Eu tinha imaginado um deus cortês e tranquilo, um sujeito com estilo de astro de cinema. O Heimdall da vida real era meio decepcionante. Usava uma túnica acolchoada e legging de lã, tudo bege, o que o fazia incorporar as cores de Bifrost. Percebi que era camuflagem, o jeito perfeito de se mesclar com um arco-íris. O cabelo era louro platinado e cheio como lã de carneiro. O rosto sorridente era bronzeado, o que podia ser o resultado de ficar em uma ponte radioativa por mil anos. Eu esperava que ele não pretendesse ter filhos um dia.

Em geral, ele parecia aquele cara meio esquisito ao lado de quem ninguém queria sentar no ônibus da escola, exceto por duas coisas: a espada desembainhada, que era quase do tamanho dele, e o chifre enorme de carneiro pendurado no ombro esquerdo. O chifre e a espada pareciam imponentes, mas eram tão grandes que ficavam batendo um no outro. Tive a sensação de que, se Heimdall matasse alguém, seria porque ele tinha se distraído e tropeçado.

Quando nos aproximamos, ele acenou com entusiasmo, fazendo a espada bater no chifre: *clink, clonk, clink, clonk.*

— E aí, pessoal?

Nós quatro paramos. Sam fez uma reverência.

— Lorde Heimdall.

Alex olhou para ela como quem diz: *Lorde?*

Ao meu lado, Amir levou a mão à testa.

— Não acredito no que estou vendo.

Heimdall arqueou as sobrancelhas espessas. As íris eram puro alabastro.

— Ah, o que você está vendo? — Ele olhou para um ponto atrás de nós, para o vazio abaixo de nós. — Está falando do cara armado em Cincinnati? Não, tudo bem. Ele só está indo fazer treinamento de tiro. Ou você está falando daquele gigante do fogo em Muspellheim? Ele *está* vindo para cá... Não, espere. Ele tropeçou! Foi hilário! Ah, queria ter gravado um snap.

Tentei seguir o olhar de Heimdall, mas não vi nada além de espaço vazio e estrelas.

— O que você...?

— Minha visão é muito boa — explicou o deus. — Vejo tudo nos nove mundos. E minha audição também! Eu estava ouvindo vocês discutindo naquele telhado. Foi por isso que decidi jogar um arco-íris para vocês.

Sam engoliu em seco.

— Você, hã, nos ouviu discutindo?

Heimdall sorriu.

— Tudinho. Vocês dois são *muito* fofos. Na verdade, posso tirar uma selfie com vocês antes de falarmos de trabalho?

— Hã... — balbuciou Amir.

— Ótimo!

Heimdall começou a tentar mexer no chifre, sem derrubar a espada.

— Precisa de ajuda? — perguntei.

— Não, não, pode deixar.

Alex Fierro parou ao meu lado.

— Assim é mais engraçado.

— Estou ouvindo, Alex — avisou o deus. — Escuto milho crescendo a oitocentos quilômetros de distância. Escuto gigantes do gelo arrotando em seus castelos em Jötunheim. É *claro* que consigo ouvir você. Mas não se preocupe, eu tiro selfies o tempo todo. Agora, vamos ver...

Ele mexeu no enorme chifre de carneiro como se estivesse procurando um botão. Enquanto isso, a espada estava apoiada em um ângulo esquisito na dobra do cotovelo, com a lâmina de um metro e oitenta virada para nós. Eu me perguntei o que Jacques acharia dessa espada, se era uma moça gata ou um zagueiro de futebol americano, ou as duas coisas.

— Ahá!

Heimdall devia ter encontrado o botão certo. O chifre encolheu até virar o maior smartphone que eu já tinha visto, com a tela do tamanho de um tijolo e a capinha feita de chifre de carneiro brilhante.

— Seu chifre é um telefone? — perguntou Amir.

— Acho que, tecnicamente, é um tablet — disse Heimdall. — Mas, sim, esta é Gjallar, a Trombeta e/ou Tablet do Juízo Final! Quando eu sopro essa belezinha uma vez, os deuses sabem que tem algum problema em Asgard e vêm correndo. Quando eu sopro *duas*, é dia de Ragnarök, bebê! — Ele pareceu eufórico com a ideia de ser o responsável por sinalizar o começo da batalha que vai destruir os nove mundos. — Na maior parte do tempo, só uso para tirar fotos e mandar mensagens e tal.

— Isso não é nada assustador — disse Alex.

Heimdall riu.

— Você não faz ideia. Uma vez, anunciei sem querer o apocalipse. Foi *tão* constrangedor! Tive que mandar mensagem para todo mundo da minha lista de contatos dizendo: *Alarme falso, pessoal!* Muitos deuses vieram correndo mesmo assim. Eu fiz um GIF deles subindo pela ponte Bifrost e percebendo que não havia batalha. Foi impagável.

Amir piscou várias vezes, talvez porque Heimdall falasse cuspindo.

— Você é o encarregado pelo Juízo Final. É mesmo um... um...

— Um aesir? — disse Heimdall. — É, sou um dos filhos de Odin! Mas, aqui entre nós, Amir, acho que Samirah está certa. — Ele se inclinou para a frente para que as pessoas nos campos de milho a oitocentos quilômetros dali não conseguissem ouvir. — Sinceramente, também não penso em nós como *deuses*. Depois que você vê Thor desmaiado no chão, ou Odin de roupão gritando com Frigga porque ela usou a escova de dentes dele... é difícil enxergar divindade na minha família. Como minhas mães diziam...

— *Mães*, no plural? — perguntou Amir.

— É. Eu nasci de nove mães.

— Como...?

— Não pergunte. O Dia das Mães é um inferno. Nove ligações diferentes, nove buquês de flores. Quando eu era criança e tentava fazer café da manhã para todas... ah, cara! Bom, vamos tirar logo essa foto.

Ele juntou Sam e Amir, que parecia atordoado por estar com o rosto sorridente de um deus enfiado entre os dois. Heimdall esticou o tablet, mas o braço não era longo o suficiente.

Eu limpei a garganta.

— Tem certeza de que não quer que eu...

— Não, não! Ninguém além de mim pode segurar o poderoso tablet Gjallar. Mas tudo bem! Só um minutinho. — Heimdall deu um passo para trás e mexeu mais uma vez no aparelho e na espada, aparentemente tentando prender um no outro. Depois de algumas manobras (e provavelmente várias ligações acidentais anunciando o apocalipse), ele ergueu a espada, triunfante, agora com o tablet preso na ponta. — Ta-dá! Minha melhor invenção até o momento!

— Você inventou o pau de selfie — disse Alex. — Sempre quis saber quem era o culpado por isso.

— É *espada* de selfie, na verdade. — Heimdall enfiou o rosto entre o de Sam e o de Amir. — Digam *gamalost*!

O flash de Gjallar disparou.

Mais agitação enquanto Heimdall tirava o aparelho da ponta da espada e avaliava a foto.

— Perfeita!

Ele nos mostrou a foto com orgulho, como se não estivéssemos ali quando tinha sido tirada, três segundos antes.

— Alguém já disse que você é doido? — perguntou Alex.

— Doido por *diversão*! — afirmou Heimdall. — Olhem minhas outras fotos.

Ele nos reuniu em torno do tablet e começou a passar as imagens da galeria de fotos, embora eu estivesse bem distraído pelo fato de Heimdall ter cheiro de ovelha molhada.

Vimos uma foto majestosa do Taj Mahal com o rosto de Heimdall bem grande em primeiro plano. Depois, o salão de banquete de Valhala, desfocado e indistinto ao fundo, com o eclipse total do nariz de Heimdall em foco perfeito. Depois, o presidente dos Estados Unidos num discurso com Heimdall fazendo photo-bomb.

Fotos de todos os nove mundos, todas selfies.

— Uau — falei. — São bem... consistentes.

— Não gostei da minha camisa nessa foto. — Ele nos mostrou uma fotografia da polícia élfica batendo em uma huldra com cassetetes. Heimdall sorrindo na frente, usando uma camisa polo listrada de azul. — Mas, ah, em algum lugar aqui tem uma foto incrível de Asgard, comigo fazendo cara de zangado e fingindo comer o palácio de Odin!

— Heimdall — interrompeu Samirah —, isso tudo é muito interessante, mas precisamos da sua ajuda.

— Hum? Ah, você quer uma foto de nós cinco? Com Asgard ao fundo? Claro!

— Na verdade — interrompeu Sam —, estamos procurando o martelo de Thor.

Toda a empolgação sumiu dos olhos de alabastro de Heimdall.

— Ah, não. Isso de novo, não. Eu *falei* para Thor que não conseguia ver nada. Todos os dias ele me liga, manda mensagem, manda fotos dos bodes sem eu pedir. "Procure mais! Procure mais!" Estou dizendo, não está *em lugar nenhum*. Podem olhar.

Ele passou mais fotos.

— Nada de martelo. Nada de martelo. Aqui sou eu com a Beyoncé, mas nada de martelo. Hum, talvez devesse colocar essa foto no meu perfil.

— Quer saber? — Alex se alongou. — Vou deitar aqui e não matar ninguém irritante, está bem? — Ele se deitou na ponte, abriu os braços e os balançou para cima e para baixo distraidamente pela luz, fazendo um anjinho no arco-íris.

— Então... — comecei. — Heimdall, sei que é um saco, mas você acha que poderia dar outra olhada para nós? Achamos que Mjölnir está escondido no subsolo, então...

— Bom, isso explicaria tudo! Só consigo enxergar através de pedra sólida por no máximo um quilômetro e meio. Se estiver mais fundo do que isso...

— Certo — disse Sam. — A questão é que sabemos quem pegou. Um gigante chamado Thrym.

— Thrym! — Heimdall pareceu ofendido, como se fosse alguém com quem ele *nunca* se rebaixaria a tirar uma selfie. — Aquele ser horrível, feioso...

— Ele quer se casar com Sam — disse Amir.

— Mas não vai — afirmou Sam.

Heimdall se apoiou na espada.

— Ah, bom. Temos um dilema. Posso dizer facilmente onde Thrym está. Mas ele não é burro a ponto de deixar o martelo na própria fortaleza.

— Nós sabemos.

Achei que Heimdall não ia manter a concentração por muito mais tempo, mas contei sobre os planos nefastos de Loki, sobre a espada e a pedra Skofnung, sobre o prazo de três dias até o casamento e sobre o assassino de bodes, que podia ou não estar do nosso lado, ter nos mandado procurar Heimdall e pedir instruções. De tempos em tempos, eu jogava aleatoriamente a palavra *selfie* para manter o interesse do deus.

— Hum... — disse Heimdall. — Nesse caso, eu ficaria feliz de olhar os nove mundos de novo e procurar esse tal de assassino de bodes. Vou preparar a espada de selfie de novo.

— E se — sugeriu Amir — você olhasse sem usar o celular?

Heimdall ficou encarando nosso amigo mortal. Amir disse o que todos nós estávamos pensando, o que foi algo bem corajoso de se fazer na primeira vez dele no espaço sideral nórdico, mas tive medo de Heimdall decidir usar a espada para algo além de conseguir bons ângulos para fotos.

Felizmente, Heimdall só deu um tapinha no ombro de Amir.

— Tudo bem, Amir. Sei que você está confuso com a existência dos nove mundos e tudo mais. Mas, infelizmente, o que você disse não faz sentido.

— Por favor, Heimdall — disse Sam. — Sei que parece... estranho, mas olhar *diretamente* para os nove mundos pode dar uma nova perspectiva.

O deus não pareceu convencido.

— Deve ter outro jeito de encontrar seu assassino de bodes. Talvez eu pudesse soprar Gjallar e chamar os deuses aqui. Poderíamos perguntar se eles viram...

— Não! — gritamos, todos ao mesmo tempo. Alex gritou um pouco atrasado, pois ainda estava deitado fazendo anjinhos. Ele talvez tenha acrescentado alguns modificadores coloridos ao próprio *não*.

— Humf. — Heimdall fez cara feia. — Bom, isso não é nada ortodoxo. Mas não quero ver um gigante grande e feio separar um casal fofo como vocês dois.

Heimdall apontou para mim e Sam.

— Na verdade, são *eles* dois — corrigi, apontando para Amir.

No arco-íris, Alex riu.

— Sim, claro. Desculpem. Vocês ficam bem diferentes quando não estão no aplicativo da câmera. Talvez tenham razão quanto a uma nova perspectiva! Vamos ver o que conseguimos encontrar nos nove mundos!

TRINTA E DOIS

Godzilla me manda uma mensagem importante

Heimdall olhou ao longe e cambaleou para trás na mesma hora.

— Pelas minhas nove mães!

Alex Fierro se sentou, subitamente interessado.

— O que foi?

— Hã... — As bochechas de Heimdall estavam ficando da mesma cor de lã de carneiro do cabelo. — Gigantes. Um *monte* deles. Eles... eles parecem estar se reunindo nas fronteiras de Midgard.

Eu me perguntei que outras ameaças Heimdall teria deixado passar enquanto estava tirando uma selfie com o presidente dos Estados Unidos. Entre esse cara e o Thor desmartelado, não era surpresa a segurança de Asgard depender de pessoas despreparadas e pouco treinadas como... bem, como nós.

Sam conseguiu manter a voz firme.

— Nós sabemos sobre os gigantes, lorde Heimdall. Eles desconfiam que o martelo de Thor tenha desaparecido. Se não o recuperarmos logo...

— Sim. — Heimdall umedeceu os lábios. — Eu... eu acho que você disse alguma coisa sobre isso. — Ele botou a mão em concha no ouvido e prestou atenção. — Eles estão falando sobre um... casamento. O casamento de Thrym. Um dos generais... está resmungando, porque eles precisam esperar a cerimônia para invadir. Aparentemente, Thrym prometeu uma boa notícia após a cerimônia, uma coisa que vai tornar a invasão deles bem mais fácil.

— Uma aliança com Loki? — adivinhei, embora alguma coisa ali não parecesse certa. Tinha que haver mais.

— E também — continuou Heimdall —, Thrym disse... sim, os exércitos do gigante só vão se juntar à invasão depois do casamento. Ele avisou aos outros exércitos que seria grosseria começar a guerra sem ele. Eu... acho que os gigantes não têm medo de Thrym, mas, pelo que estou entendendo, morrem de medo da irmã dele.

Eu me lembrei do sonho: a voz rouca da giganta que derrubou meu pote de picles do balcão do bar.

— Heimdall, você consegue ver Thrym? O que ele está fazendo? — perguntei.

O deus apertou os olhos e procurou mais atentamente.

— Sim, ali está ele, no limite da minha visão, embaixo de quase um quilômetro e meio de pedra. Sentado naquela fortaleza horrível. Por que ele quer morar em uma caverna decorada como um bar, eu não faço ideia. Ah, ele é *tão* feio! Tenho pena da pessoa que se casar com ele.

— Que ótimo — murmurou Sam. — O que ele está fazendo?

— Bebendo. Agora está arrotando. Agora está bebendo de novo. A irmã dele, Thrynga... ah, a voz dela é como remos raspando gelo! Ela está brigando com ele por ser um tolo. Está dizendo alguma coisa sobre esse casamento ser a ideia mais idiota que ele já teve e que deviam matar a noiva assim que ela chegar!

Heimdall fez uma pausa, talvez lembrando que Samirah era a pobre garota em questão.

— Hã... sinto muito. Mas, como pensei, não vejo o martelo em lugar nenhum. Isso não é surpresa. Esses gigantes da terra, eles conseguem enterrar coisas...

— Vou tentar adivinhar — falei. — Na terra?

— Exatamente! — Heimdall pareceu impressionado com meu conhecimento sobre gigantes da terra. — Eles conseguem recuperar esses objetos só os chamando de volta para sua mão. Imagino que Thrym vá esperar até depois do casamento. Quando tiver a noiva e o dote, vai recuperar o martelo... isso se quiser cumprir a parte dele do acordo.

Amir pareceu mais enjoado do que me senti a bordo do jatinho.

— Sam, você não pode fazer isso! É perigoso demais!

— Eu não vou fazer. — Ela fechou as mãos com força. — Lorde Heimdall, você é o guardião do matrimônio sagrado, não é? As antigas histórias dizem que você viajava entre a humanidade aconselhando casais, abençoando os filhos deles e criando as várias classes da sociedade viking.

— Eu? — Heimdall olhou para o tablet, como se estivesse tentado a pesquisar essa informação. — Hã, quer dizer, sim. Claro!

— Então ouça meu voto sagrado — disse Sam. — Eu juro pela Bifrost e pelos nove mundos que nunca vou me casar com *ninguém* que não seja este homem, Amir Fadlan. — (Felizmente, ela apontou na direção correta e não me envolveu. Senão as coisas poderiam ter ficado constrangedoras.) — Eu não vou nem *cogitar* a ideia de me casar com esse gigante, Thrym. Não vai acontecer.

Alex Fierro se levantou, com a testa franzida.

— Hã... Sam?

Achei que Alex estava pensando a mesma coisa que eu: se Loki conseguisse controlar as ações de Sam, ela talvez não cumprisse aquela promessa.

Sam lançou um olhar de advertência para Alex. Supreendentemente, ele ficou calado.

— Eu fiz minha promessa — anunciou Sam. — Inshallah, vou cumprir o que prometi e me casarei com Amir Fadlan de acordo com os ensinamentos do Corão e do profeta Maomé, que a paz esteja com ele.

Eu me perguntei se a ponte Bifrost desabaria sob o juramento muçulmano sagrado que Sam estava fazendo, mas nada mudou, com exceção de Amir, que parecia ter sido acertado entre os olhos com um tablet.

— Que a p-paz esteja com ele — gaguejou ele.

Heimdall fungou.

— Isso foi *tão* fofo. — Uma lágrima branca como seiva escorreu pela bochecha dele. — Espero que vocês, adolescentes malucos, consigam realizar isso. Espero mesmo. Eu queria... — Ele inclinou a cabeça e prestou atenção aos murmúrios distantes do universo. — Não, não estou na lista de convidados do seu casamento com Thrym, que droga.

Sam olhou para mim como quem diz: *Esses últimos minutos foram só minha imaginação, ou o quê?*

— Lorde Heimdall, você quer dizer... o casamento que eu acabei de jurar que não vou levar adiante?

— É — confirmou ele. — Tenho certeza de que vai ser lindo, mas essa sua futura cunhada, Thrynga, está falando sem parar: "Nenhum aesir, nenhum vanir." Parece que eles montaram algum tipo de segurança de primeira para revistar os convidados.

— Eles não querem que Thor entre — supôs Alex — e recupere seu martelo.

— Isso faz sentido. — Heimdall manteve o olhar no horizonte. — A questão é que esse bar-fortaleza subterrâneo... Eu já vi como funciona. Só tem uma entrada, e ela fica mudando de lugar, se abrindo em um ponto diferente a cada dia. Às vezes, é atrás de uma cachoeira, ou em uma caverna de Midgard, ou debaixo das raízes de uma árvore. Mesmo que Thor quisesse planejar um ataque, ele não teria ideia de por onde começar. Não vejo *como* vocês podem planejar uma emboscada para recuperar o martelo. — Ele franziu a testa. — Thrym e Thrynga ainda estão falando da lista de convidados. Apenas familiares e gigantes estão convidados e... Quem é Randolph?

Senti como se alguém tivesse aumentado o termostato da Bifrost. Meu rosto formigou, como se uma marca de queimadura em formato de mão estivesse se formando na minha bochecha.

— Randolph é meu tio — falei. — Você consegue vê-lo?

Heimdall balançou a cabeça.

— Não em Jötunheim, mas Thrym e Thrynga estão muito irritados por ele estar na lista. Thrym está dizendo: "Loki insiste." Thrynga está jogando garrafas. — Heimdall fez uma careta. — Desculpe, tive que desviar os olhos. Sem a câmera, tudo parece tão 3D!

Amir me observou com preocupação.

— Magnus, seu tio está envolvido?

Eu não queria falar sobre aquele assunto. A cena do dólmen dos zumbis ficava se repetindo na minha mente: Randolph chorando enquanto enfiava a espada Skofnung na barriga de Blitzen.

Felizmente, Alex Fierro mudou de assunto.

— Ei, lorde Selfie — disse ele —, e o assassino de bodes? É ele que precisamos encontrar agora.

— Ah, sim. — Heimdall levantou a lâmina da espada acima dos olhos como uma aba de boné e quase me decapitou no processo. — Vocês disseram uma figura de roupas negras, com elmo de metal e viseira de lobo rosnando?

— Ele mesmo — respondi.

— Não estou vendo. Mas tem uma coisa estranha. Sei que falei que não usaria a câmera, mas... ah, não sei como descrever isso. — Ele levantou o tablet e tirou uma foto. — Olhem.

Nós quatro nos reunimos em torno da tela.

Foi difícil avaliar a escala, pois a foto fora tirada do espaço interdimensional, mas no alto de um penhasco havia uma construção enorme com a aparência de um armazém. No telhado havia letras enormes de néon, quase tão chamativas quando a placa do Citgo: PISTAS DE BOLICHE UTGARD.

Atrás disso, ainda maior e mais impressionante, havia um Godzilla inflável enorme, como os bonecos de um parque de diversões. O Godzilla trazia nas mãos um cartaz que dizia:

E AÍ, MAGNUS?

VENHA ME VISITAR!

TENHO INFORMAÇÕES P/ VC. TRAGA SEUS AMIGOS!

ÚNICO JEITO DE VENCER THRYM + JOGAR BOLICHE.

ABS BIG BOY

Soltei alguns palavrões em norueguês. Fiquei tentado a jogar o tablet do Fim do Mundo da ponte Bifrost.

— Big Boy — falei, por fim. — Eu devia ter imaginado.

— Isso é ruim — murmurou Sam. — Ele *disse* que um dia você ia precisar da ajuda dele. Mas se *ele* é nossa única esperança, estamos ferrados.

— Por quê? — perguntou Amir.

— É — concordou Alex. — Quem é esse Big Boy que se comunica por Godzillas infláveis?

— Eu sei responder essa! — disse Heimdall com alegria. — Ele é o gigante feiticeiro mais perigoso e poderoso de todos os tempos! Seu verdadeiro nome é Utgard-Loki.

TRINTA E TRÊS

Pausa para um falafel?
Sim, por favor

OUTRA DICA DE VIKING PROFISSIONAL: se Heimdall se oferecer para deixar vocês em algum lugar, digam NÃO!

A ideia de Heimdall de nos mandar de volta para Midgard foi fazendo a ponte Bifrost se dissolver sob nossos pés e literalmente nos deixar cair pelo infinito. Quando paramos de gritar (ou pode ter sido só eu; não julguem), nós nos vimos na esquina da Charles e Boylston, na frente da estátua de Edgar Allan Poe. A essa altura, meu coração definitivamente estava me entregando. Minha pulsação estava tão disparada que dava para ouvir o danadinho por uma parede de tijolos.

Estávamos todos exaustos, mas também com fome e vibrando pela adrenalina pós-arco-íris. E o mais importante, estávamos a uma quadra da praça de alimentação do Transportation Building, onde os Fadlan tinham um restaurante.

— Sabem... — Amir flexionou os dedos, como se para ter certeza de que ainda estavam lá. — Eu posso preparar alguma coisa para o jantar.

— Não precisa, cara — respondi, o que achei bem nobre, considerando quanto eu amava a receita de falafel da família dele. (Sei que ele me pediu para lembrá-lo de não me dar mais falafel, mas decidi interpretar esse pedido como insanidade temporária.)

— Não, eu... eu quero.

Entendi o que ele quis dizer. O mundo do sujeito tinha acabado de se partir ao meio. Ele precisava de alguma coisa familiar para acalmar os nervos. Desejava o conforto de bolinhos fritos de grão-de-bico, e quem era eu para discutir?

O Transportation Building ficava fechado à noite, mas por ser dono de um dos restaurantes da praça de alimentação, Amir tinha as chaves do prédio. Ele nos deixou entrar, abriu o Falafel do Fadlan e preparou a cozinha para fazer um incrível jantar tardio/café da manhã bem antecipado.

Enquanto isso, Alex, Sam e eu ficamos sentados a uma mesa na praça de alimentação escura, ouvindo o barulho de panelas e fritadeiras ecoando pelo espaço amplo como gritos de pássaros metálicos.

Sam parecia atordoada. Ela virou um saleiro na mesa e formou letras com os grãos brancos; se nórdicas ou árabes, não consegui identificar.

Alex bateu com o All Star de cano alto na cadeira em frente. Ele girou os polegares, com os olhos de duas cores observando o local.

— Então esse gigante feiticeiro...

— Utgard-Loki — falei.

Muita gente do cosmos nórdico tinha me avisado que nomes têm poder. Não se devia pronunciá-los sem necessidade. Eu preferia falar nomes como se não fossem grande coisa. Parecia a melhor maneira de tirar o poder deles.

— Ele não é meu gigante favorito. — Olhei ao redor, para ter certeza de que não havia pombos falantes por perto. — Alguns meses atrás, ele apareceu bem aqui. Me enganou para que eu desse meu falafel para ele. Depois, se transformou em uma águia e me arrastou pelos telhados de Boston.

Alex bateu com os dedos na mesa.

— E agora ele quer que você visite o boliche dele.

— Sabe o que é mais bizarro? Essa é a coisa *menos* maluca que me aconteceu essa semana.

Alex riu.

— E por que ele se chama Loki? — Ele olhou para Sam. — Alguma relação com a gente?

Sam balançou a cabeça.

— O nome dele quer dizer Loki das Terras Distantes. Não tem qualquer conexão com... nosso pai.

Desde o Grande Desastre Alderman daquela tarde, a palavra *pai* não invocava sentimentos tão negativos em uma conversa. Ao olhar para Alex e Sam sentados de frente um para o outro, eu não conseguia imaginar duas pessoas mais diferentes. Mas os dois estavam com a mesma expressão: resignação amarga de compartilharem o deus da trapaça como pai.

— O lado bom — comecei — é que Utgard-Loki não me pareceu muito fã do outro Loki. Não consigo imaginar os dois trabalhando juntos.

— Os dois são gigantes — observou Alex.

— Os gigantes brigam entre si que nem os humanos — ponderou Sam. — E, a julgar pelo que descobrimos com Heimdall, recuperar o martelo de Thrym *não* vai ser fácil. Precisamos de todos os conselhos que pudermos ter. Utgard-Loki é ardiloso. Pode ser a pessoa certa para pensar em um jeito de estragar os planos do nosso pai.

— Combater Loki com Loki — falei.

Alex passou a mão pelo cabelo verde.

— Não ligo para quanto seu amigo gigante é astuto e inteligente. No fim das contas, vamos ter que ir ao casamento e pegar o martelo. O que significa que nós vamos ter que encarar Loki.

— *Nós?* — perguntei.

— Vou com vocês — disse Alex. — Obviamente.

Eu me lembrei do sonho com Loki no apartamento de Alex: *É um pedido tão simples*. Ter a presença de dois de seus filhos no casamento, ambos podendo ser controlados pelo menor ímpeto de Loki... essa não era a minha definição de ocasião alegre.

Samirah fez outro desenho no sal.

— Alex, não posso pedir para você ir.

— Você não está pedindo, eu estou avisando que vou. Você me trouxe para a pós-vida. Essa é minha chance de fazer a diferença. Você *sabe* o que precisamos fazer.

Sam balançou a cabeça.

— Eu... eu ainda não sei se é uma boa ideia.

Alex levantou as mãos.

— Você tem mesmo algum parentesco comigo? Onde está seu senso de imprudência? *Claro* que não é uma boa ideia, mas é o único jeito.

— Que ideia? — perguntei. — Que jeito?

Estava claro que eu tinha perdido uma conversa entre os dois, e nenhum deles parecia ansioso para me contar. Nessa hora, Amir chegou com a comida. Ele colocou na mesa um prato enorme de kebab de cordeiro, charuto de folha de uva, falafel, quibe e outras delícias divinas, e eu me lembrei das minhas prioridades.

— Você, meu senhor, é uma entidade poderosa — falei.

Ele quase sorriu. Começou a se sentar ao lado de Sam, mas Alex estalou os dedos.

— Hã-hã, bonitão. A dama de companhia aqui diz que não.

Amir pareceu envergonhado. Ele veio se sentar entre mim e Alex.

Nós caímos de boca na comida. (Na verdade, talvez tenha sido eu quem mais caiu de boca.)

Amir mordeu o canto de um triângulo de pão árabe.

— Não parece possível... a comida tem o mesmo gosto. A fritadeira frita na mesma temperatura. Minhas chaves abrem as mesmas fechaduras. Ainda assim... o universo todo mudou.

— Nem tudo mudou — prometeu Sam.

A expressão de Amir estava melancólica, como se ele estivesse se lembrando de uma boa experiência da infância que não podia ser revivida.

— Eu agradeço, Sam — disse ele. — E *entendo* o que você quer dizer sobre as deidades nórdicas. Não são deuses. Qualquer um que tire tantas *selfies* com uma espada e um chifre de carneiro... — Ele balançou a cabeça. — Alá pode ter noventa e nove nomes, mas Heimdall não é um deles.

Alex sorriu.

— Gosto desse cara.

Amir piscou, aparentemente sem saber o que fazer com o elogio.

— Então... e agora? Como se supera uma viagem por Bifrost?

Sam deu um sorriso fraco.

— Bom, esta noite preciso ter uma conversa com Jid e Bibi para explicar por que fiquei fora até tão tarde.

Amir assentiu.

— Você vai... tentar mostrar os nove mundos para eles, como fez comigo?

— Não dá — disse Alex. — São velhos demais. Os cérebros não são tão flexíveis.

— Opa! — protestei. — Não precisa ser grosseiro.

— Só estou sendo sincero. — Alex mastigou um pedaço de cordeiro. — Quanto mais velhos somos, mais difícil é aceitar que o mundo pode não ser do jeito que achávamos que era. É um milagre Amir ter conseguido ver através de toda a névoa e todo o glamour sem ficar maluco.

Alex manteve o olhar grudado em mim por mais tempo do que pareceu necessário.

— Sim — murmurou Amir. — Me sinto muito sortudo por não estar maluco.

— Mas Alex está certo — disse Sam. — Quando falei com meus avós hoje de manhã, a conversa que eles tiveram com Loki já estava sumindo da memória. Eles sabiam que deviam estar zangados comigo. Lembravam que você e eu discutimos. Mas os detalhes... — Ela fez um gesto de *puf* com os dedos.

Amir esfregou o queixo.

— Com meu pai foi a mesma coisa. Ele só perguntou se você e eu tínhamos acertado nossas diferenças. Eu acho... que poderíamos dizer qualquer coisa sobre onde fomos hoje, não é? Qualquer desculpa comum seria mais fácil de eles aceitarem do que a verdade.

Alex o cutucou.

— Não vá ficando cheio de ideias, bonitão. Eu ainda sou a dama de companhia.

— Não! Eu só quis dizer... Eu nunca...

— Relaxe — disse Alex. — Estou só curtindo com a sua cara.

— Ah. — Amir não pareceu relaxar. — E depois? O que vai acontecer?

— Vamos para Jötunheim — disse Sam. — Temos um gigante para interrogar.

— Você vai viajar para outro mundo. — Amir balançou a cabeça, impressionado. — Sabe, quando combinei aquelas aulas de voo com Barry, eu... eu achei que estava expandindo seus horizontes. — Ele riu com tristeza. — Que inocência a minha.

— Amir, foi o presente mais gentil...

— Não tem problema. Não estou reclamando. Eu só... — Ele soltou o ar pesadamente. — O que posso fazer para ajudar?

Sam colocou a mão na mesa, os dedos esticados na direção de Amir, como uma versão de mãos dadas sem toque.

— Só confie em mim. Acredite na minha promessa.

— Eu acredito — disse ele. — Mas deve haver mais alguma coisa. Agora que consigo ver tudo... — Ele balançou um garfo de plástico na direção do teto. — Eu quero apoiar você.

— Você está apoiando — garantiu Sam. — Você me viu como valquíria e não saiu correndo e gritando. Não *imagina* quanto isso ajuda. Só fique em segurança, por favor, até voltarmos. Seja minha âncora.

— Com prazer. Mas... — Ele deu um sorriso tão sem graça quanto as piadas de Jacques. — Eu não *vi* de verdade você como valquíria. Você acha...?

Sam ficou de pé.

— Alex, Magnus, encontro vocês de manhã?

— Na estátua no parque — respondi. — Vejo você lá.

Ela assentiu.

— Amir, em dois dias isso tudo vai estar terminado. Eu prometo.

Ela subiu no ar e desapareceu em um brilho dourado.

O garfo de plástico caiu da mão de Amir.

— É verdade — disse ele. — Não consigo acreditar.

Alex sorriu.

— Bom, está ficando tarde. Tem mais uma coisa que você pode fazer por nós, amigão.

— Claro. Qualquer coisa.

— Que tal uma quentinha com esse falafel?

TRINTA E QUATRO

Faço uma visita
ao meu mausoléu favorito

NA MANHÃ SEGUINTE, ACORDEI NA minha cama em Valhala, não revigorado e, definitivamente, nada preparado para levantar. Fiz uma malinha com coisas de acampamento e restos de falafel. Fui falar com T.J. do outro lado do corredor; ele me entregou a espada Skofnung e prometeu ficar alerta para o caso de eu precisar de reforços da cavalaria ou de ajuda para atacar as fortificações inimigas. Depois, me encontrei com Alex Fierro no saguão e seguimos para Midgard.

Alex concordou em fazer mais uma parada antes de nos encontrarmos com os outros. Eu não *queria*, mas me senti obrigado a invadir a mansão de Randolph, em Back Bay, para dar uma olhada no meu tio assassino e traidor. Porque, afinal, família é para essas coisas.

Eu não sabia o que faria se o encontrasse. Talvez pensasse em um jeito de libertá-lo da influência de Loki. Talvez desse um tabefe na cara dele com um saco de quibes — se bem que isso seria desperdiçar um bom quibe.

Para a sorte de Randolph e da minha quentinha, ele não estava em casa. Arrombei a porta dos fundos, como sempre (Randolph não recebeu a mensagem sobre trocar as fechaduras), depois Alex e eu roubamos os vários chocolates espalhados pela mansão (porque isso era uma necessidade), rimos das cortinas e dos badulaques cheios de frescura e, por fim, entramos no escritório.

Nada lá havia mudado desde a minha última visita. Tinha mapas em cima da mesa. A grande tumba viking estava no canto, com a figura do lobo ainda rosnando para mim. Armas e tranqueiras medievais ocupavam as prateleiras junto com livros de capas de couro e fotos de Randolph em locais de escavações na Escandinávia.

No cordão no meu pescoço, o pingente de Jacques vibrou de tensão. Eu nunca o tinha trazido para a casa de Randolph. Acho que ele não gostou do lugar. Ou talvez só estivesse empolgado porque a espada Skofnung estava presa nas minhas costas.

Eu me virei para Alex.

— Ei, você é garota hoje?

A pergunta me escapuliu antes de eu ter a chance de pensar se dizer aquilo era estranho, grosseria ou se faria com que eu fosse decapitado.

Alex sorriu de um jeito que eu esperava que fosse divertido e não homicida.

— Por quê?

— Por causa da espada Skofnung. Ela não pode ser desembainhada na presença de mulheres. Eu meio que gosto mais quando ela não pode ser desembainhada.

— Ah. Espere. — O rosto de Alex se contraiu em concentração intensa. — Pronto! Agora sou menina.

Minha expressão deve ter sido impagável.

Alex caiu na gargalhada.

— Estou brincando. Sim, sou garota hoje. *Ela* e *dela*.

— Mas você não...

— Mudei de gênero por força de vontade? Não, Magnus. Não é assim que funciona. — Ela passou os dedos pela mesa de Randolph. A janelinha de vitral acima da porta jogava luz multicolorida em seu rosto.

— Então, posso perguntar...? — Fiz um gesto vago. Eu não sabia quais palavras usar.

— *Como* funciona? — Ela deu um sorrisinho. — Desde que você não me peça para falar por todas as pessoas fluidas de gênero, tá? Não sou embaixadora. Não sou professora, nem garota-propaganda. Sou só — ela imitou meu gesto — *eu*. Tentando ser eu da melhor forma possível.

Pareceu justo. Pelo menos era melhor do que ela me dando socos, me enforcando com o garrote ou virando guepardo e me atacando.

— Mas você é metamorfa. Não pode simplesmente... você sabe, ser o que quiser?

O olho mais escuro tremeu, como se eu tivesse cutucado uma ferida.

— Essa é a ironia. — Ela pegou um abridor de cartas e girou na luz colorida. — Posso mudar minha *aparência* para o que ou quem eu quiser. Mas meu gênero? Não. Não posso mudar por vontade própria. É realmente fluido, no sentido de que eu não o controlo. Na maior parte do tempo eu me identifico como alguém do sexo feminino, mas às vezes tenho dias muito *masculinos*. E não me pergunte como sei o que sou em que dia.

Essa seria a minha próxima pergunta, na verdade.

— Então por que você não usa palavras neutras? Não seria menos confuso do que ficar trocando de pronomes?

— Menos confuso para quem? Para você?

Minha boca devia estar aberta, porque ela revirou os olhos para mim como quem diz: *Seu cretino*. Eu esperava que Heimdall não estivesse fazendo snaps dessa conversa.

— Olha, alguns preferem a neutralidade — disse Alex. — São pessoas não binárias ou de espectro neutro, sei lá. Se elas não querem identificação de gênero na fala, é isso o que você deve fazer. Mas, no meu caso, eu não quero usar os mesmos pronomes o tempo todo, porque eu não sou assim. Eu mudo muito. Essa é a questão. Quando sou ela, eu sou *ela*. Quando sou ele, eu sou *ele*. Não sou *elx*. Entendeu?

— Se eu disser que não, você vai me bater?

— Não.

— Então não, não entendi muito bem.

Ela deu de ombros.

— Você não precisa entender. Só, sabe, respeitar.

— A garota com o fio muito afiado? Tranquilo.

Ela deve ter gostado da resposta. Não havia nada de confuso no sorriso que me deu. A temperatura do escritório aumentou uns quinze graus.

Eu limpei a garganta.

— Estamos procurando qualquer coisa que possa nos dar uma dica do que está acontecendo com meu tio.

Comecei a olhar as estantes, como se tivesse ideia do que estava fazendo. Não encontrei nenhuma mensagem e nenhuma alavanca secreta que pudesse abrir salas escondidas. Sempre parecia tão fácil no desenho do *Scooby-Doo*!

Alex mexeu nas gavetas da escrivaninha de Randolph.

— E você morava nesse mausoléu enorme?

— Felizmente, não. Minha mãe e eu tínhamos um apartamento em Allston... antes de ela morrer. Depois, fui morar nas ruas.

— Mas sua família tinha dinheiro.

— Randolph tinha. — Peguei uma antiga foto dele com Caroline, Aubrey e Emma. Era difícil olhar para elas. Desviei os olhos. — Você vai perguntar por que eu não vim morar aqui com ele em vez de virar um sem-teto?

Alex bufou.

— Deuses, não. Eu jamais perguntaria isso.

A voz dela tinha ficado amarga, como se parentes ricos e idiotas fossem algo que ela conhecesse bem.

— Você vem... de um lugar assim? — perguntei.

Alex fechou a gaveta.

— Minha família tinha muitas coisas, menos as que importavam... como um filho e herdeiro, por exemplo. Ou, sabe, *sentimentos*.

Tentei imaginar Alex morando em uma mansão como aquela, ou participando de uma festa elegante como a do sr. Alderman, em Álfaheim.

— Sua família sabia que você era filha de Loki?

— Ah, Loki fez questão de que eles soubessem. Meus pais mortais o culpavam pelo jeito como eu era, por ser fluida. Diziam que ele me corrompeu, que botou ideias na minha cabeça, blá-blá-blá.

— E seus pais não... convenientemente esqueceram Loki, como os avós de Sam?

— Quem me dera. Loki se certificou de que eles lembrassem. Ele... sempre abria os olhos deles, acho que podemos dizer assim. Como o que você fez por Amir, só que os motivos de Loki não eram tão nobres.

— Eu não fiz nada por Amir.

Alex andou até mim e cruzou os braços. Ela estava usando uma camisa de flanela rosa e verde hoje, com uma calça jeans. Os tênis de caminhada eram tediosamente práticos, exceto pelos cadarços rosa-metálicos.

Os olhos de cores diferentes pareciam puxar meus pensamentos em duas direções ao mesmo tempo.

— Você acha mesmo que não fez nada? — perguntou ela. — Quando segurou os ombros de Amir? Quando suas mãos começaram a brilhar?

— Eu... brilhei? — Não tinha lembrança nenhuma de conjurar o poder de Frey. Nem tinha me ocorrido que Amir precisasse de cura.

— Você o salvou, Magnus — disse Alex. — Até *eu* vi isso. Ele teria desmoronado com o estresse. Você deu a ele resiliência para ampliar a mente sem se romper. O único motivo de ele estar mentalmente são é por sua causa.

Senti como se estivesse de volta à ponte Bifrost, com cores superaquecidas ardendo através de mim. Eu não sabia o que fazer com o olhar de aprovação que Alex estava me lançando, nem com a ideia de que tinha curado a mente de Amir sem nem saber.

Ela me deu um soco no peito, com força suficiente para doer.

— Que tal a gente terminar aqui? Estou começando a sufocar neste lugar.

— Sim. Sim, claro.

Eu também estava com dificuldade para respirar, mas não por causa da casa. O jeito como Alex falou de mim, com tanta aprovação... provocou um estalo. Eu percebi quem ela me lembrava: a energia inquieta, o porte pequeno e o cabelo curto, a camisa de flanela com calça jeans e tênis, o desprezo pelo que as outras pessoas achavam dela, até a gargalhada, nas raras ocasiões em que isso acontecia. Estranhamente, Alex me lembrava a minha mãe.

Decidi não pensar nisso. Em pouco tempo eu precisaria de terapia mais do que o bode Otis.

Olhei as prateleiras uma última vez. Meus olhos se fixaram na única foto sem Randolph: uma imagem de uma cachoeira congelada no meio de uma floresta, com folhas de gelo penduradas na beirada de um penhasco cinzento. Podia ser só uma fotografia bonita da natureza, mas me pareceu familiar. As cores eram mais vibrantes do que nas outras fotos, como se aquela tivesse sido tirada recentemente. Peguei o porta-retratos. Não havia poeira na prateleira onde ele estava. Mas havia outra coisa, um convite de casamento verde.

Alex observou a foto.

— Conheço esse lugar.

— Bridal Veil Falls — falei. — New Hampshire. Já fui caminhar lá.

— Eu também.

Em circunstâncias diferentes, nós talvez tivéssemos trocado histórias de viagens. Era outra estranha similaridade entre ela e minha mãe, e talvez o motivo de Alex ter um átrio aberto no meio da suíte do hotel, como eu.

Mas, no momento, minha mente estava disparada em outra direção. Eu me lembrei do que Heimdall dissera sobre a fortaleza de Thrym, que a entrada sempre mudava, de maneira que era impossível prever onde estaria no dia do casamento. Ele tinha dito que às vezes aparecia atrás de uma cachoeira.

Olhei o convite, idêntico ao que Sam jogara fora. A linha *quando* agora dizia: EM DOIS DIAS. Em outras palavras, depois de amanhã. A linha *onde* ainda dizia: AVISAMOS DEPOIS.

A fotografia de Bridal Veil Falls podia ser uma imagem aleatória. O nome da cachoeira, Véu de Noiva, podia ser coincidência. Ou talvez o tio Randolph não estivesse totalmente sob o controle de Loki. Talvez tivesse deixado uma pista digna de *Scooby-Doo*.

— É o convite do casamento de Sam — notou Alex. — Você acha que quer dizer alguma coisa o fato de estar atrás dessa foto?

— Pode não ser nada — respondi. — Ou pode ser um ponto de entrada para uns penetras de casamento.

TRINTA E CINCO

Temos um probleminha

Local de Encontro: a estátua de George Washington no Public Garden. Hearthstone, Blitzen e Samirah já estavam lá, junto com outro velho amigo que por acaso era um cavalo com oito patas.

— Stanley!

O cavalo relinchou e encostou o focinho em mim. Ele indicou a estátua de George Washington e sua montaria como quem diz: *Dá para acreditar nesse cara? Ele nem é tão legal. O cavalo dele só tem quatro patas.*

Conheci Stanley quando pulamos de um penhasco em Jötunheim, a caminho da fortaleza de um gigante. Fiquei feliz em ver o cavalo de novo, mas tive a péssima sensação de que estávamos prestes a participar da sequência: *Saltos de Penhasco II: A Ascensão de Big Boy*.

Fiz carinho no focinho de Stanley, desejando ter uma cenoura para ele. Eu só tinha chocolate e quibe, e achava que nenhum dos dois faria bem a um cavalo de oito patas.

— Você o chamou? — perguntei a Hearth. — Como ainda está consciente?

Na primeira vez que Hearthstone usou *ehwaz*, a runa de transporte, ele desabou e ficou rindo e sinalizando algo sobre máquinas de lavar durante meia hora.

Hearth deu de ombros, mas notei uma centelha de orgulho na expressão dele. Ele parecia melhor hoje, depois de passar a noite na câmara de bronzeamento artificial. A calça jeans e a jaqueta pretas estavam limpas, e agora ele usava o cachecol listrado.

Está mais fácil, sinalizou ele. *Consigo usar duas, às vezes até três runas seguidas sem desmaiar.*

— Uau.

— O que ele disse? — perguntou Alex.

Eu traduzi.

— Só duas ou três? Sem querer ofender, mas não parece grande coisa.

— Mas é. Usar uma runa demanda muito esforço físico. É como correr por mais de uma hora sem parar.

— Bom, eu não malho, então...

Blitzen limpou a garganta.

— Ah, Magnus? Quem é sua amiga?

— Desculpem. Esta é Alex Fierro. Blitzen, Hearthstone, Alex é nossa mais nova einherji.

Blitzen estava usando o chapéu de safári, então era difícil ver a expressão dele atrás da rede. No entanto, eu tinha certeza de que o anão não estava sorrindo.

— Você é a outra filha de Loki — disse ele.

— Sou — respondeu Alex. — Prometo não matar vocês.

Para Alex aquela era uma concessão e tanto, mas Hearth e Blitz não souberam como interpretá-la.

Samirah me deu um sorriso seco.

— O que foi? — perguntei.

— Nada. — Ela estava usando o uniforme escolar, o que achei bem otimista, tipo *vou dar um pulinho em Jötunheim e voltar a tempo para a última aula.* — Onde vocês estavam? Não vieram da direção de Valhala.

Expliquei sobre a excursão à casa de Randolph e sobre a foto e o convite de casamento que agora estavam na minha mochila.

Sam franziu a testa.

— Você acha que essa cachoeira é a entrada para a fortaleza de Thrym?

— Talvez. Ou pelo menos vai ser, em dois dias. Se tivermos essa informação com antecedência, poderemos usá-la a nosso favor.

Como?, sinalizou Hearth.

— Hã, ainda não cheguei nessa parte.

Blitzen grunhiu.

— Acho que é possível. Gigantes da terra podem manipular pedra sólida melhor do que anões. E podem mudar as entradas de lugar. Além disso — ele balançou a cabeça com repugnância —, as fortalezas deles são quase impossíveis de invadir. Túneis, explosivos, poder divino, nada disso vai funcionar. Acreditem em mim, o C.E.I.A. tentou.

— Ceia? — perguntei.

Ele me olhou como se eu fosse burro.

— O Corpo de Engenheiros da Infantaria Anã, dã. O que *mais* poderia ser? Enfim, com gigantes da terra é *preciso* usar a entrada principal. Mas, mesmo que seu tio soubesse onde a entrada estaria no dia do casamento, por que lhe contaria? Esse é o cara que furou minha barriga.

Eu não precisava do lembrete. Via essa cena sempre que fechava os olhos. Também não tinha uma boa resposta para ele, mas Alex interveio.

— Não temos que ir?

Sam assentiu.

— Você está certa. Stanley só ficará aqui por mais alguns minutos. Ele prefere carregar no máximo três passageiros, então pensei em ir voando com Hearth. Magnus, que tal você, Alex e Blitz irem no nosso amigo cavalo?

Blitzen se remexeu com desconforto no terno azul-marinho de três peças. Talvez estivesse pensando no quanto seu estilo e o de Alex iam contrastar no cavalo.

Tudo bem, Hearthstone sinalizou para ele. *Vá em segurança.*

— Humf. Tudo bem. — Blitz olhou para mim. — Mas quero ir na frente. Podemos chamar de *banco do carona* quando se trata de um cavalo?

Stanley relinchou e bateu as patas. Acho que ele não gostou de ser comparado a um carro.

Entreguei para Sam a espada Skofnung. Blitzen entregou a pedra Skofnung. Como seriam o dote dela, achamos que Sam devia ter o direito de carregá-las. Ela não poderia desembainhar a espada por causa do encantamento, mas pelo menos podia bater com a pedra na cabeça das pessoas, caso houvesse necessidade.

Stanley nos permitiu subir a bordo: Blitzen primeiro, Alex no meio e eu atrás, ou, como eu gostava de pensar: *o primeiro a cair e morrer em caso de decolagem abrupta.*

Fiquei com medo de Alex cortar minha cabeça ou virar um lagarto gigante e me morder se eu me segurasse nela, mas ela pegou meus pulsos e passou meu braço pela sua cintura.

— Eu não sou frágil. Nem contagiosa.

— Eu não falei nada...

— Cala a boca.

— Já calei.

Ela tinha cheiro de argila, como a oficina de esculturas na sua suíte. Também tinha uma pequena tatuagem na qual eu não tinha reparado, na nuca: as serpentes duplas de Loki. Quando me dei conta do que estava vendo, meu estômago deu uma despencada um pouco antecipada, mas não tive muito tempo para avaliar o significado da tatuagem.

— Vejo vocês em Jötunheim. — Sam segurou o braço de Hearthstone, e os dois saíram voando em um brilho de luz dourada.

Stanley não foi tão discreto. Ele galopou na direção da rua Arlington, pulou a cerca do parque e disparou para o Taj Hotel. Um momento antes de batermos no muro, Stanley subiu. A fachada de mármore do hotel se dissolveu em neblina, e o cavalo fez um giro de trezentos e sessenta graus por ela, de alguma forma conseguindo não nos deixar cair. Os cascos dele tocaram o chão novamente, e passamos por uma ravina arborizada, cercada por montanhas altas dos dois lados.

Pinheiros cobertos de neve se destacavam acima de nós. Nuvens cinza-metálicas pairavam baixas e pesadas. Minha respiração virou vapor.

Só tive tempo de pensar *ei, estamos em Jötunheim* antes que Blitzen gritasse:

— Pra baixo!

O milissegundo seguinte demonstrou como eu pensava mais rápido do que reagia. Primeiro, pensei que Blitz tinha visto alguma coisa lá embaixo. Mas logo percebi que ele estava mandando eu me abaixar, o que é difícil quando se é o último em uma fila de três pessoas nas costas de um cavalo.

Então, eu vi o enorme galho de árvore no nosso caminho. Percebi que Stanley ia passar correndo por baixo dele a toda velocidade. Mesmo que o galho tivesse um cartaz alertando para tomar cuidado com a altura do veículo, Stanley não sabia ler.

PLOFT!

Eu me vi caído de costas na neve. Acima de mim, galhos de pinheiro borrados dançavam em tecnicolor. Meus dentes estavam doendo.

Eu consegui me sentar. Minha visão clareou, e então vi Alex a alguns metros de mim, gemendo em cima de uma pilha de agulhas de pinheiro. Blitzen cambaleou, procurando o chapéu de safári. Felizmente, a luz de Jötunheim não era forte o bastante para petrificar anões, senão ele já teria virado pedra.

Quanto à nossa intrépida montaria... Stanley tinha sumido, e uma trilha de pegadas continuava por baixo do galho e seguia até o bosque. Talvez ele tivesse chegado ao limite do tempo de convocação e sumido. Ou talvez tivesse se distraído com a alegria de correr e só fosse perceber que nos deixara para trás trinta quilômetros depois.

Blitzen pegou o chapéu na neve.

— Cavalo idiota. Que grosseria!

Ajudei Alex a se levantar. Um corte feio ziguezagueava pela testa dela como uma boca vermelha irregular.

— Você está sangrando. Eu posso curar isso.

Ela deu um tapa na minha mão.

— Estou bem, dr. House, mas obrigada pelo diagnóstico. — Ela se virou meio cambaleante e observou a floresta. — Onde estamos?

— A pergunta mais importante é: onde estão os outros? — disse Blitz.

Sam e Hearthstone não estavam em lugar nenhum. Eu esperava que Sam fosse melhor em desviar de obstáculos do que Stanley.

Fiz uma careta para o galho com o qual tínhamos nos chocado. Eu me perguntei se podia mandar Jacques cortá-lo antes de o próximo grupo de pobres otários passar por ali. Mas tinha alguma coisa estranha na textura. Em vez das reentrâncias habituais de um tronco, o galho consistia de uma fibra cinzenta entrelaçada. Não afinava até formar uma ponta, mas se curvava até o chão, onde serpenteava pela neve. Não era um galho, então... estava mais para um cabo enorme. A parte de cima se enrolava nas árvores e desaparecia entre as nuvens.

— O que é essa coisa? — perguntei. — Não é uma árvore.

À nossa esquerda, uma forma alta e escura que supus ser uma montanha se mexeu e retumbou. Percebi com uma certeza de contorcer as entranhas que aquilo na verdade não era uma montanha. O maior gigante que eu já tinha visto estava sentado ao meu lado.

— Não mesmo! — ribombou a voz dele. — Esse é o meu cadarço!

Vocês devem estar se perguntando: como pude não reparar em um gigante tão grande? Bom, ele era grande demais para compreender. Os tênis eram colinas. Os joelhos dobrados eram picos de montanhas. A camisa cinza-escura se misturava ao céu, e a barba branca e fofa lembrava nuvens carregadas de neve. Mesmo sentado, os olhos brilhantes do gigante estavam tão altos que podiam ser pequenos dirigíveis ou luas.

— Oi, pequeninos! — A voz do gigante era grave o bastante para liquefazer substâncias sólidas, como meus olhos, por exemplo. — Vocês deviam olhar por onde andam!

Ele levantou o pé direito. O galho de árvore/cadarço no qual nos chocamos deslizou pelos pinheiros, arrancando arbustos, quebrando galhos e assustando animais. Um cervo com chifre de doze pontas surgiu do nada e quase atropelou Blitzen.

O gigante se inclinou e bloqueou a luz cinza. Amarrou o sapato, cantarolando o tempo todo, passando um cabo enorme por cima do outro, os cadarços destruindo trechos inteiros de floresta.

Quando o gigante terminou de dar o laço, a terra parou de tremer.

Alex gritou:

— Quem é você? E como nunca ouviu falar em velcro?

Não sei onde ela encontrou coragem para falar. Talvez tivesse batido a cabeça. Eu estava tentando decidir se Jacques tinha poder para matar um gigante tão grande. Mesmo que conseguisse voar pelo nariz dele, duvidava que a lâmina fosse provocar um estrago maior do que um espirro. E isso seria uma péssima ideia.

O gigante se levantou e riu. Eu me perguntei se os ouvidos dele estalavam quando subia tão alto na estratosfera.

— Nossa! O mosquitinho de cabelo verde é corajoso! Meu nome é Miúdo!

Agora que estava prestando atenção, vi o nome MIÚDO bordado na camisa, como se fosse o letreiro distante de Hollywood.

— Miúdo — repeti.

Eu não achava que ele conseguia me ouvir, da mesma forma que eu não conseguia ouvir formigas discutindo, mas ele sorriu e assentiu.

— Sim, ser insignificante. Os outros gigantes gostam de me provocar porque, em comparação à maioria dos habitantes do palácio de Utgard-Loki, eu sou pequeno.

Blitzen limpou gravetos do paletó azul.

— Só pode ser uma ilusão — murmurou ele para nós. — Ele não pode ser tão grande.

Alex tocou a testa ensanguentada.

— *Isto* não é ilusão. Aquele cadarço era bem real.

O gigante se alongou.

— Que bom que vocês me acordaram do meu cochilo. Eu tenho que ir!

— Espere! — gritei. — Você disse que é do palácio de Utgard-Loki?

— Hum? Ah, sim. Pistas de Boliche Utgard! Vocês estão indo para lá?

— Ah, sim! Nós precisamos ver o rei!

Eu estava torcendo para Miúdo nos oferecer uma carona. Parecia a coisa certa a se fazer por viajantes que tinham acabado de sofrer um acidente com seu cadarço.

Miúdo riu.

— Não sei como vocês se sairiam nas Pistas de Boliche Utgard. Estamos muito ocupados preparando o torneio de boliche amanhã. Se não conseguem andar nem ao redor de cadarços, podem acabar esmagados acidentalmente.

— Nós vamos ficar bem! — disse Alex, novamente com bem mais confiança do que eu conseguiria demonstrar. — Onde fica o palácio?

— Logo ali. — Miúdo apontou para a esquerda, provocando uma nova ventania. — É uma caminhada tranquila de dois minutos.

Tentei traduzir isso do gigantês. Concluí que queria dizer que o palácio ficava a sete bilhões de quilômetros de distância.

— Você pode nos dar uma carona? — Tentei não parecer muito digno de pena.

— Ah, bom — disse Miúdo. — Eu não devo nenhum favor a vocês, devo? Vocês precisam chegar à entrada da fortaleza para pedir privilégios de convidados. *Aí* nós teremos que tratar vocês bem.

— Lá vamos nós... — resmungou Blitzen.

Eu me lembrei de como fora a questão dos direitos dos convidados da última vez que tínhamos ido a Jötunheim. Se a gente entrasse na casa de um gigante e alegasse ser convidado, supostamente o dono da casa não podia nos matar. Claro que, quando tentamos isso antes, acabamos matando uma família inteira depois que eles tentaram nos esmagar como insetos, mas tudo fora feito com muita cortesia.

— Além do mais — continuou Miúdo —, se vocês não conseguem chegar às Pistas de Boliche Utgard sozinhos, não deviam estar aqui! A maioria dos gigantes não é tão tranquila quanto eu. Vocês precisam tomar cuidado, pequeninos. Os gigantes maiores podem achar que vocês são invasores, pragas ou algo assim! Eu manteria distância.

Tive uma visão terrível de Sam e Hearthstone voando para dentro do boliche e sendo pegos pelo maior mata-mosquito elétrico do mundo.

— Nós temos que ir! — gritei. — Vamos encontrar dois amigos.

— Hum... — Miúdo levantou o antebraço, revelando uma tatuagem de Elvis Presley do tamanho do Monte Rushmore. O gigante coçou a barba, e um único pelo branco se soltou como um helicóptero militar e caiu perto de nós, levantando uma nuvem de neve. — Vamos fazer o seguinte: vocês carregam minha bolsa de boliche. Assim, todos vão saber que são meus amigos. Façam esse pequeno serviço para mim, e falo por vocês com Utgard-Loki. Tentem me acompanhar! Mas, se ficarem para trás, cuidem para chegar ao castelo antes de amanhã de manhã. É quando o torneio vai começar!

Ele se levantou e se virou para ir embora. Tive tempo de admirar o coque desgrenhado e grisalho e ler as palavras amarelas gigantes bordadas nas costas da camisa: PERUS DO BOLICHE DO MIÚDO. Eu me perguntei se era o nome do time ou talvez do trabalho dele. Imaginei perus do tamanho de catedrais e soube que isso assombraria meus pesadelos para sempre.

Em dois passos, Miúdo desapareceu no horizonte.

Eu olhei para os meus amigos.

— Em que a gente acabou de se meter?

— Tenho uma boa e uma má notícia — disse Blitzen. — A boa notícia é que encontrei a bolsa. A má... é que encontrei a bolsa.

Ele apontou para uma montanha próxima: um penhasco escuro e íngreme que se elevava cento e cinquenta metros até um platô amplo no alto. Mas é claro que não era uma montanha. Era uma bolsa de boliche de couro marrom.

TRINTA E SEIS

Resolvendo problemas com muito estilo

EM UM MOMENTO COMO AQUELE, a maioria das pessoas se jogaria no chão e perderia as esperanças. E quando digo a maioria das pessoas, quero dizer eu.

Eu me sentei na neve e olhei para o penhasco enorme da montanha Bolsa de Boliche. PERUS DO BOLICHE DO MIÚDO estava bordado no couro marrom com letras pretas tão apagadas que pareciam falhas aleatórias.

— É impossível — declarei.

A testa de Alex tinha parado de sangrar, mas a pele ao redor do corte tinha ficado tão verde quanto seu cabelo, o que não era um bom sinal.

— Odeio concordar com você, Maggie, mas é. É impossível.

— Por favor, não me chame de Maggie — falei. — Até Zé-Ninguém é melhor.

Alex pareceu estar arquivando mentalmente essa informação para usar mais tarde.

— Quer apostar que tem uma bola de boliche dentro da bolsa? Deve pesar o mesmo que um porta-aviões.

— Faz diferença? — perguntei. — Mesmo vazia, a bolsa é grande demais para ser movida.

Só Blitzen não pareceu derrotado. Ele andou ao redor da bolsa, passando os dedos pelo couro, murmurando baixinho como se fizesse cálculos.

— Só pode ser uma ilusão — disse ele. — Nenhuma bolsa de boliche pode ser tão grande. Nenhum gigante é tão grande.

— Eles *são* gigantes — observei. — Talvez, se tivéssemos Hearthstone aqui, ele poderia fazer alguma magia de runa, mas...

— Garoto, pense comigo — disse Blitz. — Estou tentando resolver um problema. Isso é um acessório de moda. É uma *bolsa*. É a minha especialidade.

Eu queria argumentar que bolsas de boliche estavam tão longe da moda quanto os Estados Unidos estavam da China. Eu não via como um anão, por mais talentoso que fosse, poderia resolver esse problema de proporções gigantescas com algumas escolhas de estilo inteligentes. Mas não queria parecer negativo.

— Em que você está pensando? — perguntei.

— Bom, não podemos dissipar a ilusão — murmurou Blitz. — Vamos ter que trabalhar com o que temos, não contra. Eu me pergunto...

Ele encostou o ouvido na bolsa de couro. E sorriu.

— Hã, Blitz? Você me deixa nervoso quando sorri assim.

— Essa bolsa não foi terminada. Não tem nome.

— Nome? — disse Alex. — Tipo "Oi, Bolsa. Meu nome é Alex. Qual é o seu"?

Blitzen assentiu.

— Exatamente. Os anões sempre dão nome para as suas criações. Nenhum objeto está pronto enquanto não tiver nome.

— É, mas Blitz... Essa bolsa é de um *gigante*. Não de um anão — falei.

— Ah, mas *poderia* ser. Você não vê? Eu poderia terminar de fazê-la.

Alex e eu apenas o encaramos.

Ele suspirou.

— Olhem, enquanto eu estava com Hearthstone no esconderijo, fiquei entediado. Comecei a pensar em novos projetos. Um deles... bom, você sabe qual é a runa pessoal de Hearthstone, não sabe, Magnus? *Perthro?*

— O cálice vazio. Sim, eu lembro.

— O quê? — perguntou Alex.

Eu desenhei a runa na terra.

— Quer dizer um cálice esperando para ser preenchido — expliquei. — Ou uma pessoa que foi esvaziada e está esperando que alguma coisa dê sentido à sua vida.

Alex franziu a testa.

— Deuses, que deprimente.

— A questão — disse Blitz — é que andei pensando em uma bolsa *perthro*, uma bolsa que nunca fica cheia. A bolsa sempre pareceria vazia e leve. E, o mais importante, seria do tamanho que você quisesse.

Eu olhei para a montanha Bolsa de Boliche. A lateral era tão alta que pássaros a contornavam, irritados. Ou talvez só estivessem admirando o belo trabalho de costura.

— Blitz, gosto do seu otimismo. Mas tenho que dizer que essa bolsa é aproximadamente do tamanho de Nantucket.

— Sim, sim. Não é ideal. Eu planejava fazer um protótipo primeiro. Mas, se conseguir finalizar o trabalho na bolsa de boliche e dar um nome a ela, costurando um bordado estiloso no couro e usando uma palavra de comando, posso conseguir canalizar a magia. — Ele bateu nos bolsos até encontrar seu kit de costura. — Hum, vou precisar de material melhor.

— É — disse Alex. — O couro deve ter um metro e meio de espessura.

— Ah — retrucou Blitz —, mas nós temos a melhor agulha de costura do mundo!

— Jacques — arrisquei.

Os olhos de Blitz brilharam. Eu não o via tão empolgado desde que criara a faixa de smoking de cota de malha.

— Também vou precisar de alguns ingredientes mágicos — continuou ele. — Vocês vão ter que ajudar. Vou precisar tecer fios de filamentos especiais, uma coisa com poder, resistência e propriedades de crescimento mágico. Por exemplo, o cabelo de um filho de Frey!

Senti como se ele tivesse acertado minha cara com um cadarço.

— Como é?

Alex riu.

— Adorei esse plano. O cabelo dele precisa de um bom corte. Afinal, a gente não está em 1993.

— Esperem aí — protestei.

— Além do mais... — Blitz olhou para Alex. — A bolsa precisa mudar de formato, o que significa que vou precisar tingir o fio com o sangue de uma metamorfa.

O sorriso de Alex sumiu.

— De quanto sangue estamos falando exatamente?

— Só um pouquinho.

Ela hesitou, talvez se perguntando se devia pegar o garrote e substituir por sangue de anão e de einherji.

Por fim, Alex suspirou e enrolou a manga da camisa de flanela.

— Tudo bem, anão. Vamos fazer uma bolsa de boliche mágica.

TRINTA E SETE

Marshmallow de falafel na fogueira

NÃO HÁ NADA MELHOR DO que acampar em uma floresta apavorante de Jötunheim enquanto seu amigo borda runas em uma bolsa de boliche gigante!

— O dia *todo*? — reclamou Alex quando Blitz fez a estimativa de quanto tempo demoraria até terminar. Ela tinha ficado meio mal-humorada depois de ser atingida por um cadarço gigante, cortada com uma faca e ver o sangue ser colhido em uma tampa de garrafa térmica. — Estamos correndo contra o tempo, anão!

— Eu sei disso. — Blitz falou calmamente, como se estivesse dando aula para uma turma de jardim de infância de Nídavellir. — Também sei que estamos completamente expostos aqui, em território gigante, e que Sam e Hearth estão desaparecidos, o que está me deixando *nervoso*. Mas nossa melhor chance de encontrá-los e conseguir as informações de que precisamos é chegando ao palácio de Utgard-Loki. A melhor maneira de fazer isso sem *morrer* é encantando esta bolsa. Portanto, a não ser que você saiba de um jeito mais rápido, sim, vou demorar o dia todo. Posso ter que trabalhar durante a noite também.

Alex fez uma careta, mas criticar a lógica de Blitzen era tão sem sentido quanto criticar seu senso fashion.

— O que *nós* vamos fazer, então?

— Me trazer comida e água — disse Blitz. — Ficar de vigia, principalmente à noite, para eu não ser comido por trolls. Torcer para Sam e Hearth aparecerem antes de eu terminar. E, Magnus, preciso da sua espada.

Convoquei Jacques, que ficou feliz em ajudar.

— Ah, costurar? — As runas da lâmina brilharam de empolgação. — Isso me lembra o Grande Festival de Costura da Islândia de 886 EC! Frey e eu *arrasamos* na competição. Vários guerreiros foram para casa chorando de tanto que nós esnobamos a costura e o bordado deles.

Decidi não perguntar. Quanto menos eu soubesse sobre as vitórias de meu pai na costura, melhor.

Enquanto Jacques e Blitzen conversavam sobre as melhores estratégias, Alex e eu montamos o acampamento. Ela tinha levado suprimentos, então arrumamos tudo bem rápido, com duas barracas e uma fogueira cercada por pedras.

— Você deve ter acampado bastante — comentei.

Ela deu de ombros e arrumou umas varetas para acender o fogo.

— Eu amo estar ao ar livre. Sempre ia acampar na montanha com o pessoal do meu estúdio de cerâmica em Brookline Village, só para fugir um pouco.

Ela botou muita ênfase na palavra *fugir*.

— Estúdio de cerâmica?

Alex fez uma careta, como se tentasse detectar sarcasmo. Talvez tivesse ouvido várias perguntas idiotas como: *Ah, você gosta de cerâmica? Que fofo! Eu gostava de brincar com massinha quando era pequeno!*

— O estúdio era o único lugar seguro para mim — disse ela. — Me deixavam dormir lá quando as coisas estavam ruins em casa.

Da mochila, Alex tirou uma caixa de fósforos. Os dedos pareceram desajeitados quando ela puxou alguns palitos. O corte na testa tinha ficado de um tom de verde mais escuro, mas Alex se recusava a me deixar curá-lo.

— A questão da argila é que ela pode ser moldada em qualquer formato. Eu decido o que é melhor para cada peça. Meio que... escuto o que a argila quer. Sei que parece idiota.

— Você está dizendo isso para um cara que tem uma espada falante.

Ela riu.

— É, mas...

Os fósforos caíram no chão. Alex caiu sentada, o rosto pálido de repente.

— Opa. — Cheguei mais perto dela. — Você *precisa* me deixar curar esse ferimento na cabeça. Só os deuses sabem que tipo de bactérias havia no cadarço de Miúdo, e sua doação de sangue para o projeto artístico de Blitz não ajudou.

— Não, eu não quero... — Ela hesitou. — Tem um kit de primeiros socorros na minha bolsa. Eu vou...

— Um kit de primeiros socorros não vai resolver nada. O que você ia dizer?

Alex tocou a testa e fez uma careta.

— Nada.

— Você disse "eu não quero...".

— Isso! — exclamou ela com rispidez. — Você se metendo na minha vida! Samirah disse que, quando cura as pessoas, tipo aquele elfo, Hearthstone, você entra na cabeça delas, vê coisas. Eu não quero isso!

Desviei o olhar, com as mãos ficando dormentes. Na fogueira, a pirâmide de gravetos de Alex desabou. Os fósforos tinham se espalhado em símbolos de runa, mas, se queriam dizer alguma coisa, eu não sabia interpretar.

Pensei em algo que Mestiço Gunderson dissera certa vez sobre alcateias: cada indivíduo da alcateia força o limite dentro do grupo. Eles ficam testando constantemente sua posição na hierarquia: onde podem dormir, quanto podem comer de uma carcaça. E continuam a forçar até o alfa partir para cima deles e lembrá-los de seus lugares. Eu não tinha percebido que estava forçando a barra, mas recebi um ataque de lobo alfa de primeira categoria.

— Eu... não controlo exatamente o que acontece quando estou curando. — Estava surpreso por minha voz ainda funcionar. — Com Hearth, tive que usar muito poder. Ele estava à beira da morte. Acho que eu não conseguiria ler muito de você enquanto estivesse curando um corte infeccionado. Vou tentar não ler, pelo menos. Mas, se você não for curada...

Ela olhou para o curativo do braço, no local onde Blitzen tirara sangue.

— Tá. Tá, tudo bem. Só que... só a testa. Nada *dentro* da minha cabeça.

Toquei a testa dela. Alex estava ardendo de febre. Invoquei o poder de Frey, e ela soltou um suspiro de surpresa. Na mesma hora, o ferimento se fechou. A pele esfriou. A cor voltou ao normal.

Minhas mãos quase não brilhavam. Parecia que o fato de estarmos ao ar livre, cercados pela natureza, facilitava a cura.

— Não vi nada — jurei para Alex. — Você ainda é um mistério envolto em um ponto de interrogação envolto em roupas de flanela.

Ela expirou, emitindo um som que era algo entre uma gargalhada e um suspiro de alívio.

— Obrigada, Magnus. Agora será que podemos acender a fogueira?

Ela não me chamou de Maggie nem de Zé-Ninguém. Decidi encarar isso como uma oferta de paz.

Quando estávamos com uma bela chama acesa, tentamos descobrir a melhor maneira de requentar o falafel do Fadlan sobre uma chama aberta. Aprendemos uma lição importante: não dá para assar falafel no espeto como se fosse um marshmallow. Praticamente só comemos os chocolates da casa do tio Randolph.

Blitz passou boa parte da manhã fiando o fio mágico na roca portátil de viagem. (Claro que ele tinha uma roca no kit. Por que não teria?) Enquanto isso, Jacques voou de um lado para outro na lateral da bolsa de boliche, perfurando no padrão que Blitz queria que ele bordasse.

Alex e eu ficamos vigiando, mas não aconteceu muita coisa. Sam e Hearth não apareceram. Nenhum gigante eclipsou o sol ou destruiu a floresta com cadarços desamarrados. A coisa mais perigosa que vimos foi um esquilo vermelho em um galho acima da nossa fogueira. Provavelmente não era uma ameaça, mas desde que conhecera Ratatosk, eu achava melhor prevenir. Fiquei de olho nele até que pulasse para outra árvore.

À tarde, as coisas ficaram mais animadas. Depois do almoço, Blitz e Jacques começaram a trabalhar no bordado em si. De algum modo (talvez, hã, com *magia?*), Blitz fez uma pilha de fio vermelho cintilante com meu cabelo, o sangue de Alex Fierro e os fios do colete dele. Depois amarrou uma ponta no cabo de Jacques, que voou de um lado para o outro da lateral da bolsa, mergulhando no couro como um golfinho, deixando uma trilha cintilante de pontos. Vê-lo me lembrou de como amarramos o lobo Fenrir... uma lembrança que eu não fazia questão de ter.

Blitzen gritava instruções.

— Para a esquerda, Jacques! Diminua esse ponto! Certo, agora faça um pesponto! Faça um arremate ali no final!

Alex mordeu a barra de chocolate.

— Arremate?

— Não faço ideia do que eles estão falando — admiti.

Talvez inspirada pela exibição de costura, Alex soltou o garrote dos passadores da calça. Passou o fio de metal pelas solas dos tênis, raspando a lama gelada.

— Por que escolheu essa arma? — perguntei. — Você pode simplesmente me mandar calar a boca de novo, se quiser, sem problemas.

Alex me deu um meio sorriso.

— Tudo bem. Começou como meu cortador de argila.

— Cortador de argila. É aquele fio que você passa por um bloco de argila.

— Você descobriu isso sozinho?

— Ha-ha. Imagino que a maioria dos cortadores de argila não tenha aplicações de combate.

— Não muito. Minha m... — Ela hesitou. — Loki me visitou uma vez no estúdio. Estava tentando me impressionar, me mostrar quanto podia fazer por mim. Ele me ensinou um encantamento que eu poderia usar para fazer uma arma mágica. Eu não queria dar a ele a satisfação de me ajudar. Então, usei o feitiço na coisa mais estúpida e inócua em que consegui pensar. Não me dei conta de que um fio com cavilhas nas pontas pudesse ser uma arma.

— Mas...

Alex apontou para uma rocha próxima, um pedaço grande de granito do tamanho de um piano. Ela lançou o garrote, segurando uma das pontas como um chicote. O fio se esticou quando voou. A ponta se enrolou na pedra e prendeu bem. Alex puxou. A parte de cima da pedra deslizou para o chão com um som de tampa de pote de biscoitos sendo removida.

O fio voltou para sua mão.

— Legal. — Tentei não deixar meus olhos pularem da cara. — Mas faz batata frita?

Alex murmurou alguma coisa sobre garotos idiotas, mas tenho certeza de que não teve nada a ver comigo.

A luz da tarde sumiu rapidamente. Lá na bolsa de boliche, Blitz e Jacques continuavam trabalhando em sua participação na Grande Competição de Costura de Jötunheim. As sombras se alongaram. A temperatura caiu. Reparei nisso porque Blitz tinha acabado de fazer um corte de cabelo drástico em mim, e meu pescoço exposto estava gelado. Eu só estava agradecido de não haver espelhos para me mostrar os horrores que o anão tinha feito na minha cabeça.

Alex jogou outro graveto no fogo.

— Você pode perguntar.

Eu me remexi, desconfortável.

— O quê?

— Você quer me perguntar sobre Loki — disse Alex. — Por que coloquei o símbolo dele no meu trabalho, por que tenho a tatuagem. Quer saber se estou trabalhando para ele.

Essas perguntas *estavam* no fundo dos meus pensamentos, mas eu não entendia como Alex podia saber. Eu me perguntei se meu toque de cura tinha saído pela culatra. Talvez eu tenha dado a Alex uma visão da *minha* cabeça.

— Isso é algo que me preocupa — admiti. — Você age como se não gostasse de Loki...

— Eu não gosto.

— Então por que usa o símbolo dele?

Ela tocou a nuca.

— Este desenho, as duas cobras entrelaçadas? Era chamado de Serpentes de Urnes, por causa de um lugar na Noruega. Não é apenas um símbolo de Loki. — Ela entrelaçou os dedos e os balançou. — As cobras significam mudança e flexibilidade. Versatilidade. As pessoas começaram a usar as cobras para representar Loki, e ele não se importou. Mas eu decidi... por que Loki pode tomar posse de um símbolo tão maneiro? Eu gosto das cobras. Estou transformando o símbolo em algo meu. Loki não é o dono do símbolo da mudança tanto quanto não é meu dono. E não estou nem aí para o que as pessoas pensam.

Olhei para outro graveto estalando nas chamas; um enxame de fagulhas laranja se elevou da fogueira. De repente me lembrei do meu sonho com a suíte de Alex, Loki se transformando em uma mulher ruiva. Pensei em como Alex evitava chamar Loki de pai.

— Você é como o cavalo de oito patas.

Alex franziu a testa.

— Stanley?

— Não, o cavalo de oito patas *original*. Qual é o nome dele? Sleipnir. Mallory Keen me contou a história, alguma coisa sobre Loki virar uma égua para poder atrair o garanhão de um gigante para longe. E aí... Loki engravidou. Ele... *ela* deu à luz Sleipnir. — Olhei para Alex, bem ciente do garrote pousado sobre sua coxa. — Loki não é seu pai, é? Ele é sua mãe.

Alex apenas me encarou.

Eu pensei: *Bem, lá vem o garrote. Adeus, membros! Adeus, cabeça!*

Ela me surpreendeu com uma gargalhada amarga.

— Acho que esse corte de cabelo te deixou mais esperto.

Resisti à vontade de passar a mão na cabeça.

— Então estou certo?

— Está. — Ela puxou os cadarços cor-de-rosa dos tênis. — Eu queria poder ter visto a cara do meu pai quando ele descobriu. Pelo que sei, Loki se metamorfoseou no tipo de mulher que meu pai gostava. Ele já era casado na época, mas isso não o impediu. Ele estava acostumado a ter o que queria. Teve um caso com uma ruiva gostosona. Nove meses depois, Loki apareceu na porta dele com um bebezinho de presente.

Tentei imaginar o deus em sua forma impressionante de sempre, talvez usando smoking verde, tocando a campainha de uma casa em um bairro elegante. *Oi, eu era aquela moça com quem você teve um caso. Olha o nosso bebê aqui.*

— Como sua mãe mortal reagiu? Quer dizer, a esposa do seu pai... Quer dizer, sua madrasta...

— É confuso, não é? — Alex jogou outro graveto no fogo. — Minha madrasta não ficou feliz. Eu cresci com *duas* pessoas que se ressentiam e tinham vergonha de mim. E ainda tinha Loki, que ficava aparecendo em momentos aleatórios, tentando agir como *mãe*.

— Cara... — falei.

— *Moça*, hoje — corrigiu Alex.

— Não, eu quis dizer... — Parei ao perceber que ela estava implicando. — O que aconteceu? Quando você saiu de casa?

— Dois anos atrás, mais ou menos. E você quer saber o que aconteceu? Uma porção de coisas.

Desta vez, reconheci o tom de aviso na voz dela. Queria mudar de assunto.

Ainda assim... Alex se tornou sem-teto na época em que minha mãe morreu, no mesmo período em que fui parar na rua. Essa coincidência me deixou inquieto.

Antes de perder a coragem, perguntei:

— Loki pediu para você vir com a gente?

Ela me olhou nos olhos.

— O que você quer dizer com isso?

Contei meu sonho para Alex: ela jogando vasos no pai (mãe), Loki dizendo *É um pedido tão simples*.

Estava escuro agora, mas eu não sabia direito quando tinha anoitecido. À luz da fogueira, o rosto de Alex pareceu ondular. Tentei convencer a mim mesmo de que não era a parte Loki dela se revelando. Era só mudança, flexibilidade. A tatuagem das cobras no pescoço dela era totalmente inocente.

— Você entendeu errado — disse Alex. — Ele me pediu para *não* vir.

Um estranho som latejante surgiu nos meus ouvidos. Percebi que era minha pulsação.

— Por que Loki pediria isso? E... do que você e Sam estavam falando ontem à noite, sobre um plano?

Ela enrolou o garrote nas mãos.

— Talvez você descubra, Magnus. E, a propósito, se me espionar novamente nos seus sonhos...

— Pessoal! — gritou Blitzen da montanha Bolsa de Boliche. — Venham ver como ficou!

TRINTA E OITO

Vocês nunca, nunquinha, vão adivinhar a senha do Blitzen

JACQUES PAIROU COM ORGULHO AO lado do seu trabalho manual.

É possível fazer trabalho manual quando não se tem mãos?

Na lateral da bolsa estavam costuradas várias novas linhas de escrita rúnica vermelha brilhante.

— O que está escrito? — perguntou Alex.

— Ah, são algumas runas técnicas. — Os olhos de Blitzen brilharam de satisfação. — O básico de magia, termos e condições, o acordo do usuário. Mas, embaixo, diz: COUROVAZIO, UMA BOLSA FINALIZADA POR BLITZEN, FILHO DE FREYA. COM AJUDA DE JACQUES.

— Eu escrevi isso! — disse Jacques com orgulho. — Eu ajudei!

— Bom trabalho, amigo. E... como funciona?

— Estamos prestes a descobrir! — Blitzen esfregou as mãos, ansioso. — Vou falar a palavra secreta de comando. Aí, essa bolsa vai encolher para um tamanho pequeno e fácil de carregar, ou... Bem, tenho certeza de que vai encolher.

— Volte um pouquinho para a parte do *ou* — pediu Alex. — O que *mais* pode acontecer?

Blitzen deu de ombros.

— Bom... tem uma pequena chance de a bolsa se expandir e cobrir boa parte deste continente. Não, não. Tenho certeza de que acertei. Jacques foi cuidadoso na hora de pespontar as runas onde eu pedi.

— Eu tinha que ter pespontado? — Jacques brilhou em amarelo. — Brincadeirinha. É, eu pespontei direitinho.

Eu não estava tão confiante. Por outro lado, se a bolsa se expandisse para um tamanho continental, eu não viveria o bastante para me importar.

— Tudo bem — falei. — Qual é a senha?

— Não! — gritou Blitzen.

A bolsa de boliche estremeceu. A floresta inteira sacudiu junto. A bolsa encolheu tão rápido que fiquei enjoado pela mudança de perspectiva. A montanha de couro sumiu. Aos pés de Blitzen havia uma bolsa de boliche de tamanho normal.

— ISSO! — Blitzen a pegou e espiou o fundo. — Tem uma bola de boliche dentro, mas a sensação é de que está vazia. Jacques, nós conseguimos!

Eles bateram as mãos, ou uma mão, considerando que a lâmina de Jacques não tinha dedos.

— Espere — disse Alex. — Quer dizer... bom trabalho, e tal. Mas você criou mesmo uma senha que era *senha*?

— NÃO! — Blitz jogou a bolsa de boliche no bosque como se fosse uma granada. Na mesma hora, ela cresceu até o tamanho de uma montanha, criando um maremoto de árvores esmagadas e animais apavorados. Quase senti pena dos esquilos traiçoeiros.

— Eu estava com pressa! — disse Blitzen, bufando. — Posso alterar a s... a *palavra de comando* mais tarde, mas exigiria mais fio e mais tempo. Por enquanto, vocês podem *fazer o favor* de evitar dizer... vocês sabem, *aquela* palavra?

Em seguida, ele disse *aquela palavra*. A bolsa encolheu novamente.

— Você trabalhou muito bem, cara — falei. — E, Jacques, belo trabalho no bordado.

— Obrigado, senhor! Eu também adorei seu novo corte de cabelo. Você não parece mais aquele cara do Nirvana. Está mais para, sei lá... Johnny Rotten? Ou uma Joan Jett loura?

Alex caiu na gargalhada.

— Como você conhece essa gente? — perguntou ela. — T.J. disse que você ficou no fundo de um rio por mil anos!

— Fiquei, mas andei me atualizando.

Alex riu.

— Joan Jett.

— Calem a boca, vocês dois — resmunguei. — Quem aqui quer jogar boliche?

Ninguém queria jogar boliche.

Blitzen entrou em uma barraca e desmaiou de exaustão. Em seguida, cometi o erro de deixar Jacques voltar para a forma de pingente, e *eu* desmaiei de exaustão, com a sensação de ter passado o dia todo escalando penhascos.

Alex prometeu ficar de vigia. Pelo menos, acho que foi isso que ela disse. Ela poderia ter anunciado: *Vou convidar Loki para o acampamento e matar todos vocês! MUA-HA-HA-HA*. E eu desmaiaria do mesmo jeito.

Não sonhei com nada além de golfinhos pulando alegremente em um mar de couro.

Acordei com o céu passando de preto a chumbo. Insisti para que Alex descansasse um pouco. Até nós três acordarmos, comermos o café da manhã e terminarmos de desmontar o acampamento, o céu já parecia um cobertor grosso cinza-escuro.

Quase vinte e quatro horas perdidas. Samirah e Hearthstone ainda estavam desaparecidos. Tentei imaginá-los em segurança junto à lareira na casa de Utgard-Loki, contando histórias e se empanturrando. Mas só consegui imaginar um bando de gigantes perto da lareira, contando histórias sobre os mortais saborosos que eles tinham comido na noite anterior.

Pare com isso, falei para o meu cérebro.

E o casamento é amanhã, meu cérebro respondeu.

Saia da minha cabeça.

Meu cérebro se recusou a sair da minha cabeça. Que falta de consideração.

Caminhamos pela ravina, tentando seguir a direção que Miúdo havia indicado. Era de se supor que poderíamos seguir os passos dele, mas era difícil distingui-los dos vales e cânions naturais.

Depois de uma hora, mais ou menos, avistamos nosso destino. Em um penhasco enorme, ao longe, havia uma estrutura parecida com um armazém. O Godzilla inflável havia sumido (o aluguel diário de uma coisa daquelas devia ser exorbitante), mas a placa de néon ainda brilhava: PISTAS DE BOLICHE UTGARD. As letras brilhavam uma de cada vez, depois todas juntas, depois com brilhos nas beiradas, garantindo que ninguém deixasse de ver a única placa de néon no maior penhasco de Jötunheim.

Seguimos por uma trilha sinuosa perfeita para burros colossais, mas não muito indicada para mortais pequenos. O vento frio soprava ao nosso redor. Meus pés estavam doendo. Eu estava agradecido pela bolsa de boliche mágica de Blitzen, porque arrastar a versão em tamanho real por aquela ladeira teria sido impossível e nada divertido.

Quando chegamos no topo, percebi quanto o boliche Utgard realmente era grande. A construção em si era capaz de abrigar boa parte do centro de Boston. A porta dupla marrom era coberta de rebites de metal do tamanho de uma casa de três quartos. Nas janelas sujas brilhavam propagandas em néon de Suco Jötunn, Cerveja Pequena Grande e Super-Hidromel. Havia animais colossais presos a postes do lado de fora: cavalos, carneiros, iaques e, sim, burros, cada um mais ou menos do tamanho do Kilimanjaro.

— Não há nada a temer — murmurou Blitz. — É como um bar anão. Só que… enorme.

— Como vamos fazer isso? — perguntou Alex. — Vamos arrasar com um strike?

— Ha-ha — falei. — Sam e Hearth podem estar aí dentro, então vamos seguir as regras. Vamos entrar. Pedir direito de convidados. Tentar negociar.

— E, quando isso não der certo, nós improvisamos — disse Blitz.

Alex, por ser sempre a favor de mudanças e versatilidade, disse:

— Odiei essa ideia. — Ela franziu a testa para mim. — Além do mais, você me deve uma bebida por ter sonhado comigo.

Ela andou até a entrada.

Blitzen ergueu as sobrancelhas.

— Devo perguntar?

— Não — respondi. — Não mesmo.

Passar pelas portas não foi problema. Atravessamos pelo vão sem nem precisarmos nos agachar.

Lá dentro havia o maior e mais lotado boliche que eu já tinha visto.

À esquerda, vinte ou trinta gigantes do tamanho da Estátua da Liberdade ocupavam o bar, sentados em bancos que seriam ótimos arranha-céus residenciais. Os gigantes estavam usando camisas de boliche de cores néon que deviam ter roubado de um brechó dos anos 1970. Na cintura, havia uma variedade de facas, machados e clavas cheias de pontas. Eles riam e xingavam uns aos outros e jogavam canecas de hidromel que poderiam irrigar todas as plantações da Califórnia por um ano.

Pareceu meio cedo para hidromel, mas, pelo que eu sabia, esses caras podiam estar na farra desde 1999. Ao menos essa era a música tocando nos alto-falantes: "1999", do Prince.

À nossa direita havia um fliperama onde mais gigantes jogavam pinball e *Sra. Pac-Man Imensa*. No fundo do cômodo, tão longe quanto Boston é de New Hampshire, mais gigantes se reuniam nas pistas de boliche em grupos de quatro ou cinco, com roupas fosforescentes combinando e sapatos de boliche feitos de camurça. Uma faixa na parede dos fundos dizia: GRANDE TORNEIO DE BOLICHE DE UTGARD! BEM-VINDOS, COMPETIDORES DO G.T.B.U.!

Um dos gigantes fez uma jogada. Um trovão ribombou enquanto a bola de boliche rolava pela pista. O chão vibrou, me sacudindo como se eu fosse um brinquedo de corda.

Procurei Miúdo e sua camisa de Perus do Boliche. Não consegui vê-lo. Ele devia ser fácil de encontrar, mas, de nosso ponto de vista no chão, havia obstáculos enormes demais no caminho.

Nesse momento, a multidão se mexeu. Do outro lado do aposento, olhando diretamente para mim, estava um gigante que eu queria ver menos ainda do que Miúdo. Ele estava sentado em uma cadeira de couro alta, na plataforma com vista para as pistas, como se fosse o juiz ou o mestre de cerimônias. A camisa de boliche era feita de penas de águia. A calça era de poliéster marrom. As botas com rebites de ferro pareciam feitas de navios de guerra reciclados da Segunda Guerra Mundial. Em volta do antebraço dele havia um bracelete de ouro cravejado de gemas verdes.

O rosto dele era anguloso e bonito, mas de um jeito meio cruel. O cabelo liso preto-carvão descia até os ombros. Os olhos cintilavam com diversão e malícia. Ele definitivamente teria chegado à lista de *Os 10 Assassinos Mais Atraentes de Jötunheim*. Estava uns trinta metros mais alto do que na última vez que eu o vira, mas eu o reconheci na hora.

— Big Boy — falei.

Não sei como o gigante ouviu minha voz diminuta em meio ao caos, mas assentiu em um cumprimento.

— Magnus Chase! — gritou ele. — Estou feliz por você ter conseguido chegar!

A música parou. No bar, gigantes se viraram para olhar para nós. Big Boy levantou o punho, como se me oferecesse um microfone. Entre os dedos dele, como bonecos de soldadinhos, estavam Samirah e Hearthstone.

TRINTA E NOVE

Elvis deixou a bolsa de boliche

— Pedimos direitos de convidados! — gritei. — Utgard-Loki, solte nossos amigos!

Achei que foi um ato bem corajoso da minha parte, considerando que estávamos encarando uma convenção armada e malvestida de Estátuas da Liberdade.

O grupo de gigantes riu. No bar, um gritou:

— O que você disse? Fale mais alto!

— Eu falei...

O barman voltou a botar "1999" e abafou minha voz. Os gigantes uivaram de tanto rir.

Franzi a testa para Blitzen.

— Você me disse que as músicas da Taylor Swift eram as preferidas dos anões... Isso quer dizer que Prince era um gigante?

— Hã? — Blitzen manteve o olhar grudado em Hearthstone, que ainda estava preso e se debatendo na mão de Utgard-Loki. — Não, garoto. Isso só quer dizer que os gigantes têm bom gosto. Você acha que Jacques poderia cortar nossos amigos da mão do gigante?

— Antes de Utgard-Loki os esmagar? Improvável.

Alex enrolou o garrote na mão, apesar de eu não conseguir ver como isso ajudaria, a não ser que ela pretendesse passar fio dental nos gigantes.

— Qual é o plano?

— Estou trabalhando nisso.

Finalmente, Utgard-Loki fez um gesto de *basta*, passando o dedo na garganta. (Não era meu gesto favorito.) A música foi interrompida outra vez. Os gigantes se acalmaram.

— Magnus Chase, estávamos esperando você! — Utgard-Loki sorriu. — Quanto aos seus amigos, eles não são meus prisioneiros. Eu só estava levantando os dois para que vissem que você chegou! Tenho certeza de que estão muito felizes!

Sam não parecia feliz. Ela mexeu os ombros, tentando se soltar. Sua expressão sugeria que ela tinha vontade de matar todos os presentes que estivessem usando camisa de boliche e talvez alguns que não estivessem.

Quanto a Hearth, eu sabia quanto ele odiava ficar com as mãos presas. Desse jeito ele não podia se comunicar nem fazer magia. A fúria gelada nos olhos do elfo me lembrou o pai dele, o sr. Alderman, e não foi uma semelhança que eu gostei de notar.

— Coloque meus amigos no chão se eles não são seus prisioneiros.

— Como desejar! — Utgard-Loki colocou Sam e Hearth em cima da mesa, e eles eram do tamanho da caneca de hidromel do gigante. — Nós deixamos os dois bem à vontade enquanto esperávamos vocês. Miúdo mencionou que trariam a bolsa de boliche dele no máximo até esta manhã. Eu estava começando a achar que vocês não iam conseguir chegar!

Pelo jeito que ele falou, pareceu que estávamos fazendo uma troca de reféns. Uma sensação fria e pesada surgiu nas minhas entranhas. Eu me perguntei o que teria acontecido com Sam e Hearth se não tivéssemos aparecido com a bolsa. Nós os deixamos esperando, presos aqui por vinte e quatro horas, provavelmente se perguntando se ainda estávamos vivos.

— Nós estamos com a bolsa! — falei. — Não se preocupe.

Cutuquei Blitzen.

— Certo! — Blitzen deu um passo à frente e levantou sua criação. — Esta é Courovazio, prestes a ficar famosa entre as bolsas de boliche, finalizada por Blitzen, filho de Freya! Com ajuda de Jacques!

Nosso velho amigo Miúdo abriu caminho pela multidão. Manchas de hidromel sujavam a camisa cinza. O coque havia se soltado. Como ele avisara, em comparação aos outros gigantes do local, ele *realmente* parecia pequeno.

— O que vocês fizeram com a minha bolsa? — gritou o gigante. — Lavaram na máquina? Está minúscula!

— Igual a você! — disse outro gigante, assobiando.

— Cale a boca, Hugo! — gritou Miúdo.

— Não tema! — prometeu Blitzen, a voz demonstrando qual era o som do temor. — Posso fazer a bolsa voltar ao tamanho normal! Mas, primeiro, quero garantias do seu rei de que temos direitos de convidados: nós três e nossos dois amigos na mesa.

Utgard-Loki deu um risinho.

— Bem, Miúdo, parece que eles fizeram o que você pediu. Trouxeram sua bolsa.

Miúdo indicou, triste, a nova bolsa minúscula.

— Mas...

— Miúdo... — disse o rei, o tom engrossando.

Miúdo olhou de cara feia para nós. Ele não parecia tão tranquilo agora.

— Sim — afirmou o gigante com os dentes cerrados. — Eles cumpriram a parte deles da barganha. Eu asseguro... de um jeito muito, muito *pequeno*.

— Prontinho! — Utgard-Loki sorriu de modo radiante. — Vocês são convidados oficiais do meu boliche!

Ele pegou Sam e Hearth e os colocou no chão. Felizmente, a espada e a pedra Skofnung ainda estavam nas costas de Samirah.

O rei se virou para falar com os gigantes reunidos.

— Meus amigos, se recebermos esses convidados, no nosso tamanho atual, vamos ficar com a vista cansada só tentando não pisar neles. Vamos ter que servir comida com pinças e encher os copinhos deles com conta-gotas. Isso não é divertido! Vamos diminuir um pouco a festa, certo?

Os gigantes resmungaram, mas ninguém pareceu querer contradizer o rei. Utgard-Loki estalou os dedos. O salão girou. Meu estômago embrulhou, fiquei atordoado.

O boliche encolheu e passou de colossal a apenas enorme. Os gigantes agora tinham em média dois metros de altura. Eu conseguia olhar para eles sem inclinar o pescoço ou ter que ver suas narinas cavernosas.

Samirah e Hearthstone correram para se juntar a nós.

Você está bem?, Blitz sinalizou para Hearth.

Onde vocês estavam?, perguntou Hearth.

Samirah me deu um sorriso sofrido de eu-vou-te-matar.

— Achei que vocês estivessem mortos. E o que aconteceu com seu cabelo?

— Longa história — respondi.

— É, desculpa pelo atraso. — O pedido de desculpas de Alex me surpreendeu mais do que qualquer outra coisa até o momento. — O que a gente perdeu?

Sam olhou para ela como quem diz: *Se eu contasse, você não acreditaria.*

Eu não consegui imaginar que a história dela fosse mais esquisita do que a nossa, mas, antes que pudéssemos comparar as experiências, Miúdo cambaleou na direção de Blitzen. O gigante pegou a bolsa de boliche, que agora estava do tamanho certo para ele.

Ele a abriu e deu um suspiro de alívio.

— Graças aos céus! Elvis!

Miúdo tirou a bola de boliche de dentro da bolsa e a examinou para ver se estava danificada. Na superfície havia uma pintura de Elvis Presley dos anos 1970, com o macacão branco cheio de pedras.

— Ah, machucaram você, bebê? — O gigante beijou a bola e a abraçou contra o peito. E olhou de cara feia para Blitzen. — Você tem sorte de não ter acontecido nada com Elvis, anãozinho.

— Não tenho interesse nenhum em fazer mal a Elvis. — Blitzen tirou a bolsa agora vazia das mãos de Miúdo. — Mas vou ficar com Courovazio como garantia! Você pode pegá-la de volta quando sairmos daqui ilesos. Se tentar qualquer coisa, devo avisar que a bolsa só muda de tamanho com uma palavra de comando, e você nunca vai adivinhar sozinho!

— O quê? — gritou Miúdo. — É *Presley?*

— Não.

— É *Graceland?*

— Não.

— Amigos, amigos! — Utgard-Loki andou em nossa direção com os braços abertos. — Hoje é o dia do torneio! Temos convidados especiais! Não vamos brigar. Vamos comer, beber e competir! Aumentem a música! Aqui tem bebidas para todos!

"Little Red Corvette" começou a tocar nos alto-falantes. A maioria dos gigantes se dispersou, voltando para o hidromel, para o boliche e para a *Sra. Pac-Man Não Tão Imensa*. Alguns, principalmente os de camisa cinza como a de Miúdo, pareciam querer nos matar, independentemente dos direitos de convidados, mas me confortei sabendo que tínhamos uma opção catastrófica. Se as coisas fossem de mal a pior, sempre podíamos gritar *senha* e destruir a construção inteira em uma avalanche de couro bordado por anão.

Utgard-Loki bateu nas costas de Miúdo.

— Isso aí! Vá tomar um Suco Jötunn!

Miúdo aninhou Elvis nos braços e foi para o bar, olhando de cara feia para nós por cima do ombro.

— Utgard-Loki — falei —, nós precisamos de informações...

— Agora não, seu idiota. — Ele manteve o sorriso, mas o tom foi um rosnado desesperado. — Pareça feliz. Finja que acabou de me contar uma piada.

— O quê?

— Essa foi ótima! — gritou o rei gigante. — Ha-ha-ha!

Meus amigos tentaram entrar na farsa.

— É, ha-ha! — disse Sam.

Blitzen soltou uma boa gargalhada anã.

— Hilário! — disse Alex.

H-A-H-A, sinalizou Hearth.

Utgard-Loki continuou sorrindo para mim, mas seus olhos estavam afiados como adagas.

— Nenhum gigante aqui além de mim quer ajudar vocês — disse ele, baixinho. — Se não se mostrarem dignos, nunca vão sair vivos deste boliche.

— O quê? — sibilou Blitzen. — Você prometeu direitos de convidados. Você é o rei!

— E já usei toda a minha influência e credibilidade tentando ajudar vocês! De outro modo, não teriam chegado tão longe!

— Nos *ajudar*? — questionei. — Matando nosso bode?

— E se infiltrando em Valhala? — acrescentou Sam. — E possuindo um instrutor de voo inocente?

— Tudo isso para dissuadir vocês de caírem na armadilha de Loki. O que, até agora, vocês conseguiram fazer *mesmo assim*. — Ele virou a cabeça e gritou para quem estivesse olhando: — É verdade, pequeno mortal! Mas vocês nunca vão vencer os gigantes!

Ele baixou a voz de novo.

— Nem todo mundo aqui acha que Loki *precisa* ser impedido. Vou contar para vocês o que precisam saber para atrapalhar os planos dele, mas vão ter que colaborar. Se não se provarem dignos e não conquistarem o respeito dos meus seguidores, vou ser destronado, e um desses imbecis vai se tornar o novo rei. Aí, estaremos *todos* mortos.

Alex olhou para os gigantes como se decidisse que imbecil garrotear primeiro.

— Olhe, Vossa Majestade Penosa, você podia ter nos passado essas informações importantes por mensagem de texto ou telefone dias atrás. Para que todo o segredo e o Godzilla inflável?

Utgard-Loki franziu a testa para ela.

— Eu não podia mandar mensagem de *texto* para você, *cria de Loki*, por vários motivos. Primeiro e mais importante, porque seu pai tem meios de descobrir as coisas. Não concorda?

O rosto de Alex ficou vermelho, mas ela não disse nada.

— Agora — continuou o rei —, participem da festa. Vou levá-los à sua mesa.

— E depois? — perguntei. — Como vamos provar que somos dignos?

Os olhos de Utgard-Loki brilharam de um jeito que eu não gostei.

— Vocês vão nos entreter com feitos impressionantes. Vão nos superar na competição de boliche. Ou morrerão tentando.

QUARENTA

O Pequeno Billy mereceu

Eis o café da manhã dos campeões do boliche: amendoim, cachorro-quente morno e nachos velhos cobertos de gosma laranja que não tinha semelhança alguma com queijo cheddar. O hidromel estava choco e com gosto de adoçante. O lado bom: as porções eram gigantescas. Eu não tinha comido nada além de restos de falafel e chocolate no dia anterior. Encarei aquela gororoba corajosamente.

Em cada pista de boliche, gigantes se agrupavam por times, jogando comida, fazendo piadas e se gabando do poder de derrubar pinos.

Sam, Hearthstone, Blitz, Alex e eu nos sentamos juntos em um banco de plástico em formato de U, escolhendo as melhores partes da comida e observando as pessoas com certo nervosismo.

Utgard-Loki insistiu para que trocássemos nossos calçados normais por sapatos de boliche, todos grandes demais e laranja e rosa fosforescente. Quando Blitzen viu isso, achei que ia ter um choque anafilático. Mas Alex pareceu gostar. Pelo menos, não tivemos que vestir camisas de time. Enquanto comíamos, contamos para Sam e Hearth o que tinha acontecido conosco na floresta.

Sam balançou a cabeça, irritada.

— Magnus, você sempre fica com a parte fácil.

Eu quase engasguei com um amendoim.

— Fácil?

— Hearth e eu passamos o dia aqui tentando nos manter vivos. Quase morremos seis vezes.

Hearth levantou sete dedos.

— Ah, é — disse Sam. — Teve a coisa das privadas.

Blitzen colocou os pés embaixo do banco, sem dúvida para não ter que olhar para os sapatos horríveis.

— Os gigantes não deram direito de convidados a vocês?

— Foi a primeira coisa que pedimos — disse Sam. — Mas esses gigantes das montanhas... eles tentam distorcer suas palavras e matar você com gentileza.

— Como aquelas irmãs que conhecemos em janeiro. As que se ofereceram para levantar nossos assentos até a altura da mesa e tentaram nos esmagar no teto.

Sam assentiu.

— Ontem, eu pedi algo para beber. O barman me jogou em uma caneca de cerveja. Primeiro, sou muçulmana. Eu não bebo álcool. Segundo, as laterais eram tão escorregadias que eu não conseguia sair. Se Hearth não tivesse rachado o vidro com uma runa...

Tivemos que tomar cuidado com tudo o que dizíamos, sinalizou Hearth. *Eu pedi um lugar para dormir...* Ele estremeceu. *Quase fui esmagado na máquina de devolver bolas.*

Sam traduziu para Alex.

— Ai. — Alex fez uma careta. — Não é surpresa vocês estarem com essa cara péssima. Sem querer ofender.

— Isso não é o pior — disse Sam. — Tentar fazer minhas orações com Hearthstone de guarda? Impossível. E os gigantes ficavam nos desafiando e trapaceando em demonstrações de habilidade.

Ilusões, sinalizou Hearthstone, movendo as palmas das mãos em círculos para nós para representar duas imagens se modificando. *Nada aqui é o que parece.*

— É. — Blitz assentiu com seriedade. — A mesma coisa com Miúdo e a bolsa de boliche. Utgard-Loki e seu povo são famosos pelo poder de ilusão.

Olhei ao redor, me perguntando quão grandes os gigantes realmente eram e como seriam sem magia. Talvez as roupas de boliche horrendas fossem miragens com a intenção de nos desorientar.

— Então... como podemos saber o que é ilusão e o que é real?

— O mais importante... — Alex levantou um nacho encharcado de gosma laranja. — Posso fingir que isto é um burrito da Taqueria da Anna?

— Temos que ficar atentos — avisou Sam. — Ontem à noite, depois que elaboramos o pedido com muito cuidado, eles finalmente nos deram sacos de dormir, mas tivemos que "provar nossa força" abrindo-os nós mesmos. Tentamos por uma hora. Os sacos nem se mexiam. Utgard-Loki finalmente admitiu que eram feitos de titânio. Os gigantes morreram de rir.

Eu balancei a cabeça.

— Como isso pode ser engraçado?

Hearth sinalizou: *Conte sobre o gato.*

— É — concordou Sam. — E teve o gato. Como "favor", antes de recebermos o jantar, nós tínhamos que pegar o gato de Utgard-Loki e trazê-lo para dentro.

Olhei ao redor, mas não vi nenhum gato.

— Está em algum lugar por aqui — disse Sam. — Mas nós não conseguíamos movê-lo porque o gato era um elefante-africano de seis toneladas. Nós só percebemos quando os gigantes nos contaram, mais tarde, depois de passarmos horas tentando e de perdermos o jantar. Eles *amam* humilhar os convidados fazendo-os se sentirem fracos e insignificantes.

— Está dando certo — murmurou Blitz.

Imaginei tentar pegar um elefante sem perceber que era um elefante. Era o tipo de coisa que eu perceberia.

— Como combatemos uma coisa assim? — perguntei. — Vamos ter que impressioná-los em vários testes? Desculpem, não tem muito que eu possa fazer contra sacos de dormir de titânio e elefantes-africanos.

Sam se inclinou sobre a mesa.

— O que quer que vocês achem que está acontecendo, lembrem-se de que é um artifício. Pensem fora da caixa. Façam alguma coisa inesperada. Quebrem as regras.

— Ah — disse Alex. — Nenhuma novidade aí.

— Então sua experiência deve ser útil — respondeu Sam. — Além disso, sabe aquele papo de Utgard-Loki sobre tentar ajudar? Não acredito em uma palavra...

— Oi, convidados!

Para um sujeito grande com uma camisa de boliche cheia de penas, o rei gigante era sorrateiro. Utgard-Loki se inclinou sobre a grade atrás da nossa mesa e olhou para nós, segurando um salsichão no palito.

— Nós temos pouco tempo. Os jogos já vão começar.

— Os jogos — disse Sam. — Como os que estamos fazendo desde *ontem*?

Os olhos de Utgard-Loki combinavam com a camisa de penas de águia. Ele e aquele olhar de ave de rapina, como se estivesse prestes a descer voando e pegar um roedor, ou talvez um humano pequeno, para jantar.

— Samirah, você tem que entender. Meus vassalos já estão chateados por eu ter convidado vocês para virem aqui. Precisam ter espírito esportivo. Ofereçam entretenimento, nos deem um bom show, mostrem que são dignos. Não esperem gentileza da minha parte durante as competições. Meus homens vão se virar contra mim se eu der tratamento preferencial.

— Então você não é grande coisa como rei — observei.

Utgard-Loki fez uma cara de desprezo. Para que os seguidores ouvissem, ele gritou:

— Isso é tudo o que vocês conseguem comer, mortais insignificantes? Temos bebês que conseguem devorar mais nachos! — Ele apontou o cetro real de salsichão para mim e baixou a voz: — Você sabe muito pouco sobre ser líder, Magnus Chase. Ser rei exige a combinação perfeita de punhos de ferro e hidromel, medo e generosidade. Por melhor que eu seja com magia, não posso simplesmente *forçar* minha vontade aos meus gigantes. Eles sempre estarão em número maior. Preciso conquistar o respeito deles todos os dias. Agora, *vocês* também precisam.

Alex se inclinou para longe do rei.

— Se é tão perigoso para você, por que nos ajudaria a recuperar Mjölnir?

— Não dou a mínima para o martelo de Thor! Os aesires sempre contaram demais com o medo que ele inspira. É uma arma poderosa, sim, mas, quando o Ragnarök chegar, Thor estará em apuros. Os deuses vão morrer de qualquer jeito. O martelo é um blefe, uma ilusão de força. E, acreditem em um feiticeiro experiente — o gigante sorriu —, até as melhores ilusões têm limite. Não ligo para o martelo. Quero impedir o plano de Loki.

Blitzen coçou a barba.

— De casar Sam e Thrym? Você teme essa aliança?

Utgard-Loki entrou novamente no modo atuação e gritou para a plateia:

— Humf! Esses são os salsichões mais incríveis de Jötunheim! Não existe nada igual! — Ele deu uma mordida enorme e jogou o palito vazio por cima do ombro. — Blitzen, filho de Freya, use a cabeça. É claro que eu temo a aliança. Aquele sapo feio do Thrym e a irmã dele, Thrynga, adorariam levar Jötunheim para a guerra. Com uma aliança com Loki *e* o martelo de Thor, Thrym se tornaria o Lorde dos Lordes.

Sam semicerrou os olhos.

— "Com o martelo de Thor"? Você quer dizer que, mesmo se eu me cassasse com ele, o que eu não vou fazer, Thrym não devolveria Mjölnir?

— Ah, vai haver uma troca de presentes, com certeza! Mas talvez não do jeito que você imagina. — Utgard-Loki esticou a mão e bateu no cabo da espada Skofnung, ainda pendurada nas costas de Sam. — Venham, venham, meus amigos. Antes que eu possa dar uma solução, vocês precisam entender o problema. Ainda não descobriram o verdadeiro objetivo de Loki?

Do outro lado do salão, um dos gigantes gritou:

— Nosso rei, e a competição? Por que está de namorico com esses mortais?

Mais gigantes riram e assobiaram para nós.

Utgard-Loki se empertigou, sorrindo para os súditos como se estivesse se divertindo muito.

— Sim, claro! Gigantas e gigantes, vamos começar a diversão! — Ele olhou para nós. — Honrados convidados, que habilidades incríveis vocês planejam nos mostrar hoje?

Todos os gigantes se viraram para nós, ansiosos para ouvir que tipos de fracassos constrangedores nós escolheríamos. Meus maiores talentos eram fugir e comer falafel, mas depois de uma refeição pesada de cachorros-quentes e nachos quimicamente modificados, eu duvidava que conseguisse vencer em qualquer uma das duas categorias.

— Não sejam tímidos! — Utgard-Loki abriu os braços. — Quem quer ser o primeiro? Queremos ver o que os campeões dos reinos mortais são capazes de fazer! Vocês vão beber mais do que nós? Correr mais rápido? Vão nos desafiar em uma luta?

Samirah se levantou. Fiz uma oração silenciosa de agradecimento pelas valquírias destemidas. Mesmo quando era um aluno mortal comum, eu odiava ser o primeiro. O professor sempre prometia pegar leve com o primeiro voluntário, ou dar um pontinho extra. Não, obrigado. Não valia toda a ansiedade.

Sam respirou fundo e olhou para a plateia.

— Sou hábil com o machado — afirmou ela. — Quem deseja me desafiar em arremesso de machado?

Os gigantes gritaram e assobiaram.

— Ora, ora! — Utgard-Loki pareceu satisfeito. — Esse seu machado é pequeno, Samirah al-Abbas, mas tenho certeza de que é uma excelente arremessadora. Hum... Normalmente, eu escolheria Bjorn Rachacrânio como nosso campeão de arremesso de machado, mas não quero que você se sinta humilhada *demais*. Que tal competir com o Pequeno Billy?

De um grupo de gigantes no final das pistas, um jovem gigante de cabelo encaracolado se levantou. Ele parecia ter uns dez anos, com a barriga gorducha enfiada em uma camiseta listrada de *Onde está Wally* e suspensórios amarelos segurando a bermuda. Também era muito vesgo. Quando veio em nossa direção, o garoto esbarrou nas mesas e tropeçou em bolas de boliche, para a diversão dos outros gigantes.

— Billy ainda está aprendendo a arremessar — disse Utgard-Loki. — Mas deve ser um bom desafio para você.

Samirah contraiu o maxilar.

— Tudo bem. Quais são os alvos?

Utgard-Loki estalou os dedos. No final das pistas um e três, fendas se abriram no chão e placas planas de madeira surgiram, cada uma pintada para se parecer com Thor, com o cabelo ruivo desgrenhado e a barba encaracolada, e o rosto contraído como se no meio de um peido.

— Cada um arremessa três vezes! — anunciou Utgard-Loki. — Samirah, você gostaria de começar?

— Ah, não, obrigada — disse ela. — As crianças primeiro.

Pequeno Billy andou na direção da linha de falta da pista. Ao lado dele, outro gigante colocou um embrulho de couro no chão, abriu e tirou três machadinhas, cada uma quase do tamanho de Billy.

Billy se esforçou para levantar o primeiro machado. Estreitou os olhos para o alvo distante.

Tive tempo de pensar: *Talvez Sam se saia bem. Talvez Utgard-Loki esteja pegando leve com ela, afinal*. Mas Billy começou a agir. Ele jogou um machado depois do outro, tão rápido que quase não consegui acompanhar os movimentos. Quando terminou, uma machadinha estava enfiada na testa de Thor, outra no peito e a terceira na virilha poderosa do deus do trovão.

Os gigantes comemoraram.

— Nada mal! — disse Utgard-Loki. — Agora, vamos ver se Samirah, orgulho das valquírias, consegue derrotar um garoto vesgo de dez anos de idade!

Ao meu lado, Alex murmurou:

— Ela está ferrada.

— Devemos intervir? — perguntou Blitzen, preocupado. — Sam nos disse para pensarmos fora da caixa.

Eu me lembrei do conselho dela: *Façam alguma coisa inesperada.*

Fechei os dedos ao redor do pingente. Eu me perguntei se devia pular da cadeira, chamar Jacques e provocar uma distração cantando um dueto de "Love Never Felt So Good". Hearthstone me poupou desse constrangimento levantando os dedos: *Espere.*

Sam estudou o oponente. Ela olhou para os machados de Pequeno Billy no alvo e pareceu chegar a uma conclusão. Seguiu até a linha de falta e ergueu o próprio machado.

O aposento ficou respeitosamente em silêncio. Ou talvez nossos anfitriões estivessem respirando fundo para poderem rir muito depois que Sam fracassasse.

Em um movimento fluido, Sam se virou e jogou o machado em Billy. Os gigantes ofegaram.

Os olhos de Pequeno Billy ficaram ainda mais vesgos com ele olhando para o machado enfiado na testa. Ele caiu para trás e desabou no chão.

Os gigantes berraram de ultraje. Alguns se levantaram e pegaram as armas.

— Esperem! — gritou Utgard-Loki. Ele olhou com raiva para Sam. — Explique-se, valquíria! Por que não devemos matá-la pelo que acabou de fazer?

— Porque essa era a única maneira de vencer — respondeu Sam.

Ela falou com uma calma muito grande, considerando o que havia feito e o número de gigantes prontos para massacrá-la. Sam apontou para o cadáver de Pequeno Billy.

— Ele não é uma criança gigante!

Ela anunciou isso com a autoridade de um detetive de TV, mas vi uma gota de suor escorrendo por baixo do hijab. Quase consegui ouvi-la pensando: *Por favor, que eu esteja certa. Por favor, que eu esteja certa.*

A multidão de gigantes continuou olhando para o cadáver de Pequeno Billy. Ele continuou parecendo uma criança gigante morta e malvestida. Eu sabia que a qualquer momento todos eles atacariam Samirah, e nós teríamos que fugir em disparada.

Mas, lentamente, a forma do garoto gigante começou a mudar.

A pele murchou até ele parecer um dos *draugrs* do príncipe Gellir. Os lábios de couro se curvaram sobre os dentes. Uma película amarela cobriu os olhos. As unhas cresceram e viraram foices afiadas. O Pequeno Billy zumbi se esforçou para ficar de pé e tirou o machado da testa.

Ele sibilou para Sam. Uma onda de puro terror se espalhou pelo cômodo. Alguns gigantes largaram as bebidas. Outros caíram de joelhos e choraram. Meus intestinos se embolaram e deram um nó.

— S-sim — anunciou Sam, com a voz bem mais baixa. — Como vocês podem ver, este não é Pequeno Billy. Este é Medo, que ataca rapidamente e sempre acerta o alvo. A única maneira de vencer o Medo é atacando-o de frente. Foi o que fiz. É por isso que venci a competição.

Medo largou o machado de Sam com repugnância. Com um sibilar final apavorante, ele se dissolveu em fumaça branca e sumiu.

Um suspiro coletivo de alívio se espalhou pelo lugar. Vários gigantes correram para o banheiro, provavelmente para vomitar ou para trocar de cueca.

Eu sussurrei para Blitzen:

— Como foi que Sam adivinhou? Como aquela coisa podia ser Medo?

Os olhos de Blitzen também pareciam meio amarelados.

— Eu... acho que Sam já encontrou Medo antes. Ouvi boatos de que os gigantes se dão bem com várias deidades menores: Raiva, Fome, Doença. Supostamente, a Velhice jogava boliche com os Utgard Supremos, mas não muito bem. Só que nunca achei que conheceria o Medo em pessoa...

Alex estremeceu. Hearthstone parecia triste, mas não surpreso. Eu me perguntei se ele e Sam tinham encontrado outras deidades menores durante o sofrimento de vinte e quatro horas.

Fiquei feliz por Sam ter sido a primeira, e não eu. Com a minha sorte, eu teria sido desafiado pela Felicidade e precisaria bater nela com a espada até que parasse de sorrir.

Utgard-Loki se virou para Sam com um brilho de admiração nos olhos.

— Acho que não vamos matar você, Samirah al-Abbas, pois fez o que era necessário para vencer. Esta rodada é sua!

Os ombros de Sam murcharam de alívio.

— Então nós provamos que somos dignos? A competição acabou?

— Ah, não, ainda não! — Os olhos do rei se arregalaram. — E nossos quatro outros convidados? Temos que ver se são tão habilidosos quanto você.

QUARENTA E UM

Na dúvida, transforme-se em um inseto

Eu estava começando a odiar o Grande Torneio de Boliche de Utgard.

Em seguida foi a vez de Hearthstone. Ele fez sinal para o fliperama e, com tradução minha, desafiou os gigantes a fazerem a maior pontuação no jogo que os competidores escolhessem. O time Jammers de Jötunn, de Hugo, indicou um cara chamado Kyle, que andou até a máquina de skee-ball e marcou exatos mil pontos. Enquanto os gigantes comemoravam, Hearthstone andou até a máquina de pinball *Starsky & Hutch: Justiça em Dobro* e colocou uma moeda de ouro vermelho na fenda.

— Espere! — protestou Hugo. — Não é o mesmo jogo!

— Não precisa ser — falei. — Hearth disse "qualquer jogo que os competidores escolhessem", no plural. Seu jogador escolheu skee-ball. Hearth escolheu pinball.

Os gigantes resmungaram, mas no fim cederam.

Blitzen sorriu para mim.

— Você vai ver uma coisa e tanto, garoto. Hearth faz magia.

— Eu sei disso.

— Não, estou falando no pinball.

Hearthstone soltou a primeira bola. Eu não o vi usar magia, mas ele logo destruiu a pontuação de Kyle — o que, convenhamos, não foi justo, pois a pontuação de pinball vai *bem* mais alto do que mil. Mesmo depois de ter passado de quinhentos milhões, Hearth continuou jogando. Ele mexia na máquina e batia nos pinos com tanta intensidade que eu me perguntei se Hearth estava pensando no pai e em todas as moedas que ele o fizera guardar por tarefas completadas. Naquela máquina, Hearth logo se tornou um bilionário de mentirinha.

— Chega! — gritou Utgard-Loki, tirando a máquina da tomada. — Você provou sua habilidade! Acho que podemos concordar que este elfo surdo sabe jogar pinball. Quem é o próximo?

Blitzen desafiou os gigantes a uma repaginação completa de visual. Prometeu que conseguiria deixar *qualquer* gigante mais atraente e estiloso. Os gigantes escolheram por unanimidade um jötunn chamado Grum, que aparentemente estava dormindo embaixo do bar (acumulando sujeira e limo) pelos últimos quarenta anos. Eu tinha quase certeza de que ele era a deidade menor Falta de Higiene.

Blitzen não desanimou. Ele pegou os itens de costura e começou a trabalhar. Demorou algumas horas para aprontar roupas novas a partir de itens da lojinha do boliche. Depois, Blitz levou Grum para o banheiro para um tratamento de choque. Quando saíram de lá, as sobrancelhas de Grum haviam sido aparadas. A barba e o cabelo estavam mais bem-cortados do que os do hipster mais metrossexual. Ele estava usando uma camisa de boliche cintilante com GRUM bordado na frente, junto com uma calça prateada e sapatos de boliche combinando. As moças gigantes desmaiaram. Os homens gigantes se afastaram dele, intimidados por aquela vibe de astro do cinema. Grum voltou para debaixo do bar e começou a roncar.

— Não consigo mudar maus hábitos! — disse Blitz. — Mas vocês viram. Eu venci o desafio ou não?

Houve muitos murmúrios, mas ninguém ousou discutir. Nem a feiura incrementada magicamente era páreo para um anão especializado em moda.

Utgard-Loki se inclinou para mim e murmurou:

— Vocês estão indo muito bem! Vou ter que fazer com que o último desafio seja muito difícil, para você ter uma chance alta de morrer. Isso deve solidificar o respeito dos meus vassalos.

— *Como é que é?*

O rei solícito levantou as mãos para a multidão.

— Gigantas e gigantes! Nós temos mesmo convidados muito interessantes, mas não temam! Teremos nossa vingança! Restam ainda dois desafiantes. O destino quis assim, pois esse é o número perfeito para um desafio de duplas de boliche. Como o boliche é o motivo de estarmos aqui hoje, façamos nossos dois últimos visitantes enfrentarem os campeões dos Perus do Boliche do Miúdo!

Os gigantes berraram e comemoraram. Miúdo olhou para mim e passou o dedo pela garganta, um gesto que eu já estava ficando cansado de ver.

— Os vencedores receberão o prêmio de sempre, que é, claro, a cabeça dos perdedores! — anunciou Utgard-Loki.

Olhei para Alex Fierro e me dei conta de que agora éramos uma dupla.

— Acho que é uma péssima hora para confessar — disse Alex —, mas eu nunca joguei boliche.

Nossos oponentes dos Perus do Boliche do Miúdo eram irmãos com os incríveis nomes de Herg e Blerg. Era difícil saber quem era quem. Além de serem gêmeos idênticos, eles usavam camisas cinza iguais e capacetes de futebol americano, esse último item provavelmente para nos impedir de jogar machados na cara deles. A única diferença entre os dois eram as bolas de boliche. A de Herg tinha uma pintura do rosto do Prince. (Talvez ele tivesse providenciado a playlist do bar.) O irmão, Blerg, tinha uma bola vermelha com a cara do Kurt Cobain. Blerg ficava olhando para mim e para a bola, como se estivesse tentando me imaginar com o cabelo comprido.

— Muito bem, meus amigos! — anunciou Utgard-Loki. — Vamos jogar um jogo curto de três jogadas!

Alex se inclinou na minha direção.

— Como é uma jogada?

— *Shhh.*

Na verdade, eu estava tentando lembrar as regras do boliche. Fazia anos que eu não jogava. Havia uma pista no Hotel Valhala, mas como os einherjar faziam quase tudo até a morte, não fiquei ansioso para ir conhecer.

— É uma competição muito simples! — continuou Utgard-Loki. — A pontuação mais alta ganha. A primeira equipe: os Mortais Insignificantes!

Ninguém comemorou quando Alex e eu fomos buscar as bolas.

— O que você acha? — sussurrou Alex.

— Basicamente — expliquei —, você tem que rolar a bola pela pista e derrubar os pinos.

Ela me olhou com irritação, o olho cor de mel duas vezes mais brilhante e raivoso do que o castanho-escuro.

— *Isso* eu sei. Mas devemos violar as regras, certo? Qual é a ilusão aqui? Você acha que Herg e Blerg são deidades menores?

Eu me virei para Sam, Blitz e Hearth, que tinham sido forçados a ficar observando pelo lado de fora da grade. As expressões deles não me diziam nada que eu já não soubesse: estávamos com sérios problemas.

Fechei os dedos ao redor do pingente e pensei: *Ei, Jacques, algum conselho?*

Minha espada cantarolou, sonolenta, como costumava fazer quando estava em forma de pingente. *Não.*

Obrigado, pensei em resposta. *Excelente ajuda da espada mágica.*

— Mortais insignificantes! — chamou Utgard-Loki. — Há algum problema? Vocês querem desistir?

— Não! Não, nós estamos bem. — Respirei fundo. — Certo, Alex, nós temos três jogadas. Três rodadas para jogar. Vamos ver como vai ser a primeira. Pode ser que nos dê ideias. Observe como eu jogo.

Foi uma declaração que eu jamais achei que fosse dar. Boliche *não* era um dos meus superpoderes. Mesmo assim, pisei no acesso com minha bola de boliche cor-de-rosa. (Ei, qual é?! Era a única que cabia nos meus dedos!) Tentei me lembrar das dicas que meu professor de carpintaria, o sr. Gent, nos dera quando tivemos nossa festa do ensino fundamental nas Pistas Lucky Strike. Fui até a linha, mirei e joguei com toda a minha força einherji.

A bola rolou lentamente, arrastada, e parou na metade da pista.

Os gigantes berraram de tanto rir.

Peguei a bola e voltei andando, com o rosto em chamas. Quando passei por Alex, ela resmungou:

— Valeu! Isso foi bem instrutivo.

Voltei para o meu lugar. Atrás da grade, Sam parecia pálida. Hearthstone sinalizou seu conselho mais útil: *Jogue melhor*. Blitzen sorriu e mostrou dois polegares para cima, o que me fez questionar se ele entendia as regras do boliche.

Alex foi até a linha. Ela jogou como uma criança, balançando a bola entre as pernas com as duas mãos e jogando pela pista. A esfera azul-escura quicou uma, duas vezes, e rolou um pouco mais longe do que a minha antes de cair na canaleta.

Mais risadas da plateia de gigantes. Alguns trocaram batidas de mãos. Moedas de ouro vermelho foram repassadas.

— Hora dos Perus do Boliche! — gritou Utgard-Loki.

Houve uma salva de palmas quando Herg entrou na pista ao lado.

— Esperem — falei. — Eles não têm que usar a mesma pista que nós?

Miúdo abriu caminho na multidão, os olhos arregalados de inocência fingida.

— Ah, mas o rei não falou nada sobre isso! Ele só disse que a maior pontuação vence. Vão em frente, rapazes!

Herg jogou a cabeça de Prince. A bola rolou direto pelo meio em velocidade relâmpago e derrubou os pinos com um som de marimba explodindo.

Gigantes comemoraram e balançaram os punhos. Herg se virou sorrindo por trás da máscara do capacete. Ele deu um tapa no ombro de Blerg, e eles trocaram algumas palavras.

— Preciso saber o que eles estão dizendo — disse Alex. — Já volto.

— Mas...

— PAUSA PARA O BANHEIRO! — gritou Alex.

Alguns dos gigantes franziram a testa por causa da interrupção, mas em geral, quando alguém grita *pausa para o banheiro* no meio de uma multidão, as pessoas não interferem. As consequências não são boas.

Alex entrou no banheiro feminino. Enquanto isso, Blerg chegou ao acesso. Levantou a bola do Kurt Cobain e a rolou pela pista, o rosto do cantor sumindo e aparecendo, dizendo *oi, oi, oi* até acertar os pinos e jogá-los longe com muito espírito roqueiro.

— Mais um strike! — gritou Miúdo.

Houve comemoração e hidromel sendo servido para todo lado, exceto entre mim e meus amigos.

Blerg e Herg se encontraram no suporte de bolas, rindo e olhando na minha direção. Enquanto a multidão ainda estava comemorando e fazendo novas apostas, Alex voltou do banheiro.

— JÁ TERMINEI! — anunciou ela.

Alex correu até mim e agarrou meu braço.

— Acabei de escutar Herg e Blerg conversando — sussurrou.

— Como?

— Eu xeretei. Faço esse tipo de coisa quando viro uma mosca.

— Ah. — Olhei para Sam, que estava com a testa muito franzida. — Estou familiarizado com essa coisa da mosca.

— A pista *deles* é uma pista normal de boliche — relatou Alex. — Mas a nossa... não sei. Ouvi Herg dizer "Boa sorte para eles, tentando acertar as Montanhas Brancas".

— As Montanhas Brancas — repeti. — Em New Hampshire?

Alex deu de ombros.

— A não ser que existam Montanhas Brancas em Jötunheim também. Seja como for, aquilo lá não são pinos de boliche.

Estreitei os olhos para o final da nossa pista, mas os pinos ainda pareciam pinos, não montanhas. Por outro lado, Pequeno Billy não parecia o Medo... até parecer.

Balancei a cabeça.

— Como é possível...?

— Não faço ideia — disse Alex. — Mas se nossas bolas de boliche estiverem rolando na direção de uma cadeia montanhosa em outro mundo...

— Elas nunca vão chegar ao final da pista. E não vamos conseguir derrubar nenhum pino. Como desfazemos o feitiço?

— Andem logo, mortais insignificantes! — gritou Miúdo. — Parem de enrolar!

Era difícil pensar com uma porção de gigantes gritando comigo.

— Eu... eu não sei — falei para Alex. — Preciso de mais tempo. Agora, a melhor coisa em que consigo pensar é em sabotar a pista *deles*.

Foi impulsivo, admito. Mas corri até a linha de falta e joguei minha bola de boliche cor-de-rosa com toda a minha força na pista de Herg e Blerg. A bola caiu com um baque que rachou o piso de madeira, ricocheteou para o meio da multidão e caiu em um espectador, que cacarejou feito uma galinha assustada.

— OHHHH! — gritaram os gigantes.

— O que foi isso? — gritou Miúdo. — Você acertou a cabeça de Eustis!

Utgard-Loki fez cara feia e se levantou do trono.

— Miúdo está certo, mortal. Você não pode jogar na outra pista. Quando escolhe uma pista, tem que permanecer nela.

— Ninguém disse isso — protestei.

— Bom, estou dizendo agora! Continuem!

Um gigante da plateia rolou a bola rosa de volta para mim.

Olhei para Alex, mas não tinha conselhos para oferecer a ela. Como se joga boliche quando o alvo é uma cadeia montanhosa distante?

Alex murmurou alguma coisa baixinho. Quando se aproximou, virou um urso-pardo. Ela se levantou nas patas de trás, com a bola de boliche presa nas patas da frente. Chegou à linha de falta e ficou de quatro, jogando a bola para a frente com cento e quarenta quilos de pura força. A bola quase chegou no primeiro pino antes de parar.

Um suspiro coletivo de alívio foi ouvido no meio dos gigantes.

— Agora é a nossa vez! — Miúdo esfregou as palmas das mãos com ansiedade. — Vamos, garotos!

— Mas, chefe! — disse Herg. — Nossa pista está com um amassado enorme.

— Vá para a pista ao lado — sugeriu Miúdo.

— Ah, não — retruquei. — Vocês ouviram o rei: quando você escolhe uma pista, tem que permanecer nela.

Miúdo resmungou. Até a tatuagem de Elvis no braço dele parecia com raiva.

— Tudo bem! Herg, Blerg, façam seu melhor. Vocês já estão com uma vantagem insuperável!

Herg e Blerg não pareceram felizes, mas fizeram a segunda jogada. Conseguiram evitar o amassado na pista, mas os dois rolaram as bolas na canaleta, sem acrescentar pontos ao total anterior.

— Tudo bem! — garantiu Miúdo. Ele fez cara de desprezo para Alex e para mim. — Fiquei tentado a pisar em vocês dois na floresta, mas agora estou feliz de não ter feito isso. Se vocês não fizerem uma última jogada perfeita, não vão conseguir nem *empatar*. Vamos ver do que são capazes, mortais. Mal posso esperar para cortar a cabeça de vocês.

QUARENTA E DOIS

Ou então você pode brilhar muito. Isso também funciona

Algumas pessoas gostam de bebidas energéticas. Eu? Acho que a ameaça de decapitação iminente me deixa energizado o bastante.

Em pânico, olhei para os meus amigos. Hearthstone sinalizou: *F-R-E-Y*.

Sim, Hearth, pensei, *ele é meu pai*.

Mas de que maneira isso poderia me ajudar, eu não fazia ideia. O deus do verão não ia aparecer em uma explosão de glória para derrubar as Montanhas Brancas para mim. Ele era o deus da natureza. Não daria as caras em um boliche nem morto...

Uma ideia lentamente começou a se formar na minha cabeça. A natureza. As Montanhas Brancas. O poder de Frey. Sumarbrander, a espada de Frey, que era capaz de cortar o véu entre os mundos. E uma coisa que Utgard-Loki tinha falado mais cedo: *Até as melhores ilusões têm limite*.

— Mortais insignificantes! — gritou Utgard-Loki. — Vocês desistem?

— Não! — gritei em resposta. — Só um segundo.

— Você precisa ir ao banheiro?

— Não! Eu só... preciso falar com minha dupla antes de sermos brutalmente decapitados.

Utgard-Loki deu de ombros.

— Parece justo. Prossiga.

Alex se inclinou na minha direção.

— Me diga que você teve uma ideia.

— Você disse que já foi a Bridal Veil Falls. Foi acampar nas Montanhas Brancas muitas vezes?

— Fui, claro.

— Existe alguma chance de aqueles pinos de boliche realmente *serem* as Montanhas Brancas?

Ela franziu a testa.

— Não. Não consigo acreditar que alguém seria poderoso o bastante para teletransportar uma cadeia montanhosa inteira até um boliche.

— Concordo. Minha teoria é que... aqueles pinos são só pinos. Os gigantes não poderiam trazer uma cadeia de montanhas para um boliche, mas poderiam mandar nossas bolas de boliche para *fora* da pista. Tem algum tipo de portal entre os mundos bem no meio da nossa pista. Está escondido por uma ilusão ou sei-lá--o-quê, mas está mandando nossas bolas para New Hampshire.

Alex olhou para o final da pista.

— Bem, se for assim, por que minha bola voltou pela máquina que as devolve para o suporte?

— Não sei! Talvez eles tenham carregado uma bola idêntica na máquina para a gente não reparar.

Alex trincou os dentes.

— Esses *meinfretrs* trapaceiros. O que podemos fazer?

— Você conhece as Montanhas Brancas. Eu também conheço. Quero que você olhe para a pista e se concentre em ver as montanhas. Se nós dois fizermos isso ao mesmo tempo, talvez a gente consiga deixar o portal visível. Aí, pode ser que eu consiga dissipá-lo.

— Você quer dizer mudando nossa percepção? — perguntou Alex. — Meio como... a cura mental que você fez em Amir?

— Acho que sim... — Eu queria sentir mais confiança no meu plano. O jeito como Alex descreveu me fez parecer um guru da Nova Era. — Mas, olhe, funcionaria melhor se eu segurasse a sua mão. E... não posso prometer que não vou, tipo, descobrir coisas sobre a sua vida.

Vi que ela hesitou, ponderando as opções.

— Então minhas opções são perder a cabeça ou ter você na minha cabeça — resmungou ela. — Escolha difícil. — Alex segurou minha mão. — Vamos lá.

Olhei atentamente para o fim da pista. Imaginei um portal entre nós e os pinos, uma janela com vista para as Montanhas Brancas. Eu me lembrei de como ficava empolgado nas viagens que fazia com minha mãe nos fins de semana, quando ela via as montanhas no horizonte: *Olhe, Magnus, estamos chegando!*

Conjurei o poder de Frey. Um calor irradiou pelo meu corpo. Minha mão que segurava a de Alex Fierro começou a fumegar. Uma luz dourada brilhante nos envolveu, feito o sol do meio do verão afastando a névoa e destruindo as sombras.

Pelo canto do olho, vi gigantes fazendo careta e protegendo o rosto.

— Parem com isso! — gritou Miúdo. — Vocês estão nos cegando!

Mantive o foco nos pinos de boliche. A luz ficou ainda mais intensa. Pensamentos aleatórios de Alex percorreram minha mente: a luta fatal contra os lobos; um homem de cabelo escuro e roupas de tenista de pé na frente dela, gritando que ela deveria ir embora e nunca mais voltar; um grupo de adolescentes chutando Alex no chão quando ela tinha dez anos, chamando-a de aberração enquanto ela se encolhia, tentando se proteger, apavorada demais para mudar de forma.

A raiva ardeu no meu peito. Eu não sabia se aquela emoção era minha ou de Alex, mas nós dois estávamos cansados de ilusões e fingimentos.

— Ali! — disse ela.

No meio da pista, uma rachadura tremeluzente surgiu, como as que Jacques abria entre os mundos. Do outro lado, ao longe, estava o cume do monte Washington coberto de neve. De repente, o portal desapareceu. A luz dourada sumiu ao nosso redor, deixando uma pista comum com pinos de boliche no final, como antes.

Alex puxou a mão. Rapidamente, secou uma lágrima.

— Nós conseguimos?

Eu não sabia o que dizer.

— Mortais insignificantes! — interrompeu Utgard-Loki. — O que foi isso? Vocês sempre conversam gerando uma luz ofuscante?

— Desculpem! — gritei para a plateia. — Estamos prontos agora!

Pelo menos, eu *esperava* que estivéssemos prontos. Talvez tivéssemos conseguido apagar a ilusão e fechar o portal. Ou talvez Utgard-Loki só estivesse me permitindo *pensar* que eu tinha desfeito seu truque. Poderia ser uma ilusão dentro da ilusão. Decidi que não fazia sentido abusar do meu cérebro nos últimos minutos que minha cabeça poderia passar junto ao meu pescoço.

Levantei a bola de boliche. Fui até a linha de falta e joguei aquela bola cor-de-rosa idiota bem pelo centro da pista.

Tenho que dizer que o som dos pinos caindo foi a coisa mais bonita que ouvi o dia todo. (Foi mal, Prince. Você chegou bem perto.)

Blitzen gritou:

— Strike!

Samirah e Hearthstone se abraçaram, coisa que nenhum dos dois costumava fazer.

Alex arregalou os olhos.

— Deu certo? Sério?

Eu sorri para ela.

— Agora você só precisa derrubar todos os seus pinos, e aí nós empatamos. Você tem alguma forma que possa...?

— Ah, não se preocupe. — O sorriso malicioso era cem por cento a mãe dela, Loki. — Pode deixar comigo.

Alex cresceu até um tamanho imenso, os braços se transformando em pernas grossas, a pele ficando cinza e enrugada, o nariz se alongando até virar uma tromba de três metros.

Ela agora era um elefante-africano, apesar de um gigante confuso no fundo da sala ter gritado:

— Ela virou um gato!

Alex pegou a bola de boliche com a tromba. Correu até a linha de falta e jogou a bola, caindo com todo o peso e sacudindo o boliche todo. Além de a bola dela derrubar os pinos, a força da queda obliterou os pinos das doze pistas, tornando Alex o primeiro elefante da história, ao menos que eu soubesse, a marcar trezentos pontos, doze strikes, com um só arremesso.

Eu posso ter dado pulos e batido palmas feito uma garotinha de cinco anos que acabou de ganhar um pônei. (O que eu falei sobre não julgar?) Sam, Hearth e Blitz correram até nós e nos envolveram no maior abraço coletivo do mundo, enquanto a multidão de gigantes olhava com expressão azeda.

Herg e Blerg jogaram os capacetes no chão.

— A gente não tem como bater essa pontuação! — choramingou Herg. — Levem nossas cabeças!

— Os mortais trapacearam! — reclamou Miúdo. — Primeiro, eles encolheram minha bolsa e insultaram Elvis! Agora, desonraram os Perus do Boliche!

Os gigantes começaram a avançar para cima de nós.

— Parem! — Utgard-Loki levantou os braços. — Este boliche ainda é meu, e esses competidores venceram... hã, honestamente, ainda que não de forma justa. — Ele se virou para nós. — O prêmio normal é de vocês. Querem as cabeças de Herg e Blerg?

Alex e eu nos entreolhamos. Concordamos tacitamente que cabeças cortadas não combinariam com a decoração dos nossos quartos no hotel Valhala.

— Utgard-Loki — comecei —, nós só queremos as informações que você prometeu.

O rei olhou para a multidão. Abriu as palmas como quem diz: *Fazer o quê?*

— Meus amigos, vocês precisam admitir que esses mortais têm coragem. Por mais que tenhamos tentado humilhá-los, foram eles que nos humilharam. E existe alguma coisa no mundo que nós, gigantes das montanhas, respeitamos mais do que a habilidade de humilhar os inimigos?

Os outros gigantes murmuraram em concordância silenciosa.

— Eu quero ajudá-los! — anunciou Utgard-Loki. — Acredito que eles provaram seu valor. Quanto tempo vocês me dão?

Eu não entendi a pergunta, mas os gigantes murmuraram entre si. Miúdo se adiantou.

— Sugiro cinco minutos. Todos a favor?

— Sim! — gritou a multidão.

Utgard-Loki fez uma reverência.

— É mais do que justo. Venham, meus convidados, vamos conversar lá fora.

Quando ele nos guiou pelo bar e pela porta da frente, eu perguntei:

— Hã, o que acontece depois de cinco minutos?

— Hum? — Utgard-Loki sorriu. — Ah, depois disso meus súditos podem caçar e matar vocês. Afinal, vocês *realmente* os humilharam.

QUARENTA E TRÊS

Você fica usando a palavra *ajuda*. Acho que ela não quer dizer o que acha que quer dizer

Utgard-Loki nos acompanhou até os fundos do boliche. Ele nos guiou por um caminho gelado até uma floresta ampla enquanto eu o enchia de perguntas como "Nos caçar? Nos matar? O que está acontecendo?". Ele só me deu uns tapinhas no ombro e riu, como se fosse uma piada interna nossa.

— Vocês se saíram bem! — disse ele enquanto andávamos. — Normalmente, teríamos convidados sem graça como Thor. Eu digo para ele: "Thor, beba toda essa caneca de hidromel." Ele só fica tentando e tentando! Nem passa pela cabeça dele que a caneca de hidromel esteja conectada ao oceano e que seja impossível beber tudo.

— Como se conecta uma caneca de hidromel ao oceano? — perguntou Sam. — Não, deixa pra lá. Temos assuntos mais importantes.

— Cinco *minutos*? — perguntei outra vez.

O gigante bateu nas minhas costas como se estivesse tentando desalojar alguma coisa, talvez minha garganta ou meu coração.

— Ah, Magnus! Tenho que confessar, quando você fez aquela primeira jogada, fiquei nervoso. Mas a segunda... bem, a força bruta jamais funcionaria, mas foi uma boa tentativa. Alex, sua bola quase chegou ao Taco Bell na I-93, ao sul de Manchester.

— Obrigada — disse ela. — Esse era o plano.

— Mas aí, vocês dois destruíram a ilusão! — Utgard-Loki sorriu. — Foi raciocínio de primeira. E, claro, teve também a habilidade do elfo no pinball, o talento do anão com acessórios, Sam acertando a cara do Medo com o macha‑ do... parabéns a todos os envolvidos! Vai ser uma honra massacrar vocês quatro no Ragnarök.

Blitzen riu com deboche.

— O sentimento é mútuo. Agora, acho que você nos deve informações.

— Sim, claro.

Utgard-Loki mudou de forma. De repente, o assassino de bodes estava à nossa frente com as peles pretas, a cota de malha suja de fuligem e o elmo de ferro, o rosto coberto pela viseira de um lobo rosnando.

— Dá para tirar a máscara? — pedi. — Por favor.

Utgard-Loki levantou a viseira. Embaixo, o rosto dele era o mesmo de antes, os olhos escuros com um brilho assassino.

— Digam, meus amigos: vocês descobriram o verdadeiro objetivo de Loki?

Hearthstone cruzou a palma de uma das mãos sobre a outra, fechou as mãos em punho e as separou, como se rasgasse uma folha de papel: *Destruir*.

Utgard-Loki riu.

— Até *eu* entendi esse sinal. Sim, mestre do pinball, Loki quer destruir seus inimigos. Mas esse não é o objetivo principal dele no momento. — O gigante se virou para Sam e Alex. — Vocês duas são filhas dele. Devem saber.

Samirah e Alex trocaram um olhar pouco à vontade. Elas tiveram uma con‑ versa silenciosa, típica de irmãs: *Você sabe? Não, eu achei que você soubesse! Eu não sei; achei que você soubesse!*

— Ele levou vocês até o dólmen do *draugr* — continuou Utgard-Loki. — Apesar dos meus esforços, vocês foram até lá. E...?

— Não tinha martelo nenhum — disse Blitzen. — Só uma espada. Uma es‑ pada que eu odeio muito.

— Exatamente.

O gigante esperou que juntássemos as peças. Eu sempre odiava quando os professores faziam isso. Queria gritar: *Não gosto de enigmas!*

Ainda assim, vi aonde ele queria chegar. A ideia estava se formando na minha cabeça havia muito tempo, eu acho, mas meu subconsciente estava tentando su‑ focá-la. Eu me lembrei da minha visão de Loki na caverna, amarrado a pilares de pedra com as entranhas endurecidas dos próprios filhos assassinados. Também me lembrei da serpente pingando veneno no rosto dele e do jeito como Loki prometeu: *Logo, logo, Magnus!*

— Loki quer sua liberdade — adivinhei.

Utgard-Loki inclinou a cabeça para trás e riu.

— Temos um vencedor! Isso mesmo, Magnus Chase. É o que Loki quer há mais de mil anos.

Samirah levantou a mão para descartar a ideia.

— Não, isso é impossível.

— Mesmo assim — disse Utgard-Loki —, a arma que pode libertá-lo está presa às suas costas: a espada Skofnung!

Meu cordão começou a me enforcar, o pingente se esticando pela minha clavícula como se quisesse chegar mais perto de Sam. Jacques devia ter acordado quando ouviu *Skofnung*. Eu o puxei de volta, o que deve ter feito parecer que eu tinha uma pulga na camisa.

— Isso tudo nunca foi por causa do martelo de Thor — percebi. — Loki quer a espada.

Utgard-Loki deu de ombros.

— Bom, o roubo do martelo foi um bom catalisador. Imagino que Loki tenha sussurrado a ideia no ouvido de Thrym. Afinal, o avô de Thrym já roubou o martelo de Thor, e as coisas não terminaram muito bem para ele. Thrym e a irmã querem se vingar do deus do trovão desde sempre.

— O avô de Thrym?

Eu me lembrei do convite de casamento: *Thrym, filho de Thrym, neto de Thrym.*

Utgard-Loki ignorou minha pergunta.

— Você pode perguntar a Thor quando o encontrar, e tenho certeza de que isso acontecerá em breve. A questão é que Loki aconselhou Thrym sobre o roubo e montou uma situação em que um grupo de campeões como vocês não teria escolha além de tentar recuperar o martelo... e, no processo, poderia levar para Loki o que ele realmente deseja.

— Espere. — Alex fechou as mãos em concha como se tentasse modelar um pedaço de argila. — Vamos levar a espada para dar a Thrym. Como isso...?

— O dote. — Sam pareceu enjoada de repente. — Ah, sou tão idiota.

Blitz fez uma careta.

— Hã... é verdade que sou anão e não entendo as tradições patriarcais, mas o dote não é uma coisa que você dá ao noivo?

Sam balançou a cabeça.

— Eu estava tão ocupada negando que esse casamento pudesse acontecer, tentando não pensar nele, que não me lembrei... das antigas tradições de casamento nórdicas.

— Que também são as tradições dos gigantes — concordou Utgard-Loki.

Hearthstone fungou como se estivesse desalojando alguma coisa desagradável do nariz. Ele soletrou: *m-u-n-d-r*?

— Sim, o *mundr* — disse Sam —, o termo do norueguês antigo para dote. Não vai para o noivo. Vai para o pai da noiva.

Paramos no meio do bosque. Atrás de nós, o Pistas de Boliche Utgard quase não era mais visível, com a placa de néon iluminando os troncos das árvores com luz vermelha e dourada.

— Você quer dizer que ao buscarmos a espada e a pedra Skofnung — falei —, estávamos o tempo todo recolhendo presentes para *Loki*?

O gigante riu.

— É engraçado, exceto pelo fato de que Loki quer se libertar para matar todo mundo.

Sam se encostou na árvore mais próxima.

— E o martelo... é o presente matinal?

— Exatamente! — concordou o gigante. — O *morgen-gifu*.

Alex inclinou a cabeça.

— *O que*-tofu?

Hearthstone sinalizou: *Presente para a noiva, dado pelo noivo. Só é dado quando o casamento está...* Os dedos dele hesitaram. *Consumado. Na manhã seguinte.*

— Acho que vou vomitar — disse Samirah.

Traduzi as palavras de Hearth para Alex.

— Então o martelo iria para você... — Alex apontou para Sam. — Hipoteticamente, se você fosse a noiva, o que não vai acontecer. Mas só depois da noite de núpcias, então... É, acho que também vou vomitar.

— Ah, mas ainda pode ficar pior! — disse o gigante, alegre demais. — O presente matinal pertence à noiva, mas é mantido pela família do noivo. Portanto, mesmo que você se case e recupere o martelo de Thor...

— O martelo continua com Thrym — falei. — Os gigantes fazem uma aliança *e* continuam com o martelo.

— E Loki fica com a espada Skofnung. — Sam engoliu em seco. — Não, ainda não faz sentido. Loki não pode ir em carne e osso ao casamento. O melhor que pode fazer é mandar uma manifestação. O corpo físico continua preso na caverna onde ele foi aprisionado.

— Que é impossível de encontrar — disse Blitzen. — Impossível de chegar.

Utgard-Loki nos deu um sorriso torto.

— Como a ilha de Lyngvi?

Infelizmente, Utgard-Loki tinha razão, e isso me deu vontade de entrar para o grupinho do enjoo de Sam. O local de prisão do lobo Fenrir era um segredo bem guardado entre os deuses, mas isso não nos impediu de fazer uma pequena visita, em janeiro.

— E a espada? — prosseguiu Blitzen. — Por que Skofnung? Por que não Sumarbrander ou outra arma mágica?

— Não tenho certeza — admitiu Utgard-Loki. — Também não faço ideia de como Loki levaria a espada até sua prisão nem como a usaria. Mas ouvi falar que as amarras de Loki são *bem* difíceis de romper, por serem entranhas endurecidas com ferro, fortes, grudentas e corrosivas. Elas cegam qualquer lâmina, até a mais afiada. Talvez desse para cortar uma das amarras com Sumarbrander, mas depois disso a espada ficaria inútil.

O pingente de Jacques vibrou com tristeza.

Calma, amigão, pensei. *Ninguém vai fazer você cortar entranhas endurecidas com ferro.*

— O mesmo ocorreria com Skofnung... — Blitzen falou um palavrão. — É claro! A espada tem uma pedra de amolar mágica. Pode ser afiada quantas vezes forem necessárias. É por isso que Loki precisa da espada e da pedra.

O rei gigante bateu palmas devagar.

— Ah, com um *pouquinho* de ajuda, vocês descobriram. Muito bem!

Blitz e Hearth se entreolharam como quem diz: *Agora que juntamos as peças, podemos separá-las novamente?*

— Então encontraremos outro jeito de pegar o martelo — falei.

O gigante deu uma risadinha.

— Boa sorte. Mjölnir está enterrado em algum lugar treze quilômetros abaixo da terra, tão fundo e distante que nem Thor consegue alcançar. O único jeito de recuperá-lo é convencendo Thrym a ir buscá-lo.

Alex cruzou os braços.

— Ouvi muitas notícias ruins de você, gigante. Ainda não escutei nada que pudesse chamar de útil.

— Conhecimento é sempre útil! — rebateu Utgard-Loki. — Mas, na minha opinião, há apenas duas opções viáveis para derrotar Loki. Primeira opção: eu mato todos vocês e pego a espada Skofnung, impedindo que ela caia nas mãos erradas.

Sam levou a mão ao machado.

— Não estou gostando da primeira opção.

O gigante deu de ombros.

— Bom, é simples e eficiente. Não recupera o martelo, mas, como falei, não ligo para isso. Minha preocupação principal é manter Loki preso. Se ele se libertar, o Ragnarök vai começar *agora*, e eu ainda não estou pronto. Temos a noite das moças no boliche na sexta-feira. O fim do mundo estragaria isso.

— Se quisesse nos matar já teria feito isso — observei.

Utgard-Loki sorriu.

— Eu sei! Estou me segurando tanto! Mas, meus pequeninos amigos, existe uma opção mais arriscada, porém com uma recompensa maior. Eu estava esperando para ver se vocês seriam capazes de executá-la. Depois do seu desempenho nas competições, acho que são.

— Todos aqueles desafios... — disse Sam. — Você estava nos testando para ver se éramos dignos ou não de ficarmos vivos?

Hearthstone fez alguns sinais que decidi não traduzir, embora o significado parecesse bem claro para Utgard-Loki.

— Calma, calma, mestre do pinball — disse o gigante. — Não precisa ficar mal-humorado. Se eu deixar vocês em liberdade e se conseguirem vencer Loki no jogo dele, tenho as mesmas recompensas, além da satisfação de saber que o deus da traição foi humilhado com minha ajuda. Como posso ter mencionado, nós, gigantes das montanhas, *amamos* humilhar nossos inimigos.

— E, por elaborar essa humilhação — disse Alex —, você ganha o respeito dos seus seguidores.

Utgard-Loki fez uma reverência modesta.

— Talvez no caminho vocês consigam o martelo de Thor de volta. Talvez, não. Eu não ligo. Na minha opinião, o martelo de Thor não passa de uma quinquilharia asgardiana, e podem contar a Thor que eu disse isso.

— Eu não contaria — confessei —, mesmo que soubesse o que isso quer dizer.

— Me deixem orgulhoso! — disse Utgard-Loki. — Encontrem um caminho para mudar as regras do jogo de Loki, como fizeram hoje em nosso festival. Tenho certeza de que vocês conseguem elaborar um plano.

— *Essa* é a segunda opção? — perguntou Alex. — "Se virem"? Essa é toda a sua ajuda?

Utgard-Loki levou as mãos ao peito.

— Estou magoado. Dei *tanto* a vocês! Além do mais, nossos cinco minutos acabaram.

Um *BUM* reverberou pela floresta, o som de portas de bar sendo escancaradas, seguido do rugido de gigantes enfurecidos.

— Corram, pequeninos! — disse Utgard-Loki. — Procurem Thor e contem para ele o que descobriram. Se meus súditos pegarem vocês... Bem, infelizmente, eles são *muito* fãs da primeira opção!

QUARENTA E QUATRO

Somos honrados com runas e cupons

JÁ FUI PERSEGUIDO POR VALQUÍRIAS. Já fui perseguido por elfos com armas de fogo. Já fui perseguido por anões com um tanque. Agora, para a minha sorte, eu estava sendo perseguido por gigantes com gigantescas bolas de boliche.

Qualquer dia desses, eu gostaria de sair de um mundo sem estar sendo perseguido por uma multidão furiosa.

— Corram! — gritou Blitz, como se essa ideia não tivesse nos ocorrido.

Nós cinco corremos pela floresta, pulando árvores caídas e raízes emaranhadas. Atrás de nós, os gigantes ficavam maiores a cada passo. Em um momento, eles tinham três metros de altura. No seguinte, pareciam ter seis.

Senti como se estivesse sendo perseguido por uma onda gigante. A sombra deles caiu sobre nós, e me dei conta de que não havia esperança.

Blitzen nos deu alguns segundos extras. Com um palavrão, ele jogou a bolsa Courovazio para trás e gritou:

— Senha!

A multidão de gigantes viu de repente o caminho bloqueado pela aparição da montanha Bolsa de Boliche, mas em questão de instantes eles ficaram altos o suficiente para transpor aquela barreira. Logo seríamos pisoteados. Nem Jacques podia lutar contra tantos gigantes.

Hearthstone saiu em disparada, gesticulando freneticamente: *Venham!* Ele apontou para uma árvore com galhos finos e amontoados de frutinhas vermelhas amadurecendo na folhagem verde. O chão embaixo estava coberto de pétalas de flores brancas. A árvore definitivamente se destacava entre os pinheiros enormes de Jötunheim, mas não entendi por que Hearth estava tão ansioso para morrer naquele local específico.

De repente, o tronco da árvore se abriu como uma porta. Uma moça saiu por ela e chamou:

— Venham por aqui, heróis!

Ela tinha feições élficas delicadas e longos cabelos dourados, cheios e lustrosos. O vestido laranja-avermelhado era preso no ombro com um broche verde e prateado.

Meu primeiro pensamento: *É uma armadilha*. A experiência na Yggdrasill tinha despertado em mim um medo saudável de pular por portas em árvores. Meu segundo pensamento: a moça parecia uma dríade, os espíritos das árvores que Annabeth descrevera, embora eu não soubesse o que uma dríade estaria fazendo em Jötunheim.

Sam não hesitou. Correu atrás de Hearthstone enquanto a mulher de cabelo louro esticava a mão e gritava:

— Rápido!

Também me pareceu um conselho bem óbvio.

O céu ficou preto como a meia-noite. Olhei para cima e vi a sola de um sapato de boliche do tamanho de um iate, pronta para nos esmagar. A mulher puxou Hearth para dentro da árvore. Sam pulou em seguida, com Alex logo atrás. Blitz estava ficando para trás devido às pernas curtas, então eu o agarrei e pulamos juntos. Na hora que o sapato do gigante desceu, o mundo foi sufocado em escuridão absoluta e silenciosa.

Eu pisquei. Não parecia estar morto. Blitzen se debatia para sair de debaixo do meu braço, então deduzi que ele também não tinha morrido.

De repente, fui cegado por uma luz intensa. Blitz grunhiu de susto. Eu o ajudei a levantar enquanto o anão lutava para colocar o chapéu de safári. Só quando ele estava seguramente coberto foi que olhei ao redor.

Estávamos em uma sala luxuosa que *definitivamente* não era uma pista de boliche. Acima de nós, uma pirâmide de vidro com nove lados permitia que a luz entrasse. Janelas panorâmicas cercavam a câmara, dando vista para os telhados de Asgard. Ao longe, dava para ver o domo principal de Valhala. Feito de cem mil escudos dourados, parecia a carapaça do tatu mais chique do mundo.

A câmara onde estávamos parecia ser um átrio interno. Ao redor da circunferência havia nove árvores, todas iguais àquela pela qual tínhamos entrado em Jötunheim. No meio, na frente de uma plataforma, uma chama estalava alegremente na lareira. E, na plataforma em si, havia um trono de madeira branca entalhada de forma elaborada.

A mulher de cabelo dourado subiu os degraus e se sentou no trono.

Assim como o cabelo, tudo nela era gracioso, fluido e luminoso. O movimento de seu vestido me fez lembrar um campo de papoulas vermelhas oscilando em uma brisa morna de verão.

— Sejam bem-vindos, heróis — disse a deusa. (Ah, é. ALERTA DE SPOILER. A essa altura, eu já tinha certeza de que ela era uma deusa.)

Hearthstone correu para a frente e ajoelhou-se diante do trono. Eu não o via assim tão impressionado desde... bem, nunca, nem mesmo quando ele esteve cara a cara com o próprio Odin.

Ele soletrou com os dedos: *S-I-F*.

— Sim, meu querido Hearthstone — disse a deusa. — Eu sou Sif.

Blitz correu até o lado de Hearth e também se ajoelhou. Eu não era muito de me ajoelhar, mas fiz uma reverência para a deusa e consegui não me desequilibrar. Alex e Sam ficaram paradas, parecendo levemente irritadas.

— Minha senhora — disse Sam, com óbvia relutância —, por que nos trouxe para Asgard?

Sif franziu o nariz delicado.

— Samirah al-Abbas, a valquíria. E essa deve ser Alex Fierro, a... nova einherji. — Até os policiais Sunshine e Wildflower aprovariam a expressão de reprovação dela. — Eu salvei a vida de vocês. Não é motivo para gratidão?

Blitz limpou a garganta.

— Minha senhora, o que Sam quis dizer...

— Eu posso falar por mim mesma — interrompeu a valquíria. — Sim, agradeço a ajuda, mas foi em um momento incrivelmente conveniente. Você estava nos vigiando?

Os olhos da deusa brilharam feito moedas debaixo d'água.

— Claro que eu estava vigiando vocês, Samirah. Mas, obviamente, só podia resgatá-los quando tivessem as informações que ajudariam meu marido.

Olhei ao redor.

— Seu marido... é Thor?

Eu não conseguia imaginar o deus do trovão morando em um lugar tão limpo e bonito, com teto de vidro e janelas intactas. Sif parecia tão refinada, tão graciosa, tão improvável de peidar ou arrotar em público.

— Sim, Magnus Chase. — Sif abriu os braços. — Bem-vindos ao nosso lar, Bilskírnir, o renomado palácio Fenda Luminosa!

Ao nosso redor, um coral divino cantou *Ahhhhhhh!* e se silenciou tão abruptamente quanto havia começado.

Blitzen ajudou Hearthstone a ficar de pé. Eu não entendia nada de etiqueta divina, mas achei que, quando o coral divino terminasse de cantar, você tinha permissão de se levantar.

— A maior mansão de Asgard! — disse Blitzen, maravilhado. — Já ouvi histórias sobre este palácio. E que nome lindo, Bilskírnir!

Outro coral soou. *Ahhhhhhh!*

— Fenda Luminosa? — Alex nem esperou os anjos terminarem para perguntar: — Você é vizinha da Fenda do Biquíni?

Sif franziu a testa.

— Não gostei de você. Acho que vou mandar essa coisa de volta para Jötunheim.

— Me chama de *coisa* de novo — rosnou Alex. — Experimenta.

Coloquei o braço na frente dela como proteção, apesar de saber que estava correndo risco de amputação pelo cortador de argila.

— Hã, Sif, você pode nos dizer por que estamos aqui?

Sif pousou o olhar em mim.

— Sim, claro, filho de Frey. Eu sempre gostei do seu pai. Ele é muito bonito.

Ela passou a mão pelo cabelo. De algum modo, tive a sensação de que por *bonito* Sif estava querendo dizer *capaz de provocar ciúme no meu marido*.

— Como eu falei — continuou ela —, sou esposa de Thor. Infelizmente, é tudo o que algumas pessoas sabem sobre mim, mas também sou a deusa da terra. Foi uma simples questão de rastrear seus movimentos pelos nove mundos sempre que vocês passavam por uma floresta ou pisavam em grama ou musgo vivos.

— Musgo? — falei.

— Sim, meu querido. Tem até um musgo chamado Cabelo-de-Sif, batizado em homenagem às minhas opulentas madeixas douradas.

O tom dela era arrogante, mas eu não tinha certeza se ficaria tão empolgado de ter um musgo batizado em meu nome.

Hearth apontou para as árvores ao redor do pátio e sinalizou: *S-o-r-v-e-i-r-a*. Sif se alegrou.

— Você sabe muito, Hearthstone! A sorveira é mesmo minha árvore sagrada. Posso passar de uma a outra por todos os nove mundos, e foi assim que trouxe vocês para o meu palácio. A sorveira é uma fonte de muitas bênçãos. Você sabia que meu filho Uller fez o primeiro arco e os primeiros esquis de madeira de sorveira? Senti *tanto* orgulho.

— Ah, sim. — Eu me lembrei de uma conversa que tive com um bode em Jötunheim. (É deprimente poder usar uma frase dessas.) — Otis mencionou alguma coisa sobre Uller. Eu não sabia que ele era filho de Thor.

Sif levou o dedo aos lábios.

— Na verdade, Uller é meu filho com meu *primeiro* marido. Thor é meio sensível quanto a isso. — Esse fato pareceu agradá-la. — Mas, falando em sorveiras, tenho um presente para nosso feiticeiro elfo!

Das mangas do vestido elegante, ela tirou uma bolsinha de couro.

Hearth quase desmaiou. Ele fez gestos intensos com as mãos que não queriam dizer nada, mas pareciam transmitir a ideia de um gritinho sufocado.

Blitzen segurou o braço dele para firmá-lo.

— É... é uma bolsa de runas, senhora?

Sif sorriu.

— Correto, caro anão bem-vestido. Runas escritas em madeira carregam um poder bem diferente daquelas escritas em pedra. São cheias de vida e flexibilidade. A magia delas é mais suave e maleável. E a madeira da sorveira é a melhor para runas.

Ela chamou Hearthstone para que se aproximasse. Colocou a bolsa de couro nas mãos dele.

— Você vai precisar delas em lutas vindouras. Mas esteja avisado: está faltando uma runa, assim como no seu outro conjunto. Quando uma letra está ausente, a linguagem toda da magia fica enfraquecida. Um dia, você vai ter que recuperar aquele símbolo para atingir todo o seu potencial. Quando fizer isso, venha me ver de novo.

Eu me lembrei da runa *herança*, que Hearthstone deixou nas pedras no local da morte do irmão. Se Sif era capaz de pular de uma árvore para outra e se comunicar telepaticamente com musgos, eu não entendia por que não podia dar uma nova *othala* para Hearthstone. Por outro lado, eu não tinha frequentado o curso Magia de Runas com o Pai de Todos: Um Seminário de Fim de Semana.

Hearthstone baixou a cabeça com gratidão. Afastou-se da plataforma, aninhando a nova bolsa de runas como se fosse um bebê embrulhado.

Sam se mexeu, segurando o machado. Ela olhou para Sif como se a deusa pudesse ser o Pequeno Billy disfarçado.

— Lady Sif, é muita generosidade sua. Mas a senhora ia nos contar por que nos trouxe aqui.

— Para ajudar meu marido! — respondeu ela. — Suponho que agora vocês tenham as informações necessárias para encontrar e recuperar o martelo.

Olhei para os meus amigos, me perguntando se alguém tinha um jeito diplomático de dizer *pode ser, mais ou menos, não exatamente*.

Sif suspirou com uma leve indicação de desdém.

— Ah, sim, entendo. Primeiro vocês querem discutir a questão do pagamento.

— Hã — falei —, não era bem isso…

— Só um momento. — A deusa passou os dedos pelo cabelo comprido, como se estivesse usando um tear. Fios dourados caíram no colo dela e começaram a se trançar, como uma impressora 3-D cuspindo ouro maciço.

Eu me virei para Sam e sussurrei:

— Ela é tipo a Rapunzel?

Sam ergueu as sobrancelhas.

— De onde você acha que veio o conto de fadas?

Em questão de instantes, sem nem bagunçar o penteado, a deusa estava segurando um pequeno troféu dourado. Ela o levantou com orgulho.

— Cada um vai ganhar um deste!

No alto do troféu havia uma réplica dourada pequenininha do martelo Mjölnir. Na base estava escrito: PRÊMIO DE VALOR POR RECUPERAR O MARTELO DE THOR. E, com letras menores que tive que estreitar os olhos para ler: O PORTADOR TEM DIREITO A UMA ENTRADA EXTRA GRATUITA NA COMPRA DE UMA ENTRADA DE IGUAL VALOR NOS RESTAURANTES PARTICIPANTES DE ASGARD.

Blitzen soltou um gritinho.

— Que incrível! Que habilidade! Como...?

Sif sorriu, satisfeita.

— Bom, como meu cabelo original foi substituído por cabelo mágico de ouro maciço depois daquela peça *horrível* que Loki pregou em mim — o sorriso dela azedou quando ela olhou para Alex e Sam —, *um* benefício é que consigo tecer meus cabelos extras em vários itens de ouro maciço. Sou responsável por pagar os funcionários da casa, inclusive heróis como vocês, com prêmios assim. Thor é um fofo. Ele aprecia *tanto* minhas habilidades que me chama de esposa-troféu.

Eu pisquei.

— Uau.

— Não é? — Sif ficou vermelha. — De qualquer modo, quando seu trabalho for concluído, vocês vão ganhar um troféu cada.

Blitzen esticou a mão para o modelo, ansioso.

— Entrada de graça para... para qualquer restaurante participante?

Eu estava com medo de ele chorar de alegria.

— Sim, querido — disse a deusa. — Agora, como vocês planejam recuperar o martelo?

Alex tossiu.

— Hã, na verdade...

— Não importa, não me contem! — Sif levantou a mão como se quisesse bloquear o rosto de Alex. — Prefiro deixar os detalhes com os ajudantes.

— Os *ajudantes* — repetiu Alex.

— Sim. Sua primeira tarefa vai ser complicada. Seja qual for a notícia que vocês têm, terão que dá-la ao meu marido. O elevador está ali. Vocês vão encontrá-lo na, como é que ele chama? No *espaço masculino* dele. Estejam avisados, Thor anda de *péssimo* humor.

Sam batucou com os dedos na cabeça do machado.

— E você não poderia dar nosso recado para ele?

O sorriso de Sif endureceu.

— Ah, não, claro que não. Agora, vão, andem logo. E tentem não deixar Thor furioso. Não tenho tempo de contratar outro grupo de heróis.

QUARENTA E CINCO

Marias-chiquinhas nunca pareceram tão apavorantes

— SIF É RIDÍCULA — MURMUROU ALEX assim que a porta do elevador se fechou.

— Talvez essa não seja a hora de dizer isso — sugeri —, já que a gente está no elevador dela.

— Se as lendas forem verdade — acrescentou Blitz —, esta mansão tem mais de seiscentos andares. Prefiro não despencar até o porão.

— Tanto faz — resmungou Alex. — E que tipo de nome é Fenda Luminosa?

Um coral de dois segundos de alegria celestial soou nos alto-falantes.

— É um kenning! — disse Blitzen. — Você sabe, tipo Rio de Sangue para o cara da espada Skofnung. Fenda Luminosa...

Ahhhhhhh!

— ...é só um jeito poético de dizer *relâmpago*, já que Thor é o deus do trovão e tal.

— Não tem *nada* de poético em Fenda Luminosa — resmungou Alex.

Ahhhhhhh!

Desde que pegou a nova bolsa de runas, Hearthstone ficou ainda mais quieto do que de costume. Estava encostado no canto do elevador, puxando o cordão da bolsa de couro. Tentei chamar a atenção dele, perguntar se estava bem, mas o elfo não me olhou nos olhos.

Quanto a Sam, ela ficava passando a ponta dos dedos pela lâmina do machado, como se previsse que o usaria em breve.

— Você também não gosta de Sif — comentei.

Sam deu de ombros.

— Por que deveria? Ela é uma deusa vaidosa. Não costumo concordar com as pegadinhas do meu pai, mas cortar o cabelo dourado original de Sif... isso eu entendi. Ele queria provar um ponto de vista. Ela se importa com a aparência acima de tudo. A capacidade de tecer coisas com o novo cabelo de metal precioso, aquilo de ser uma esposa-troféu? Tenho certeza de que meu pai também planejou isso. É bem o estilo dele. Mas Sif e Thor são burros demais para entender.

Aparentemente, Hearthstone entendeu. Ele enfiou a bolsa de runas no bolso e sinalizou: *Sif é sábia e boa. A deusa de tudo o que cresce. Você...* Ele apontou para Sam, fez dois sinais de ok com as mãos, puxou um para longe do outro, como se rasgasse um pedaço de papel, o sinal de *injusta*.

— Ei, elfo? — disse Alex. — Estou chutando o significado, mas, se você está defendendo Sif, tenho que dizer que estou do lado de Samirah.

— *Obrigada* — disse Sam.

Hearthstone fez cara feia e cruzou os braços, o equivalente dos surdos a *Não quero falar com você agora.*

Blitz resmungou.

— Bom, acho que vocês são loucas de falar mal de Sif na casa de Thor quando estamos prestes a ver...

Ding.

A porta do elevador se abriu.

— Belo espaço masculino — falei.

Saímos para uma área parecida com uma oficina. A carruagem de Thor estava suspensa em um elevador hidráulico; as rodas tinham sido removidas, e o que parecia um eixo quebrado estava pendurado. Em um painel na parede havia dezenas de chaves de boca, serras, chaves de fenda e martelos de borracha. Considerei brevemente pegar um dos martelos e sair gritando "Encontrei seu martelo!". Mas achei que a piada podia não ser bem recebida.

Depois da área da oficina, o porão se abria em uma caverna masculina completa. Havia estalactites penduradas no teto enchendo a caverna com um brilho estilo Nídavellir. A metade dos fundos era um cinema IMAX com duas telas imensas e uma fileira de monitores de plasma menores logo embaixo, para que

Thor pudesse ver dois filmes enquanto acompanhava doze canais esportivos diferentes ao mesmo tempo. Porque, sabe como é, o lance era relaxar. As poltronas do cinema eram reclináveis, de couro e pele, com mesinhas feitas de chifres de alces.

À nossa esquerda havia uma cozinha: cinco geladeiras Sub-Zero de aço inoxidável, um forno, três micro-ondas, uma fileira de liquidificadores modernos e uma estação de cortes de carne, que *não* devia ser o lugar favorito dos bodes dele. No fim de um corredor curto, uma cabeça de carneiro empalhada apontava o caminho dos banheiros com uma placa em cada chifre:

VALQUÍRIAS ⟶

⟵ BERSERKIR

A metade da direita da caverna era quase toda ocupada por jogos de fliperama, a última coisa que eu queria ver depois de Pistas de Boliche Utgard. Felizmente, não tinha boliche ali. A julgar pela mesa enorme que ocupava um lugar de honra bem no meio da caverna, Thor gostava mais de hóquei de ar.

O lugar era tão grande que eu só vi Thor quando ele saiu de detrás da máquina de *Dance Dance Revolution*. Ele parecia perdido em pensamentos, andando de um lado para outro e murmurando enquanto batia dois rebatedores de hóquei de ar um no outro, como se estivesse se preparando para desfibrilar o coração de alguém. Atrás dele vinham os bodes, Otis e Marvin, mas eles não eram muito ágeis. Cada vez que Thor se virava, colidia com eles e tinha que empurrá-los para longe.

— Martelos — resmungou ele. — Martelos idiotas. Martelos.

Finalmente, ele reparou em nossa presença.

— Ahá!

Thor andou até nós, os olhos injetados e furiosos, o rosto tão vermelho quanto sua barba densa. A armadura de combate consistia de uma camiseta velha do Metallica e um short de academia que exibia as pernas pálidas e peludas. Os pés descalços precisavam urgentemente de uma pedicure. Por algum motivo, o cabelo ruivo desgrenhado estava preso em marias-chiquinhas, mas em Thor o visual ficava mais apavorante do que engraçado. Era quase como se ele quisesse que nós soubéssemos: *Posso usar meu cabelo como o de uma garotinha de seis anos e ainda assim matar vocês!*

— Quais são as novidades? — perguntou ele.

— Oi, Thor — cumprimentei, com uma voz tão masculina quanto as marias-chiquinhas dele. — Hã, Sumarbrander tem uma coisa para contar.

Puxei o pingente e chamei Jacques. Era covardia me esconder atrás de uma espada mágica falante? Prefiro encarar como estratégia. Eu não poderia fazer nenhum favor a Thor se ele quebrasse minha cara com rebatedores de hóquei de ar.

— Oi, Thor! — Jacques brilhou com alegria. — Oi, bodes! Ah, hóquei de ar! Lugar maneiro, Homem do Trovão!

Thor coçou a barba com um dos rebatedores. O nome do filho dele, Módi, estava tatuado em azul nos dedos. Eu esperava não ver aquele nome mais de perto.

— Sim, sim, oi, Sumarbrander — resmungou Thor. — Mas onde está meu martelo? Onde está Mjölnir?

— Ah. — Jacques brilhou em um tom mais escuro de laranja. Ele não conseguia fazer cara feia, mas virou o fio da lâmina na minha direção. — Então... temos boas notícias. Nós sabemos quem está com o martelo e onde ele está.

— Que ótimo! — bradou o deus.

Jacques se afastou alguns centímetros.

— Mas tem uma notícia ruim...

Otis olhou para o irmão, Marvin, e soltou um suspiro.

— Tenho a sensação de que estamos prestes a ser mortos.

— Pare com isso! — cortou Marvin. — Não dê ideias ao chefe!

— O martelo foi roubado por um gigante chamado Thrym — continuou Jacques. — Ele o enterrou treze quilômetros debaixo da terra.

— Que péssimo!

Thor chocou os rebatedores um no outro. Um trovão ribombou no aposento. TVs de tela de plasma tombaram. Micro-ondas piscaram. Os bodes cambalearam para a frente e para trás, como se estivessem no convés de um navio.

— Eu odeio Thrym! — rugiu o deus. — Odeio gigantes da terra!

— Nós também! — concordou Jacques. — E aqui está Magnus, para contar nosso plano brilhante para recuperar o martelo!

Jacques voou para trás de mim e pairou por ali com grande sabedoria estratégica. Otis e Marvin se afastaram do mestre e se esconderam atrás da máquina de *Dance Dance Revolution*.

Pelo menos Alex, Sam, Blitz e Hearth não se esconderam, mas Alex me olhou como quem diz: *Ei, é o* seu *deus do trovão*.

Então, contei para Thor a história toda: que fomos enganados para irmos até a tumba do *draugr* para pegar a espada Skofnung, depois corremos para Álfaheim para buscar a pedra Skofnung, subimos na ponte Bifrost para tirar uma selfie com Heimdall e fomos jogar boliche para obter informações com Utgard-Loki. Expliquei as exigências de Thrym para uma aliança com Loki.

De tempos em tempos, eu precisava parar e deixar Thor absorver as notícias andando de um lado para outro, jogando ferramentas e socando as paredes.

Ele precisava de muito tempo para absorver as coisas.

Quando terminei, Thor anunciou sua conclusão sensata:

— Temos que matar todos!

Blitz levantou a mão.

— Ah, sr. Thor, mesmo que nós conseguíssemos levá-lo para perto o bastante de Thrym, matá-lo não ajudaria. Ele é o único que sabe exatamente onde o martelo está.

— Então vamos torturá-lo até ele contar e *depois* matá-lo! Aí, eu mesmo recupero o martelo!

Alex murmurou:

— Cara legal.

— Senhor — disse Sam —, tortura não é muito eficiente, além de não ser ética, mas mesmo que fizéssemos isso e Thrym dissesse exatamente onde o martelo está, como o senhor o recuperaria de treze quilômetros embaixo da terra?

— Eu abriria caminho quebrando tudo! Com o meu martelo!

Nós esperamos as engrenagens mentais de Thor girarem.

— Ah — disse o deus. — Percebi o problema. Maldição! Sigam-me!

Ele andou até a oficina, jogou para longe os rebatedores e começou a remexer nas ferramentas.

— Deve haver alguma coisa aqui capaz de furar treze quilômetros de pedra maciça.

Ele avaliou uma furadeira, uma fita métrica, um saca-rolhas e o cajado de ferro que quase morremos para recuperar da fortaleza de Geirröd. Thor jogou tudo no chão.

— Nada! — disse ele, contrariado. — Tralhas inúteis!

Talvez você possa usar a cabeça, sinalizou Hearth. *É bem dura.*

— Ah, não tente me consolar, sr. Elfo — pediu Thor. — É impossível, não é? Eu *preciso* de martelos para *recuperar* martelos. E isto... — Ele pegou um martelo de borracha e suspirou. — Não vai adiantar. Estou arruinado! Todos os gigantes logo vão saber que estou indefeso. Vão invadir Midgard, destruir a indústria audiovisual, e eu *nunca* voltarei a ver minhas séries favoritas!

— Pode haver um jeito de pegar o martelo. — As palavras saíram da minha boca antes de eu pensar no que estava dizendo.

Os olhos de Thor se iluminaram.

— Você tem uma bomba enorme?

— Hã, não. Mas Thrym espera se casar com alguém amanhã, não é? Podemos fingir que vamos cooperar e...

— Esqueça — grunhiu Thor. — Sei o que você vai sugerir. De jeito nenhum! O avô de Thrym me humilhou o suficiente quando *ele* roubou meu martelo. Não vou fazer *aquilo* de novo!

— Fazer o quê? — perguntei.

— Usar um vestido de noiva! — bradou Thor. — Fingir ser a noiva do gigante, Freya, que se recusou a se casar com Thrym. Mulher egoísta! Fui desgraçado, humilhado e... Por que *você* está com esse sorrisinho?

Esse último comentário foi direcionado a Alex, que logo voltou à expressão séria.

— Nada — disse ela. — Só estou... imaginando você de vestido de noiva.

Pairando acima do meu ombro, Jacques soltou um suspiro.

— Ele estava in-crí-vel.

Thor grunhiu.

— Foi tudo ideia de Loki, claro. Deu certo. Eu me infiltrei na fortaleza, peguei meu martelo de volta e matei todos os gigantes... bem, exceto pelas criancinhas, Thrym III e Thrynga. Mas, quando voltei para Asgard, Loki contou a história tantas vezes que me fez passar por ridículo. Ninguém me levou a sério durante *séculos*! — Thor franziu a testa como se tivesse acabado de pensar em alguma coisa, o que deve ter sido uma experiência dolorosa. — Sabe, aposto que esse era o plano de Loki o tempo todo. Aposto que ele armou o roubo *e* a solução para me fazer passar vergonha!

— Que terrível — disse Alex. — Como era seu vestido de noiva?

— Ah, era branco com gola alta de renda bordada e uma parte em conchas... — A barba de Thor brilhou de eletricidade. — ISSO NÃO É IMPORTANTE!

— Então... — falei. — Esse Thrym, Thrym III, sei lá, está esperando que você tente isso de novo. Ele tomou algumas precauções. Nenhum deus vai passar despercebido. Vamos precisar de uma noiva diferente.

— Ah, que alívio! — Ele sorriu para Samirah. — E agradeço por você se envolver, garota! Ainda bem que não é egoísta como Freya. Devo um presente a você. Vou pedir a Sif para fazer um troféu. Ou talvez você queira sorvete? Tenho alguns no freezer...

— Não, lorde Thor — disse Sam. — Não vou me casar com um gigante por você.

Thor piscou com malícia.

— Certo... Você apenas vai *fingir* se casar com ele. E, quando ele trouxer o martelo...

— Eu não vou nem fingir — afirmou Sam.

— *Eu* vou — disse Alex.

QUARENTA E SEIS

Lá vem a noiva e/ou a assassina

Alex sabia atrair as atenções. Hearth e Blitz olharam para ela, boquiabertos. Jacques ofegou e brilhou em amarelo. As sobrancelhas de Thor se franziram, faiscando como fios desencapados. Até os bodes se aproximaram para ver melhor quem era a garota maluca.

— Qual é o problema? — perguntou ela. — Sam e eu conversamos sobre o assunto. Ela prometeu a Amir que não ia nem *fingir* se casar com esse gigante, não foi? A farsa não me incomoda nem um pouco. Vou me arrumar, fazer os juramentos, matar meu marido, esse tipo de coisa. Sam e eu temos quase a mesma altura. Nós duas somos filhas de Loki. Ela pode se fazer passar por minha madrinha. É nossa melhor opção.

Olhei para a valquíria.

— Era sobre isso que vocês estavam conversando?

Samirah mexeu nas chaves presas ao cinto.

— Alex acha que consegue resistir aos comandos de Loki... ao contrário do que aconteceu comigo em Provincetown.

Era a primeira vez que ela falava sobre o incidente de maneira tão aberta. Eu me lembrei de Loki estalando os dedos, Sam desabando no chão, todo o ar expelido dos pulmões. Sam era uma valquíria. Tinha mais força de vontade e disciplina do que qualquer um que eu conhecia. Se *ela* não podia resistir ao controle de Loki...

— Alex, você tem certeza? — Tentei não deixar a dúvida aparente na minha voz. — Quer dizer, você já tentou resistir a Loki alguma vez?

A expressão de Alex endureceu.

— O que você quer dizer com isso?

— Nada — falei rapidamente. — Eu só...

— A questão aqui — intrometeu-se Thor — é que você nem é uma garota de verdade! Você é um *argr*!

O ar ficou pesado, como no momento que antecedia um trovão. Eu não sabia qual possibilidade me assustava mais: Thor atacar Alex ou vice-versa. A expressão nos olhos dela me fez pensar se não devíamos apenas colocá-la na fronteira de Jötunheim para assustar os gigantes em vez de ter aquele trabalho todo com Thor e seu martelo.

— Eu sou filha de Loki — disse ela em tom firme. — É isso que Thrym está esperando. Como meu pai, sou de gênero fluido. E, quando sou mulher, *sou* mulher. E consigo usar um vestido de noiva melhor do que você!

Thor franziu a testa.

— Não precisa ser cruel.

— Além do mais — continuou Alex —, eu *não* vou deixar Loki me controlar. Nunca deixei. Nunca vou permitir. Também não estou vendo *ninguém* se oferecendo para essa missão matrimonial mortal.

— *Matrimonial mortal* — repetiu Jacques. — Ei, rimou!

Otis se adiantou e suspirou.

— Bem, se vocês precisarem de um voluntário para morrer, acho que eu posso ir. Eu amo casamentos...

— Cale a boca, idiota! — disse Marvin. — Você é um bode!

Thor pegou o cajado de ferro. Apoiou-se nele, pensativo, tamborilando e fazendo imagens diferentes piscarem na superfície: uma partida de futebol, o canal de vendas, *A Ilha dos Birutas*.

— Bem, ainda não confio em um *argr* para fazer esse trabalho...

— *Uma pessoa de gênero fluido* — corrigiu Alex.

— Uma pessoa de... isso aí que você falou — disse Thor. — Mas acho que, de reputação, você é quem tem menos a perder.

Alex mostrou os dentes.

— Agora entendo por que Loki ama tanto você.

— Pessoal — interrompi. — Temos outros problemas para discutir, e nosso tempo é curto. Thrym espera que a noiva chegue amanhã.

Alex cruzou os braços.

— Está decidido, então. Eu me caso com o grandão feioso.

Então você se casa com ele, sinalizou Hearthstone. *Espero que seja feliz e tenha belos filhos.*

Alex estreitou os olhos.

— Parece que vou ter mesmo que aprender linguagem de sinais. Enquanto isso, prefiro supor que você tenha dito *Sim, Alex. Obrigado por ser tão corajosa e heroica.*

Quase isso, sinalizou Hearth.

Eu ainda não estava gostando da ideia de Alex como noiva falsa, mas achei que era melhor dançar conforme a música. Manter o grupo unido era como guiar uma carruagem sem bodes e com o eixo quebrado.

— Então, precisamos aceitar que não podemos levar Thor escondido ao casamento — falei.

— E ele não pode simplesmente invadir a fortaleza de um gigante da terra — acrescentou Blitz.

Thor limpou a garganta.

— Eu tentei, acreditem. Os gigantes idiotas estão enterrados muito fundo naquelas rochas estúpidas.

— Uau, você deve ser especialista em estupidez — supôs Alex.

Lancei para ela um olhar de *cala a boca*.

— Vamos ter que usar a porta da frente. Acho que eles só vão dizer onde será o casamento no último minuto, para evitar uma emboscada ou a entrada de penetras.

— O que o convite diz? — perguntou Sam.

Eu o peguei e mostrei a todos. A linha sobre o horário agora dizia: AMANHÃ DE MANHÃ!!! A linha sobre o local ainda dizia: AVISAMOS DEPOIS.

— Tudo bem — falei. — Acho que talvez eu saiba onde a porta vai aparecer.

Expliquei para Thor sobre a foto de Bridal Veil Falls.

O deus do trovão não pareceu se alegrar.

— Então ou você está enganado e a foto é aleatória, ou você está certo e está escolhendo acreditar em uma informação dada por seu tio traiçoeiro...

— Bem... é. Mas, se *for* a entrada...

— Eu posso ir lá olhar — disse Thor. — Posso reunir um esquadrão de deuses disfarçados, prontos para seguir o grupo da festa de forma sorrateira.

— Um time de deuses parece excelente — concordei.

— Depende dos deuses — murmurou Blitz.

— Também temos alguns einherjar de prontidão — sugeriu Sam. — Bons guerreiros. Confiáveis.

Ela disse *confiáveis* como se fosse uma palavra que Thor talvez nunca tivesse ouvido.

— Hum... — Thor girou uma das marias-chiquinhas. — Acho que pode dar certo. E quando Thrym invocar o martelo...

— *Se* ele invocar — disse Alex. — O martelo vai ser dado como, hum... *morgen-gifu*.

Thor pareceu chocado.

— Ainda assim, ele *precisa* estar com Mjölnir na cerimônia! A noiva tem o direito de exigi-lo. O símbolo do meu martelo sempre é usado para abençoar um casamento. Se Thrym estiver com o verdadeiro, ele *tem* que usá-lo, se você insistir. E, quando ele usar, invadimos e matamos todo mundo!

Menos nós, ponderou Hearthstone.

— Exatamente, sr. Elfo. Vai ser um banho de sangue glorioso!

— Lorde Thor — disse Sam —, como vai saber a hora certa de atacar?

— Isso é fácil. — Ele se virou e bateu na cabeça de Marvin e na de Otis. — Vocês vão com minha carruagem para o salão de casamento. É uma prática comum para lordes e ladies. Com um pouco de concentração, eu consigo ver e ouvir o que meus bodes veem e ouvem.

— É — disse Otis. — Dá um formigamento logo atrás dos olhos.

— Fique quieto — disse Marvin. — Ninguém quer saber do formigamento nos seus olhos.

— Quando Mjölnir aparecer — Thor abriu um sorriso cruel —, nós invadimos, deuses e einherjar. Massacramos os gigantes, e tudo vai ficar bem. Até já me sinto melhor!

— Viva! — comemorou Jacques, batendo no cajado de Thor em um tapinha de alegria.

Samirah levantou o indicador como quem diz *um momento*.

— Tem mais uma coisa. Loki quer a espada Skofnung para se libertar. Como podemos garantir que ele não vai conseguir pegá-la?

— Isso nunca vai acontecer! — disse Thor. — O local de punição de Loki é bem longe de lá, e foi selado muito tempo atrás pelos deuses. A prisão dele é mais protegida do que a do lobo Fenrir.

E nós vimos quanto isso deu certo, sinalizou Hearth.

— O elfo fala com sabedoria — concordou Thor. — Não há nada com que se preocupar. Loki não pode estar presente no casamento. Mesmo que Thrym pegue a espada Skofnung, ele não vai ter tempo de encontrar Loki e o libertar. Não antes de chegarmos e matarmos o grandalhão!

Thor girou o cajado de ferro para demonstrar seus golpes ninja. A maria-chiquinha esquerda se soltou, o que só aumentou o efeito intimidante.

Um medo gelado se espalhou pelas minhas entranhas.

— Tenho minhas dúvidas sobre esse plano. Ainda parece que estamos esquecendo alguma coisa importante.

— Meu martelo! — disse Thor. — Mas vamos recuperá-lo logo. Sr. Elfo e sr. Anão, por que vocês não vão a Valhala alertar os einherjar?

— Senhor, nós iríamos... — Blitz ajustou o chapéu de safári. — Mas, tecnicamente, não temos permissão para entrar em Valhala, por não estarmos, você sabe... mortos.

— Posso dar um jeito nisso!

— Não nos mate! — gritou Blitz.

Thor remexeu em uma mesa até encontrar uma viga de madeira com uma chave na ponta. Na lateral da tábua, com letras pirogravadas, havia a palavra PASSE LIVRE DO THOR.

— Isto vai permitir que vocês entrem em Valhala — prometeu ele. — Só não se esqueçam de devolver. Vou consertar a carruagem para que nossa noiva *argr* possa usar amanhã. Depois, vou reunir meu esquadrão de ataque e procurar esse local, Bridal Veil Falls.

— E quanto a nós? — perguntei com relutância.

— Você e as duas filhas de Loki vão ser nossos convidados esta noite! — anunciou Thor. — Vejam se minha esposa está lá em cima. Ela vai acomodar vocês. De manhã, vou partir para um glorioso massacre matrimonial!

— Ah — disse Otis com um suspiro. — Eu amo casamentos.

QUARENTA E SETE

Nos preparando para o combate no estilo discoteca

NA VÉSPERA DE UM GRANDE massacre, era de se esperar que eu não conseguisse pegar no sono.

Ledo engano. Dormi feito um gigante da pedra.

Sif ofereceu um quarto de hóspedes para cada um de nós nos andares superiores da Fenda Luminosa. Desabei na minha cama de madeira de sorveira com lençóis de ouro trançado e só abri os olhos pela manhã, quando ouvi o despertador: um pequeno troféu de ouro no formato de Mjölnir que não parava de soar como um coral divino de *Ahhhhhhhh! Ahhhhhhhh! Ahhhhhhhh!* até eu pegá-lo na mesa de cabeceira e jogá-lo na parede. Tenho que admitir que foi uma maneira satisfatória de acordar.

Acho que Sam e Alex não dormiram tão bem quanto eu. Quando as encontrei no átrio de Sif, as duas estavam com olhares perdidos. No colo de Alex tinha um prato com migalhas de donuts. Ela os quebrara em pedaços para fazer um rosto franzindo a testa. Os dedos estavam cobertos de açúcar de confeiteiro.

Sam levou uma xícara de café aos lábios como se gostasse do cheiro da bebida, mas não conseguisse lembrar como tomá-la. A espada Skofnung estava pendurada nas costas dela.

A valquíria olhou para mim e perguntou:

— Aonde?

Não entendi a pergunta de primeira. Depois, percebi que ela estava perguntando se eu sabia aonde íamos hoje.

Remexi no bolso em busca do convite de casamento.

A linha do *quando* agora dizia: HOJE! ÀS 10H. ESTÁ ANIMADO?!

A linha do *onde* dizia: SIGA PARA O TACO BELL NA I-93 AO SUL DE MANCHESTER, NEW HAMPSHIRE. AGUARDE MAIS INSTRUÇÕES. NADA DE AESIR, SENÃO O MARTELO VAI SOFRER!

Mostrei o convite para Alex e Sam.

— Taco Bell? — resmungou Alex. — Que idiotas.

— Tem alguma coisa errada. — Sam tomou um gole de café. A xícara tremeu nas mãos dela. — Magnus, fiquei a noite toda pensando no que você falou. Estamos esquecendo alguma coisa importante, e não estou me referindo ao martelo.

— Talvez vocês estejam precisando de roupas mais apropriadas para a ocasião — disse nossa anfitriã.

À nossa frente estava Sif, que surgira do nada, como as deusas costumavam fazer. Ela usava o mesmo vestido vermelho-alaranjado, o mesmo broche verde e prateado e o mesmo sorriso condescendente que dizia *Acho que vocês são meus criados, mas não lembro seus nomes.*

— Meu marido me disse que você quer brincar de se disfarçar. — Ela olhou Alex de cima a baixo. — Acho que vai ser mais fácil do que botar Thor em um vestido de noiva, mas temos muito trabalho a fazer. Venha comigo.

Sif andou por um corredor no final do átrio, sinalizando para Alex segui-la.

— Se eu não voltar em uma hora — disse Alex —, quer dizer que estrangulei Sif e estou me livrando do corpo.

Sua expressão não dava indicação nenhuma de estar brincando. Alex saiu andando, fazendo uma imitação tão boa da caminhada de Sif que eu daria um troféu para ela.

Sam ficou de pé. Com a xícara de café na mão, ela andou até a janela mais próxima e olhou por cima dos telhados de Asgard. Os olhos dela pareceram se fixar no domo dourado feito de escudos de Valhala.

— Alex não está pronta — disse ela.

Eu me juntei a Sam na janela. Uma mecha de cabelo castanho escapou do hijab perto da têmpora esquerda. Tive um ímpeto protetor de botar os fios de volta. Como eu gostava muito da minha mão, não me mexi.

— Você acha que ela está certa? — perguntei. — Acha que ela consegue... você sabe, resistir a Loki?

— Ela *acha* que consegue — disse Sam. — Alex tem uma teoria sobre reivindicar os próprios poderes, não deixar que nosso pai a possua. Ela até se ofereceu para me ensinar. Mas acho que ela nunca testou a si mesma contra Loki. Não de verdade.

Pensei na minha conversa com Alex na floresta de Jötunheim, na confiança com que ela falara sobre usar o símbolo das serpentes de Urnes para si, saindo da sombra venenosa do pai. Era uma boa ideia. Infelizmente, eu sabia com que facilidade Loki podia manipular as pessoas. Vi o que ele havia feito com o tio Randolph.

— Pelo menos não estaremos sozinhos.

Olhei para Valhala ao longe. Pela primeira vez, senti uma pontada de saudade do lugar. Eu torcia para que Blitz e Hearth tivessem chegado lá em segurança. Imaginei-os com a galera do andar dezenove preparando as armas e arrumando trajes de casamento para uma missão ousada que salvaria nossa pele.

Quanto a Thor... eu não tinha muita fé nele. Mas, com sorte, ele e um bando de outros aesires estariam preparados ao redor de Bridal Veil Falls, usando roupas camufladas com catapultas manuais de alta precisão ou lanças motorizadas ou quaisquer outras armas que os deuses usassem atualmente.

Sam balançou a cabeça.

— Com ou sem ajuda... Alex não sabe o que aconteceu na tumba do *draugr*. Ela não sabe totalmente do que Loki é capaz, com que facilidade ele pode...

Ela estalou os dedos.

Eu não sabia o que dizer. *Tudo bem, você não pôde evitar* não pareceu útil.

Sam deu um gole no café.

— Devia ser eu usando o vestido de noiva. Eu sou uma valquíria. Tenho poderes que Alex não tem. Tenho mais experiência em luta. Eu...

— Você fez uma promessa a Amir. Existem limites que você não pode ultrapassar. Isso não é fraqueza. É um dos seus pontos fortes.

Sam observou meu rosto, talvez avaliando se eu estava falando sério.

— Às vezes não parece um ponto forte.

— Depois do que aconteceu naquela tumba em Provincetown? — falei. — Sabendo do que Loki é capaz e sem ideia se consegue resistir a ele, você *ainda* vai voltar e lutar contra seu pai. Se quer saber, está *bem* acima do nível Valhala de coragem.

Ela colocou a xícara no peitoril da janela.

— Obrigada, Magnus. Mas, hoje, se você tiver que escolher... Se Loki tentar fazer Alex e a mim de reféns, ou...

— Sam, não.

— O que quer que ele esteja planejando, Magnus, você *tem* que impedi-lo. Se estivermos incapacitadas, talvez você seja o único que consiga. — Ela tirou a espada Skofnung das costas e a entregou para mim. — Guarde isto. Não perca de vista.

Mesmo na luz matinal de Asgard, no calor do átrio de Sif, a bainha de couro da espada estava fria como a porta de um freezer. A pedra Skofnung agora estava presa ao cabo da espada. Quando coloquei a espada nas costas, a pedra afundou na minha omoplata.

— Sam, eu não vou precisar fazer uma escolha. Não vou deixar Loki matar meus amigos. E, definitivamente, não vou deixar que ele chegue perto desta espada. A não ser que ele queira comer a lâmina. Por mim, tudo bem.

O canto da boca de Sam tremeu.

— Fico feliz por você estar comigo nisso, Magnus. Espero que, um dia, quando meu casamento *de verdade* acontecer, você também esteja lá.

Foi a coisa mais legal que alguém me disse em muito tempo. Claro que, considerando como meus últimos dias tinham sido tumultuados, isso talvez não fosse surpresa.

— Vou estar lá — prometi. — E não vai ser só por causa da comida excelente do Falafel do Fadlan.

Ela deu um tapa no meu ombro, que encarei como um elogio. Normalmente, Sam evitava qualquer tipo de contato físico. Acho que dar um tapa em um amigo idiota era permitido de vez em quando.

Por um tempo, observamos o nascer do sol em Asgard. Estávamos em uma posição bem alta, mas como aconteceu quando vi Asgard de Valhala, não notei ninguém andando nas ruas. Pensei em todas as janelas escuras e nos pátios silenciosos, nos jardins descuidados crescendo desenfreados. Que deuses teriam morado naquelas mansões? Para onde todos tinham ido? Talvez tenham se cansado da péssima segurança e se mudado para um condomínio com guarita, onde o guardião não passava o tempo todo tirando selfies celestiais.

Não sei bem quanto tempo esperamos Alex. Tempo suficiente para eu beber uma xícara de café e comer um rosto de testa franzida feito de donuts. Tempo suficiente para eu me perguntar por que Alex estava demorando tanto para esconder o corpo de Sif.

Finalmente, a deusa e a noiva surgiram pelo corredor. Toda umidade evaporou da minha boca. Eletricidade pulou de poro em poro no meu couro cabeludo.

O vestido branco de seda de Alex brilhava com bordados dourados, das franjas nas mangas até a barra ondulada que cobria os pés. Um colar dourado fazia a volta no pescoço dela como um arco-íris invertido. Preso às mechas pretas e verdes do cabelo havia um véu branco, puxado para trás para deixar o rosto à mostra; os olhos bicolores estavam decorados com uma camada de rímel, os lábios, pintados de um tom quente de vermelho.

— Irmã — disse Sam. — Você está linda.

Fiquei feliz por *ela* ter dito. Minha língua estava enrolada como um saco de dormir de titânio.

Alex fez uma careta para mim.

— Magnus, você pode parar de me olhar como se eu fosse te matar?

— Eu não estava...

— Porque, se não parar, eu *vou* te matar.

— Certo. — Era difícil desviar os olhos, mas eu me esforcei.

Sif estava com um brilho confiante no olhar.

— A julgar pela reação da nossa cobaia masculina, acho que meu trabalho aqui está feito. Exceto por uma coisa... — A deusa tirou um longo fio de ouro preso na própria cintura, tão fino e delicado que eu mal conseguia ver. Em cada ponta havia uma haste dourada em formato de S. Um garrote, eu percebi, como o de Alex, só que de ouro. Sif o enrolou na cintura de Alex, juntando os dois *S* para formarem as Serpentes de Urnes.

— Pronto. Essa arma, feita do meu cabelo, tem as mesmas propriedades do seu outro garrote, só que combina com o vestido e *não* veio de Loki. Que sirva bem a você, Alex Fierro.

Alex parecia ter recebido um troféu que garantia ao portador praticamente tudo.

— Eu... eu não sei como agradecer, Sif.

A deusa inclinou a cabeça.

— Talvez nós duas possamos nos esforçar mais para não julgar baseadas em primeiras impressões, hein?

— Isso... é. Concordo.

— E, se você tiver a chance — acrescentou Sif —, estrangular seu pai com um garrote feito do meu cabelo mágico pareceria bem apropriado.

Alex fez uma reverência.

A deusa se virou para Sam.

— Agora, minha querida, vamos ver o que podemos fazer para a madrinha.

Depois que Sif acompanhou Samirah pelo Corredor de Transformações Mágicas, eu me virei para Alex, fazendo um esforço para não deixar meus olhos saltarem da cara.

— Eu, hã... — Minha língua começou a se enrolar de novo. — O que você disse para Sif? Ela parece gostar de você agora.

— Eu sei ser encantadora quando preciso — disse Alex. — E não se preocupe. Vai chegar sua vez logo, logo.

— De... ser encantador?

— Isso seria impossível. — Alex franziu o nariz de um jeito bem parecido com Sif. — Mas pelo menos você pode tomar um banho. Preciso que meu acompanhante esteja *bem* mais elegante.

Não sei se consegui ficar elegante. Estava mais para hesitante.

Enquanto Samirah ainda estava se vestindo, Sif voltou e me guiou para o provador dos cavalheiros. Por que a deusa tinha um provador masculino, eu não sabia, mas achei que Thor não passava muito tempo ali. Não encontrei nenhum short de ginástica e nenhuma camiseta do Metallica.

Sif providenciou para mim um smoking dourado e branco, com o forro feito de cota de malha à moda de Blitzen. Jacques pairou ali perto, cantarolando de empolgação. Ele gostou muito da gravata-borboleta feita do cabelo de Sif e da camisa com babados.

— Ah, sim! — exclamou a espada. — Agora você só precisa da runa certa nesse traje arrasador!

Eu nunca o tinha visto tão ansioso para virar um pingente mudo. A runa de Frey assumiu seu lugar embaixo da minha gravata-borboleta, aninhada entre os babados como um ovo de Páscoa de pedra. Com a espada Skofnung presa nas costas, eu parecia pronto para dançar em uma discoteca enquanto perfurava meus parentes mais próximos. Infelizmente, isso parecia ser uma ideia bem exata do que poderia acontecer.

Assim que voltei ao átrio, Alex se dobrou de tanto rir. Havia alguma coisa de profundamente humilhante em ser alvo de risadas de uma garota de vestido de noiva, principalmente uma garota que estava *arrasando* com o tal vestido.

— Ah, meus deuses. — Ela fez um ruído de deboche. — Você parece estar a caminho de um casamento em Vegas em 1987.

— Nas suas próprias palavras — falei —, cale a boca.

Alex se aproximou e ajeitou minha gravata. Os olhos pareciam brilhar de divertimento. Alex tinha cheiro de fumaça. Por que ainda estava com cheiro de fogueira?

Ela recuou e riu de novo.

— Tá. Melhor assim. Agora, só precisamos ver Sam... Ah, uau.

Segui o olhar dela.

Samirah tinha chegado pelo corredor. Estava usando um vestido de gala verde com bordado preto que era uma imagem espelhada do de Alex, com espirais das mangas até a barra. No lugar do hijab de sempre, ela usava um capuz de seda verde com uma espécie de véu cobrindo até o alto do nariz. Só os olhos estavam visíveis, e mesmo eles estavam pintados com sombra escura.

— Você está ótima — falei para ela. — Além disso, adorei sua participação em *Assassin's Creed*.

— Ha-ha. Posso ver que você está pronto para o baile do colégio. Alex, você já experimentou o véu?

Com a ajuda de Sam, Alex puxou a cortina de tecido leve por cima do rosto. Havia algo de fantasmagórico nela com aquele véu, como se Alex pudesse sair flutuando a qualquer momento. Dava para ver que ela *tinha* rosto, mas as feições estavam totalmente obscurecidas. Se eu não soubesse, podia achar que era Sam. Só as mãos a entregavam. O tom de pele de Alex era um pouco mais claro que o da valquíria. Ela resolveu isso com luvas de renda. Eu queria muito que Blitzen estivesse com a gente, porque ele ia adorar todas aquelas roupas elegantes.

— Meus heróis. — Sif parou ao lado de uma das sorveiras. — Está na hora.

O tronco da árvore se abriu, revelando uma greta de luz roxa da mesma cor da placa do Taco Bell.

— Onde está a carruagem? — perguntou Alex.

— Esperando vocês do outro lado — respondeu Sif. — Sigam, meus amigos, e matem muitos gigantes.

Amigos, eu reparei. Não *ajudantes*.

Talvez tivéssemos mesmo causado uma boa impressão na deusa. Ou talvez ela tivesse se dado conta de que morreríamos, então um pouco de gentileza não faria mal.

Alex se virou para mim.

— Vá na frente, Magnus. Se houver algum inimigo, seu smoking vai cegá-lo.

Sam riu.

Para acabar logo com o constrangimento, passei pela sorveira e fui para outro mundo.

QUARENTA E OITO

Todos a bordo do Expresso Mexicano

A ÚNICA COISA HOSTIL NO estacionamento do Taco Bell era Marvin, que estava dando uma bronca no irmão, Otis.

— Muito obrigado por nos transformar em sanduíches de bode, seu idiota! — gritou Marvin. — Você sabe quanto precisa irritar Thor para ele nos comer dessa maneira?

— Ah, olhe. — Otis apontou com os chifres em nossa direção. — São nossos passageiros.

Ele disse a palavra *passageiros* como se dissesse *executores*. Acho que, para Otis, elas costumavam ser sinônimos.

Os dois bodes estavam presos à carruagem, estacionada ao lado da pista de drive-thru do restaurante. As coleiras tinham sinos dourados que tocavam alegremente quando Otis e Marvin balançavam a cabeça. A carruagem em si estava decorada com flores amarelas e brancas que não mascaravam o cheiro de suor de deus do trovão.

— Oi, pessoal. — Acenei para os bodes. — Vocês estão tão festivos.

— É — resmungou Marvin. — Estou me sentindo *muito* festivo. Já sabe para onde vamos, humano? O cheiro de burrito está me deixando enjoado.

Conferi o convite mais uma vez. A linha do *onde* agora dizia: SIGA PARA BRIDAL VEIL FALLS. VOCÊ SÓ TEM CINCO MINUTOS.

Li duas vezes para ter certeza de que não estava imaginando coisas. Eu estava certo no meu palpite. Tio Randolph devia mesmo estar tentando me ajudar. Agora tínhamos uma chance de contrabandear uns penetras divinos.

Por outro lado, não dava mais para evitar o casamento. Eu tinha ganhado em uma loteria cujo grande prêmio era uma viagem só de ida para a fortaleza de um gigante da terra malvado com potes de picles, garrafas de cerveja e morte. Eu duvidava que ele fosse honrar os cupons do troféu de Sif.

Mostrei o convite para os bodes e para as garotas.

— Então você estava certo — disse Sam. — Talvez Thor...

— *Shhh* — avisou Alex. — De agora em diante, acho que devemos supor que Loki esteja nos vigiando.

Não foi um pensamento alegre. Os bodes olharam ao redor, como se Loki pudesse estar escondido ali perto, possivelmente disfarçado de um grande burrito.

— É — disse Marvin, um pouco alto demais —, acho que Thor... vai ficar triste, já que não tem como ele ir para Bridal Veil Falls com um esquadrão de ataque em apenas cinco minutos, já que acabamos de receber essa informação e estamos com uma desvantagem enorme! Droga!

As habilidades de disfarce dele eram quase tão refinadas quanto as de Otis. Eu me perguntei se os dois bodes tinham sobretudos, chapéus e óculos escuros iguais.

Otis balançou os sinos com alegria.

— É melhor seguirmos logo para a morte. Cinco minutos não é muito tempo, até para a carruagem de Thor. Subam a bordo.

Subir não era possível para Sam e Alex, com seus vestidos de casamento. Tive que levantá-las, o que não deixou nenhuma das duas feliz, a julgar pelos resmungos e xingamentos por trás dos véus.

Os bodes partiram galopando a toda... ou o que quer que bodes façam. Trotar? Desfilar? No final do estacionamento, a carruagem levantou voo. Tilintamos conforme decolávamos do restaurante, como o trenó do Papai Taco, levando burritos para todos os meninos, meninas e gigantes bonzinhos.

Os bodes ganharam velocidade. Atravessamos uma nuvem a mil e quinhentos quilômetros por hora, a névoa fria molhando meu cabelo e fazendo os babados da minha camisa murcharem. Desejei ter um véu, como Sam e Alex, ou pelo menos óculos de proteção. Imaginei se Jacques podia se mover como um limpador de para-brisa.

De repente, começamos a descer com a mesma rapidez com que subíramos. Abaixo de nós estavam as Montanhas Brancas e seus cumes cinzentos com veios brancos onde a neve se agarrava nas fendas.

Otis e Marvin mergulharam em direção a um dos vales, deixando meu estômago nas nuvens. O cavalo Stanley aprovaria. Sam não aprovou. Ela se segurou e murmurou:

— Mais devagar, pessoal. Cuidado com a velocidade de aproximação.

Alex deu uma risadinha debochada.

— Não tente pilotar do banco de trás!

Pousamos em uma ravina na floresta. Os bodes seguiram em frente, com neve sendo espirrada pelas rodas da carruagem como sorvete. Otis e Marvin não pareceram se importar. Eles seguiram em frente, tilintando e exalando vapor, nos levando mais fundo nas sombras das montanhas.

Fiquei olhando para os cumes acima de nós, tentando ver algum aesir e algum einherji escondidos na vegetação, prontos para ajudar se alguma coisa desse errado. Eu teria adorado ver o brilho do rifle de T.J. ou o rosto pintado de berserker de Mestiço ou ouvir alguns xingamentos em gaélico de Mallory. Mas a floresta parecia vazia.

De repente, me lembrei do que Utgard-Loki tinha dito: nos matar e pegar a espada Skofnung seria muito mais fácil do que nos deixar seguir em frente com os planos do casamento.

— Ei, pessoal... como podemos saber que Thrym não é fã, vocês sabem, da opção número um?

— Ele não nos mataria — disse Sam. — A não ser que precise. Thrym *deseja* essa aliança com Loki, o que significa que ele precisa de mim, quer dizer, precisa dela, Samirah.

Sam apontou para Alex.

Marvin balançou os chifres, como se tentasse soltar os sinos.

— Vocês estão com medo de alguma emboscada? Não temam. Festas de casamento têm passagem segura garantida.

— Verdade — disse Otis. — Se bem que os gigantes sempre podem nos matar depois da cerimônia, eu espero.

— Você quer dizer que *acha* — disse Marvin. — Não que *espera*.

— Hã? Ah, é.

— Vamos fazer silêncio agora — resmungou Marvin. — Não queremos provocar uma avalanche.

A possibilidade de uma avalanche no meio da primavera parecia pequena. Não havia tanta neve nos picos das montanhas. Mesmo assim, depois de tudo pelo que tínhamos passado, seria burrice morrermos enterrados embaixo de uma tonelada de detritos gelados com um smoking tão estiloso.

Finalmente, a carruagem se aproximou de um penhasco com uns dez andares de altura. Folhas de gelo cobriam as pedras feito uma cortina de açúcar. Embaixo, a cachoeira estava lentamente voltando à vida, gorgolejando, se movendo e pulsando de luz.

— Bridal Veil Falls — disse Alex. — Escalei aqui algumas vezes.

— Mas não usando um vestido de noiva, eu acho.

Ou eu *espero*? Otis me deixou confuso.

— O que a gente faz agora? — perguntou Sam.

— Bom, faltam quatro minutos — disse Marvin. — Não estamos atrasados.

— Seria uma pena se perdêssemos a passagem. (Tenho quase certeza de que isso era um *espero*.)

Bem nessa hora, o chão rugiu. A cachoeira pareceu se esticar, acordar do sono de inverno, soltando pedaços de gelo que se quebraram e caíram no riacho abaixo. A face do penhasco se abriu no meio, e a água chegou para os lados, revelando a boca de uma grande caverna.

Da escuridão surgiu uma giganta. Ela tinha uns dois metros de altura — era até baixinha para uma giganta. Usava um vestido todo costurado de peles brancas, o que me deixou triste pelos animais, provavelmente ursos-polares, que deram a vida por aquela roupa. O cabelo branco da giganta estava trançado dos dois lados do rosto, e eu desejei que ela tivesse um véu, porque, *eca*. Os olhos saltados eram do tamanho de laranjas. O nariz parecia ter sido quebrado várias vezes. Quando sorriu, os lábios e os dentes dela tinham manchas pretas.

— Olá! — Ela tinha a mesma voz grave de que eu me lembrava do meu sonho. Eu me encolhi involuntariamente, com medo de ela derrubar meu pote de picles.

— Eu sou Thrynga! — continuou a giganta —, princesa dos gigantes da terra, irmã de Thrym, filho de Thrym, neto de Thrym! Estou aqui para receber minha nova cunhada.

Alex se virou para mim. Eu não conseguia ver o rosto dela, mas o som estalado que ecoou do fundo da garganta parecia querer dizer: *Abortar missão! Abortar missão!*

Sam fez uma reverência. Falou com um tom mais agudo do que o habitual.

— Obrigada, Thrynga! Samirah está encantada por estar aqui. Sou sua madrinha...

— Prudence — sugeri.

Sam se virou para mim, e o olho dela tremeu acima do lenço de bandida.

— Sim... Prudence. E este é...

Antes que ela pudesse se vingar me chamando de Clarabelle ou Horatio Q. Pantaloons, eu me adiantei:

— Magnus Chase! Filho de Frey e portador do dote da noiva. É um prazer conhecê-la.

Thrynga lambeu os lábios manchados. Falando sério, eu me perguntei se ela sugava canetas esferográficas quando estava de bobeira.

— Ah, sim — disse ela. — Você está na lista de convidados, filho de Frey. E essa é a espada Skofnung que você carrega? Muito bom. Eu fico com ela.

— Não até a troca de presentes durante a cerimônia — falei. — Queremos seguir as tradições, não queremos?

Os olhos de Thrynga tinham um brilho perigoso... e cheio de ganância.

— Claro. As tradições. E, falando nisso...

Das mangas de urso-polar ela tirou uma espátula enorme de pedra. Tive um breve momento de terror ao me perguntar se gigantes costumavam bater nos convidados de casamento.

— Vocês não se importam se eu fizer uma rápida verificação de segurança, não é mesmo? — Thrynga passou o detector pelos bodes. Em seguida, inspecionou a carruagem e nós. — Ótimo. Nenhum aesir nas redondezas.

— Meu terapeuta diz que Marvin tem complexo de deus — disse Otis. — Mas acho que isso não conta.

— Cale a boca, senão vou acabar com você — resmungou Marvin.

Thrynga franziu a testa enquanto observava a carruagem.

— Esse veículo parece familiar. Tem até um cheiro familiar.

— Ah, você sabe — falei —, lordes e ladies costumam andar de carruagem para ir a casamentos. Esta é alugada.

— Hum... — Thrynga puxou os fios brancos de barba que tinha no queixo. — Acho que sim... — Ela olhou novamente para a espada Skofnung nas minhas costas, um brilho ganancioso nos olhos. Fez sinal para a entrada da caverna. — Por aqui, pequenos humanos.

Não achei justo ela nos chamar de *pequenos*. Thrynga só tinha dois metros, afinal de contas. A giganta baixinha entrou na caverna, e nossos bodes foram atrás, puxando a carruagem direto pelo meio da cachoeira interrompida.

O túnel era arredondado e mal tinha espaço para as rodas da carruagem. O chão era coberto de gelo, e a descida era tão íngreme que fiquei com medo de Marvin e Otis escorregarem e nos arrastarem para o vazio. Mas Thrynga não pareceu ter dificuldade para manter o equilíbrio.

Havíamos percorrido uns quinze metros de túnel quando ouvi a entrada da caverna se fechando atrás de nós.

— Ei, Thrynga, não devíamos deixar aquela cachoeira aberta? Como vamos sair depois da cerimônia?

A giganta me deu um sorriso manchado.

— Sair? Ah, eu não me preocuparia com isso. Além do mais, temos que deixar a entrada fechada e o túnel se movendo. Não íamos querer que ninguém interferisse nesse dia tão feliz, não é mesmo?

A gola do meu smoking estava encharcada de suor. Quanto tempo a entrada do túnel tinha ficado aberta depois que nós passamos? Um minuto? Dois? Thor e os outros conseguiram entrar? Eles estavam lá? Não ouvi nada atrás de nós, nem um peidinho discreto, então era impossível saber.

Meus olhos pareciam estar saltando das órbitas. Meus dedos tremiam. Eu queria falar com Alex e Sam, elaborar planos de contingência para o caso de as coisas darem errado, mas não podia fazer isso com a giganta Thrynga bem na nossa frente.

Enquanto andava, a giganta tirou uma castanha do bolso do vestido. Começou a jogar distraidamente o fruto para o alto e a pegar de volta. Pareceu um amuleto esquisito para um gigante. Por outro lado, eu tinha uma runa que virava espada, então não podia criticar.

O ar ficou mais frio e mais denso. O teto de pedra parecia nos pressionar. A sensação era de que estávamos deslizando para o lado, mas eu não sabia se era por causa do gelo ou do túnel se movendo na terra ou do meu baço pressionando a lateral do corpo, tentando escapar.

— Até onde esse túnel vai? — Minha voz ecoou nas paredes de pedra.

Thrynga riu e virou a castanha nos dedos.

— Tem medo do subterrâneo, filho de Frey? Não se preocupe. Só vamos descer mais um pouco. Claro que o túnel em si vai até Helheim. A maioria das passagens subterrâneas acaba indo para lá.

Ela parou para me mostrar as solas dos sapatos, cheios de ferrinhos pontudos.

— Gigantes e bodes estão mais bem-equipados para uma estrada assim. Vocês, pequeninos, perderiam o equilíbrio e deslizariam até o Muro de Cadáveres. Não podemos permitir isso.

Pela primeira vez, eu concordei com a giganta.

A carruagem seguiu em frente. O cheiro das guirlandas de flores ficou mais doce e mais frio e me lembrou a casa funerária onde meu corpo mortal foi exposto em um caixão. Eu esperava não precisar de um segundo funeral. Se precisasse, me perguntei se seria enterrado ao lado do meu próprio corpo.

A ideia de "mais um pouco" de Thrynga eram mais quatro horas de viagem. Os bodes não pareceram se importar, mas eu estava ficando louco de frio, ansiedade e tédio. Só tinha tomado uma xícara de café e comido alguns pedaços de donuts no palácio de Sif naquela manhã. Agora, estava com fome e tenso. Fui reduzido a um estômago vazio, nervos em frangalhos e uma bexiga cheia. Não vimos estações de serviço nem paradas de descanso no caminho. Nem mesmo um arbusto. As garotas também deviam estar sofrendo. Elas ficavam se mexendo e se balançando.

Finalmente, chegamos a uma bifurcação no túnel. O caminho principal continuava pela escuridão gelada. Mas, à direita, um corredor curto terminava em um conjunto de portas de carvalho com rebites de ferro e aldravas no formato de cabeça de dragão.

O capacho dizia ABENÇOE ESTA CAVERNA!

Thrynga sorriu.

— Chegamos, pequeninos. Espero que estejam animados.

Ela abriu as portas, e nossa carruagem passou... e entrou no bar de *Cheers*.

QUARENTA E NOVE

Thrym!

De repente, seguir a estrada para Helheim não pareceu tão ruim.

Não era surpresa que a casa de Thrym me fosse tão familiar quando a vi pelo pote de picles no sonho. O local era uma réplica quase perfeita do Bull & Finch Pub, a inspiração para a velha série de TV *Cheers*.

Como ficava em frente ao parque Public Garden, eu já tinha ido algumas vezes ao pub quando era sem-teto, para me aquecer em um dia frio de inverno ou para pedir um hambúrguer a algum cliente. O local estava sempre cheio, e fez sentido ter um equivalente para os gigantes da terra.

Quando entramos, uma dezena de gigantes se viraram em nossa direção e levantaram as canecas de hidromel.

— Samirah! — gritaram eles em uníssono.

Mais gigantes ocupavam as mesas e o bar, comendo hambúrgueres e bebendo hidromel.

A maioria dos clientes era um pouco maior do que Thrynga. Estavam vestidos com uma confusão de peças de smoking, peles e armaduras que faziam meu traje parecer superdiscreto.

Olhei o aposento, mas não vi sinal de Loki nem do tio Randolph. Eu não sabia se ficava aliviado ou preocupado com essa situação. Na extremidade mais distante do bar, em um trono de madeira simples debaixo da TV de tela plana, estava o gigante da terra em pessoa: Thrym, filho de Thrym, neto de Thrym.

— Finalmente! — gritou ele com sua voz de morsa.

O rei se levantou cambaleando. Tinha uma semelhança tão grande com o Norm do programa de TV que eu me perguntei se ele recebia algum cachê. O corpo era perfeitamente redondo, enfiado em uma calça preta de poliéster e em uma camiseta vermelha com gravata preta larga. Cabelo fino e encaracolado envolvia o rosto de lua cheia. Ele era o primeiro gigante que eu via sem barba, e desejei que deixasse crescer algum pelo na cara. Sua boca era úmida e rosada. O queixo praticamente não existia. Os olhos vorazes se grudaram em Alex, como se ela fosse um prato apetitoso de cheesebúrgueres.

— Minha rainha chegou! — Thrym bateu na barriga ampla. — Podemos começar as festividades!

— Irmão, você nem trocou de roupa ainda! — gritou Thrynga. — E por que este lugar está tão imundo? Mandei você limpar enquanto eu estivesse fora!

Thrym franziu a testa.

— O que você quer dizer? Nós *limpamos*. E colocamos gravatas!

— Gravatas! — gritou a multidão de gigantes.

— Seus patifes inúteis! — Thrynga pegou o banco mais próximo e quebrou na cabeça de um gigante qualquer, que desabou no chão. — Desliguem a televisão. Limpem a bancada! Varram o chão! Lavem a cara!

Ela se virou para nós.

— Peço desculpas por esses idiotas. Vou prepará-los rapidamente.

— Tá, tudo bem — respondi, fazendo a dancinha de quem precisa fazer xixi. — A propósito... onde fica o banheiro?

— No final daquele corredor ali. — Thrynga apontou. — Deixe a carruagem. Vou cuidar para que ninguém coma seus bodes.

Ajudei Sam e Alex a saírem da carruagem e andamos em meio ao caos, desviando de esfregões, vassouras e gigantes fedidos enquanto Thrynga andava em meio à multidão, gritando para os clientes se aprontarem rápido para a festa ou ela arrancaria a cabeça deles.

Os banheiros ficavam nos fundos, como era em *Cheers*. Felizmente, a área estava vazia, exceto por um gigante que desmaiou e estava roncando em uma cabine de canto, com o rosto apoiado em um prato de nachos.

— Estou confusa — disse Alex. — Por que aqui é igual a *Cheers*?

— Muitos elementos passam de Boston para os outros mundos — explicou Sam.

— Tipo Nídavellir, que parece Southie — falei. — E Álfaheim, que parece Wellesley.

Alex estremeceu.

— Tá, mas eu tenho que me casar em *Cheers*?

— Conversamos depois — falei. — Banheiro agora.

— É — concordaram as garotas ao mesmo tempo.

Por ser homem e não ter dificuldade por causa de um vestido, eu terminei primeiro. Alguns minutos depois, as garotas reapareceram, com um rabo de papel higiênico preso na barra do vestido de Alex. Eu duvidava que algum dos gigantes fosse reparar ou ligar, mas Sam retirou para ela.

— Vocês acham que nossos amigos conseguiram entrar? — perguntei.

— Espero que sim — disse Alex. — Estou tão nervosa que... *URF!*

Essa última sílaba pareceu um urso engasgando com uma bala de caramelo. Olhei para a cabine de canto para ter certeza de que o gigante não tinha ouvido. Ele só murmurou baixinho e virou a cabeça no travesseiro de nachos.

Sam deu um tapinha no ombro de Alex.

— Está tudo bem. — Ela me olhou. — Alex virou um gorila no banheiro. Ela vai ficar bem.

— Ela *o quê*?

— Acontece — disse Sam. — Com metamorfose, se você fica nervoso e perde o foco...

Alex arrotou.

— Estou melhor. Acho que voltei a ser humana agora. Espere... — Ela se balançou dentro do vestido, como se estivesse tentando desalojar uma pedrinha. — É. Tudo bem.

Eu não sabia se ela estava falando sério ou não. Não sabia nem se *queria* saber.

— Alex, se você mudar de forma sem querer enquanto estiver no meio dos gigantes...

— Não vai acontecer — prometeu ela.

— Só fique quieta — disse Sam. — Você tem que ser a noiva tímida e envergonhada. Deixa que eu falo por você. Siga minhas dicas. Vamos enrolar o máximo possível, com sorte dando tempo suficiente para Th... *nossos amigos* chegarem.

— Mas onde está Loki? — perguntei. — E meu tio?

Sam ficou em silêncio.

— Não sei. Mas temos que ficar atentos. Quando virmos o mar...

— Aí estão vocês! — Thrynga surgiu no corredor. — Estamos prontos agora.

— Claro! — disse Sam. — Nós só estávamos, hã, falando quanto amamos marisco. Esperamos que tenha mariscos no banquete!

Eu pisquei para ela, como quem diz: *Que discreto. Discreto no nível Otis.*

Thrynga nos levou de volta ao bar. A julgar pelo cheiro, alguém tinha borrifado uma quantidade absurda de desinfetante de limão. A maior parte do vidro quebrado e dos restos de comida caídos no chão tinha sido varrida. A TV estava desligada, e todos os gigantes estavam de pé perto da parede, em fila, com o cabelo penteado, as gravatas arrumadas e as camisas para dentro das calças.

Em uníssono, eles cantarolaram:

— Boa tarde, srta. Samirah.

Alex fez uma reverência.

A verdadeira Samirah disse:

— Boa tarde, hã, turma. Minha senhora, Samirah, está emocionada demais para falar, mas está muito feliz por estar aqui.

Alex zurrou feito um burro. Os gigantes olharam hesitantes para Thrynga, em busca de uma dica de etiqueta.

O rei Thrym franziu a testa. Ele tinha colocado um paletó preto de smoking com um cravo rosa preso na lapela, que o fez parecer mais elegantemente feio.

— Por que minha noiva zurra como um burro?

— Ela está chorando de alegria — disse Sam rapidamente — porque finalmente viu seu lindo marido!

— Hum. — Thrym passou o dedo pela papada. — Faz sentido. Venha, doce Samirah! Sente-se ao meu lado e vamos começar o banquete!

Alex se sentou na cadeira ao lado do trono de Thrym. Thrynga ficou ao lado do irmão como uma guarda-costas, então Sam e eu ficamos do outro lado de Alex e tentamos parecer solenes. Nosso trabalho parecia consistir basicamente de não comer, desviar a ocasional caneca de hidromel que voava na direção de Alex e ouvir nossos estômagos roncarem.

O primeiro prato foi de nachos. Qual era a coisa dos gigantes com nachos?

Thrynga ficava sorrindo para mim e olhando para a espada Skofnung, ainda presa às minhas costas. Estava claro que ela desejava a arma. Eu me perguntei se alguém tinha dito para a giganta que a espada não podia ser desembainhada na presença de mulheres. Suponho que gigantas contem como mulheres. Eu não sabia o que aconteceria se alguém tentasse desembainhar Skofnung apesar das restrições, mas duvidava que fosse algo bom.

Tente, zumbiu a voz de Jacques na minha mente, como se ele estivesse tendo um sonho agradável. *Ah, cara, ela é tão linda.*

Volte a dormir, Jacques, disse para ele.

Os gigantes riram e comeram nachos, mas mantiveram um olho em Thrynga, como se para ter certeza de que ela não ia bater neles com um banco de bar por mau comportamento. Otis e Marvin estavam presos nos arreios, como os deixamos. De vez em quando, um nacho perdido voava na direção deles, e um dos bodes o pegava no ar.

Thrym fez o melhor que pôde para seduzir Alex. Ela se encolheu para longe e não disse nada. Só para ser educada, de vez em quando levava um nacho para debaixo do véu.

— Ela come tão pouco! — disse Thrym com preocupação. — Ela está bem?

— Ah, está — assegurou Sam. — Está empolgada demais para ter apetite, Vossa Majestade.

— Hum. — Thrym deu de ombros. — Bem, pelo menos eu sei que ela não é Thor!

— Claro que não! — A voz de Sam subiu uma oitava. — Por que você pensaria isso?

— Séculos atrás, quando Mjölnir foi roubado pela primeira vez pelo meu avô...

— *Nosso* avô — corrigiu Thrynga, examinando os sulcos na castanha da sorte.

— ...Thor veio disfarçado de noiva para recuperar o martelo. — Os lábios úmidos de Thrym se curvaram como se ele estivesse tentando localizar seus dentes de trás. — Eu me lembro daquele dia, apesar de ser apenas uma criança. A noiva falsa comeu um touro inteiro e bebeu dois barris de hidromel!

— *Três* barris — disse Thrynga.

— Thor conseguiu se enfiar em um vestido de noiva — disse Thrym —, mas não conseguiu disfarçar o apetite. — O gigante sorriu para Alex. — Mas não se preocupe, Samirah, meu amor! Eu sei que você não é um deus. Sou mais inteligente do que meu avô!

Thrynga revirou os olhos enormes.

— É a *minha* segurança que impede a entrada dos aesires, irmão. Nenhum deus poderia passar pelas nossas portas sem disparar os alarmes!

— Sim, sim — disse Thrym. — De qualquer modo, Samirah, vocês foram todos examinados magicamente assim que entraram. Você é, como deveria ser, filha de Loki. — Ele franziu a testa. — Se bem que sua madrinha também.

— Nós somos parentes! — disse a verdadeira Sam. — Normal, não é? Uma parente próxima costuma ser madrinha de casamento.

Thrym assentiu.

— É verdade. De qualquer modo, quando o casamento for encerrado, a Casa de Thrym vai recuperar seu antigo status! O fracasso do meu avô vai ficar para trás. Vamos ter uma aliança de casamento com a Casa de Loki! — Ele bateu no peito, fazendo a pança tremer e sem dúvida afogando nações inteiras de bactérias nas entranhas. — Finalmente vou ter minha vingança!

Thrynga virou a cabeça e resmungou:

— *Eu* vou ter minha vingança.

— O que foi, irmã? — perguntou Thrym.

— Nada. — Ela mostrou os dentes pretos. — Vamos pedir o segundo prato?

O segundo prato era hambúrguer. *Muito* injusto. O cheiro estava tão bom que meu estômago rolou de um lado para outro, dando ataque de birra.

Tentei me distrair pensando na briga que estava prestes a acontecer. Thrym parecia bem burro. Talvez conseguíssemos mesmo enganá-lo. Infelizmente, ele tinha o apoio de várias dezenas de gigantes da terra, e a irmã dele me preocupava. Dava para perceber que Thrynga tinha um objetivo próprio. Apesar de tentar esconder, de tempos em tempos ela olhava para Alex com ódio assassino. Eu me lembrei de uma coisa que Heimdall a ouvira dizer... que eles deviam matar a noiva assim que ela chegasse. Perguntei-me quanto tempo os aesires levariam para chegar aqui quando o martelo fosse revelado, e se eu conseguiria manter Alex viva por todo esse tempo. Pensei em onde Loki e o tio Randolph estariam...

Por fim, os gigantes terminaram de comer. Thrym arrotou alto e se virou para a futura esposa.

— Finalmente, está na hora da cerimônia! Vamos embora?

Minhas entranhas se encolheram.

— Embora? O que você quer dizer?

Thrym riu.

— Ah, não vamos fazer a cerimônia aqui. Seria grosseria! Os convidados do casamento não estão presentes!

O rei se levantou e se virou para a parede em frente ao bar. Gigantes saíram do caminho e afastaram as mesas e as cadeiras.

Thrym esticou a mão. A parede se abriu, e um novo túnel surgiu pela terra. O ar azedo e úmido lá dentro me lembrou uma coisa que eu não consegui identificar... algo ruim.

— Não. — Sam falou como se a garganta estivesse se fechando. — Não, nós não *podemos* ir até lá.

— Mas não podemos fazer um casamento sem o pai da noiva! — anunciou Thrym com alegria. — Venham, meus amigos! Minha futura esposa e eu vamos fazer nossos votos na caverna de Loki!

CINQUENTA

Um pouco de veneno refrescante no rosto, senhor?

Eu odeio quebra-cabeças. Já mencionei isso?

Odeio principalmente quando olho para a peça durante horas, me perguntando onde se encaixa, aí outra pessoa aparece, coloca no lugar e diz: *Ali, seu burro!*

Foi assim que me senti quando finalmente entendi o plano de Loki.

Eu me lembrei dos mapas espalhados na escrivaninha do tio Randolph quando fui com Alex na casa dele. Talvez, no fundo da minha mente, eu tivesse estranhado aquilo. A busca de Randolph pela Espada do Verão tinha acabado. Por que ele ainda estaria olhando mapas? Mas não questionei Alex e nem a mim mesmo. Estava distraído demais.

Agora, eu podia apostar que Randolph estava estudando mapas topográficos da Nova Inglaterra, comparando com mapas e lendas nórdicos antigos. Ele recebeu a ordem de fazer uma busca diferente: encontrar as coordenadas da caverna de Loki em relação à fortaleza de Thrym. Se alguém era capaz disso, esse alguém era o meu tio. Foi por isso que Loki o manteve vivo.

Não era surpresa que Loki e Randolph não tivessem aparecido no bar. Eles estavam nos esperando do outro lado do túnel.

— Precisamos dos bodes! — gritei.

Fui andando pela multidão até chegar à carruagem. Segurei a cara de Otis e apertei minha testa contra a dele.

— Testando — sussurrei. — Este bode está ligado? Thor, está me ouvindo?

— Você tem olhos lindos — disse Otis.

— Thor, alerta vermelho! Estamos nos deslocando. Vão nos levar para a caverna de Loki. Eu... eu não sei onde ela fica. O túnel está na parede da direita, descendo. Só... *encontre a gente*! Otis, ele recebeu o recado?

— Que recado? — perguntou o bode com voz sonhadora.

— Magnus Chase! — gritou o rei gigante. — Está pronto?

— Hã, claro! — respondi. — Só temos que ir de carruagem porque... bem, por motivos tradicionais de casamento.

Os outros gigantes deram de ombros e assentiram, como se aquilo fizesse sentido para eles. Apenas Thrynga pareceu desconfiada. Fiquei com medo de ela estar começando a duvidar que a carruagem fosse alugada.

De repente, o bar ficou pequeno demais, com todos os gigantes vestindo paletós, ajeitando gravatas, bebendo os restos de hidromel e tentando descobrir seu lugar na procissão de casamento.

Samirah e Alex se aproximaram da carruagem.

— O que a gente faz? — sibilou Alex.

— Não sei! — disse Sam. — Onde está nossa ajuda?

— Vamos estar no lugar errado — falei. — Como eles vão nos encontrar?

Isso foi tudo o que tivemos tempo de conversar antes de Thrym se aproximar e pegar as rédeas dos nossos bodes. Ele puxou a carruagem para o túnel, com a irmã ao lado e o resto dos gigantes atrás de nós, seguindo em pares.

Assim que o último gigante entrou no túnel, a entrada se fechou.

— Ei, Thrym? — Minha voz tinha uma semelhança infeliz com a do Mickey Mouse, me fazendo pensar em que tipo de gases estranhos devia haver naquele túnel. — Tem certeza de que é uma boa ideia confiar em Loki? Quer dizer... não foi ideia *dele* levar Thor escondido para o casamento do seu avô? Ele não ajudou Thor a matar sua família?

O rei gigante parou tão abruptamente que Marvin se chocou contra ele. Eu sabia que estava fazendo uma pergunta indelicada, principalmente no dia do casamento do sujeito, mas queria me agarrar a qualquer coisa que pudesse diminuir o ritmo do cortejo.

Thrym se virou, os olhos feito diamantes rosados e úmidos na escuridão.

— Você acha que não sei disso, humano? Loki é traiçoeiro. É da natureza dele. Mas foi *Thor* quem matou meu avô, meu pai, minha mãe, minha família inteira!

— Menos eu — murmurou Thrynga.

Na escuridão, ela brilhava de leve, uma aparição de feiura com dois metros de altura. Eu não tinha reparado nisso antes. Talvez fosse uma habilidade que os gigantes da terra podiam ligar e desligar.

Thrym a ignorou.

— Essa aliança foi o jeito que Loki encontrou para pedir *desculpas*; você não vê? Ele percebeu que os deuses sempre foram seus inimigos. Então, se arrependeu de ter traído meu avô. Nós vamos unir nossas forças, dominar Midgard e invadir Asgard!

Atrás da carruagem, os gigantes soltaram um grito ensurdecedor.

— Matem todos os humanos!

— Calados! — gritou Thrynga. — Temos humanos aqui conosco!

Os gigantes resmungaram. Alguém no fundo emendou:

— Todos, menos os presentes.

— Mas, grande rei Thrym — disse Sam —, você realmente confia em Loki?

Thrym riu. Para um cara tão grande, ele tinha dentes muito pequenos.

— Loki é prisioneiro em sua própria caverna. Está vulnerável! Ele me convidou para ir até lá. Me *indicou* a localização. Por que faria um gesto tão grandioso de confiança?

A irmã giganta riu com deboche.

— Ih, não sei, irmão. Talvez porque Loki precise de um gigante da terra para abrir um túnel até o local onde ele está preso? Ou talvez porque ele quer se libertar?

Eu desejava que Thrynga estivesse do nosso lado, a não ser pelo fato de que ela era uma giganta faminta por poder, decidida a se vingar e assassinar todos os humanos.

— *Nós* tomamos as decisões — insistiu Thrym. — Loki não *ousaria* nos trair. Além do mais, sou *eu* que vou abrir a caverna dele! Loki vai ficar agradecido! Se ele honrar sua parte do acordo, será um prazer libertá-lo. E a bela Samirah... — Thrym olhou para Alex com malícia. — Ela vale o risco.

Por baixo do véu, Alex piou feito um papagaio. O barulho foi tão alto que Thrynga quase bateu no teto.

— O que foi *isso*? — perguntou a giganta. — A noiva está engasgada?

— Não, não! — Sam deu um tapinha nas costas de Alex. — A pobrezinha só está nervosa. Samirah fica pouco à vontade quando é elogiada.

Thrym riu.

— Então ela vai ficar bem pouco à vontade quando for minha esposa.

— Ah, Vossa Majestade! — disse Sam. — Palavras mais verdadeiras nunca foram ditas!

— Em frente!

Thrym prosseguiu pelo caminho gelado.

Eu me perguntei se esse atraso teria ganhado algum tempo para nossas tropas de apoio. Supondo que tivéssemos uma. Thor conseguiria seguir nosso progresso pelos olhos e ouvidos dos bodes? Será que havia algum modo de passar uma mensagem para Blitz e Hearth e para os meus colegas einherjar do andar dezenove?

O túnel se fechou atrás de nós conforme descemos. Tive uma visão horrível de Thor no banheiro dos gigantes, tentando quebrar a parede com um saca-rolhas e uma furadeira elétrica.

Depois de mais alguns minutos, o túnel começou a estreitar. O progresso de Thrym ficou mais lento. Tive a sensação de que a própria terra estava lutando contra ele agora, tentando empurrá-lo para trás. Talvez os aesires tivessem colocado uma barreira mágica em torno da prisão de Loki.

Se era esse o caso, não foi o bastante. Seguimos em frente e cada vez mais fundo, com a carruagem agora raspando nas paredes. Atrás de nós, os gigantes agora andavam em fila indiana. Ao meu lado, Sam murmurava baixinho um cântico em árabe que eu me lembrava de ter ouvido durante as orações dela.

Um cheiro ruim veio das profundezas — leite azedo, ovos podres e carne queimada. Infelizmente, eu achava que não era Thor.

— Consigo senti-lo — sussurrou Alex, a primeira coisa que disse em quase uma hora. — Ah, não, não, não...

O túnel se alargou de uma hora para outra, como se Thrym tivesse finalmente rompido as defesas da terra. Nosso cortejo entrou na câmara de Loki.

Eu já tinha visto o lugar em um sonho, mas isso não me preparou para a realidade. A caverna era do tamanho de uma quadra de tênis, com um teto alto e abobadado de pedra rachada e estalactites quebradas, cujos pedaços cobriam o chão.

Não havia outras saídas que eu pudesse ver. O ar estava rançoso e desagradavelmente doce com o fedor de podridão e carne queimada. Por toda a câmara, estalagmites enormes se projetavam do chão. Em outros lugares, crateras de líquido viscoso borbulhavam e fumegavam, enchendo a caverna com gás tóxico. A temperatura devia estar por volta de quarenta graus, e todos aqueles gigantes da terra entrando lá não ajudou com o calor nem com o cheiro.

No centro da caverna, como eu tinha visto no sonho, Loki estava deitado no chão, os tornozelos unidos e amarrados a uma estalagmite, os braços esticados e acorrentados a duas outras rochas.

Diferentemente das manifestações dele que eu tinha visto, o verdadeiro Loki não era bonito nem atraente. Não estava usando nada além de uma tanga em farrapos. O corpo era esquelético, imundo e coberto de cicatrizes. O cabelo comprido e fino podia ter sido castanho-avermelhado, mas agora estava queimado e desbotado pelos séculos naquela caverna tóxica. E o rosto — ou o que tinha sobrado dele — era uma máscara meio derretida de cicatrizes.

Enrolada na estalactite acima da cabeça de Loki, uma serpente enorme olhava para o prisioneiro, as presas pingando veneno amarelo.

Ao lado de Loki havia uma mulher ajoelhada usando vestes brancas e capuz. Ela segurava uma tigela de metal acima do rosto do deus para recolher o veneno da serpente. Mas a cobra era uma produtora e tanto. O veneno pingava das presas como uma torneira quebrada, e a tigela da mulher era pequena demais.

Enquanto olhávamos, o veneno encheu a tigela até as bordas e a mulher se virou para esvaziá-la, derramando o conteúdo em uma das poças fumegantes atrás de si. Apesar de a mulher ter sido rápida, algumas gotas do veneno da serpente pingaram direto no rosto de Loki. Ele se contorceu e gritou. A caverna tremeu. Achei que o teto ia desabar em cima de nós, mas de algum modo aguentou. Talvez os deuses tivessem criado aquela câmara para aguentar o tremor, assim como tinham criado as amarras de Loki para nunca se partirem, a cobra para nunca secar e a tigela da mulher para nunca ser grande o suficiente.

Eu não era religioso, mas aquela cena toda me lembrou o crucifixo da igreja católica: um homem em dor excruciante, os braços esticados. Claro que Loki não era a ideia que ninguém fazia de um salvador. Ele não era bom. Não estava se sacrificando por uma causa nobre. Era um imortal mau pagando por seus crimes.

Mesmo assim, ao vê-lo ali, em pessoa, destruído, imundo, sofrendo, não consegui não sentir pena. Ninguém merecia aquele tipo de punição, nem mesmo um assassino mentiroso.

A mulher de branco levantou a tigela de novo para proteger o rosto dele. Loki balançou a cabeça para tirar o veneno dos olhos. Respirou com dificuldade e olhou em nossa direção.

— Bem-vindo, Magnus Chase! — Ele me deu um sorriso horrendo. — Espero que me perdoe por não ir até aí recebê-lo.

— Pelos deuses — murmurei.

— Ah, não; não tem deuses aqui! — disse Loki. — Eles nunca vêm visitar. Eles nos trancaram e nos largaram aqui. Somos só eu e minha adorável esposa, Sigyn. Diga oi, Sigyn.

A mulher de branco levantou a cabeça. Por baixo do capuz, o rosto estava tão cadavérico que ela podia ser um *draugr*. Os olhos eram vermelhos e vazios. Lágrimas vermelhas escorriam pelo rosto de pele grossa.

— Ah, é verdade. — A voz de Loki soou ainda mais ácida do que o ar. — Sigyn não fala há mil anos, desde que os aesires, em sua sabedoria infinita, mataram nossos filhos e nos abandonaram aqui para sofrermos por toda a eternidade. Mas onde estão meus modos? É uma ocasião feliz! Como você está, Thrym, filho de Thrym, neto de Thrym, bisneto de Thrym?

O rei não parecia muito bem. Ele ficava engolindo em seco, como se os nachos não quisessem ficar na barriga.

— O-oi, Loki. N-na verdade, são só *três* Thryms. E estou pronto para selar nossa aliança com um casamento.

— Sim, claro! Magnus, você trouxe a espada Skofnung.

Era uma afirmação, não uma pergunta. Ele falou com tanta autoridade que precisei resistir à vontade de soltar a espada das costas e mostrar para ele.

— Nós trouxemos — falei. — Mas uma coisa de cada vez. Queremos ver o martelo.

Loki riu, um som molhado e gorgolejante.

— Primeiro, vamos confirmar que a noiva é realmente a noiva. Venha aqui, Samirah. Deixe-me ver seu rosto.

As duas garotas se aproximaram dele como se estivessem sendo puxadas.

Minha pulsação latejou na gola do smoking. Eu devia ter imaginado que Loki ia querer verificar por baixo dos véus das meninas. Afinal, ele era o deus da trapaça. Apesar das garantias de Alex de que podia resistir às ordens de Loki, ela cambaleou para a frente do mesmo jeito que Samirah.

Eu me perguntei com que velocidade seria capaz de pegar minha espada e quantos gigantes conseguiria matar. Pensei se Otis e Marvin ajudariam em uma briga. Devia ser demais esperar que eles fossem treinados em bode-fu.

— Prontinho — disse Loki. — Agora, que tal a noiva mostrar o rosto, hein? Só para ter certeza de que todo mundo está jogando limpo.

As mãos de Alex se levantaram como se estivessem presas por fios de marionete. Ela começou a levantar o véu. A caverna estava em silêncio, exceto pelo borbulhar das fontes ferventes e pelo gotejar constante de veneno na tigela de Sigyn.

Alex levantou o véu por cima da cabeça e mostrou... o rosto de Samirah.

Por um segundo, entrei em pânico. As garotas tinham trocado de lugar? E então percebi, não sei como, talvez por algum brilho nos olhos, que Alex ainda era Alex. Ela tinha se metamorfoseado para parecer Sam, mas se isso enganaria Loki ou não...

Passei os dedos pelo pingente. O silêncio durou tempo o bastante para eu começar a compor meu testamento mentalmente.

— Bem... — disse Loki, por fim. — Tenho que admitir que estou surpreso. Você realmente seguiu as ordens. Boa menina! Acho que isso quer dizer que sua madrinha é...

A tigela de Sigyn escorregou e virou veneno no rosto de Loki. O deus gritou e se contorceu nas amarras. As garotas recuaram rapidamente.

Sigyn endireitou a tigela. Tentou limpar o veneno dos olhos de Loki com a manga, mas isso só o fez gritar mais. A bainha soltou fumaça e ficou cheia de buracos.

— Mulher burra! — gritou Loki.

Por um momento, o olhar de Sigyn encontrou o meu, embora fosse difícil ter certeza, com aqueles olhos vermelhos. A expressão dela não mudou. As lágrimas continuaram escorrendo. Mas me perguntei se ela havia derramado o veneno de propósito. Até onde eu sabia, Sigyn estava fielmente ajoelhada ao lado do marido havia séculos. Mesmo assim... me pareceu um descuido em um momento oportuno.

Thrynga limpou a garganta — um belo som, feito uma serra elétrica cortando lama.

— Você perguntou sobre a madrinha, lorde Loki. Ela disse que seu nome é Prudence.

Loki riu, ainda tentando piscar para tirar o veneno dos olhos.

— Tenho certeza de que disse. O verdadeiro nome dela é Alex Fierro, e eu avisei a ela para não vir hoje, mas não importa! Vamos em frente. Thrynga, você trouxe o convidado especial que eu pedi?

A giganta curvou os lábios manchados de tinta. Pegou a castanha que estava jogando para o alto mais cedo.

— Seu convidado especial é uma noz? — perguntei.

Loki deu uma gargalhada rouca.

— Podemos dizer que sim. Vá em frente, Thrynga.

A giganta enfiou a unha na casca e abriu a castanha. Jogou-a no chão, e uma coisa pequena e escura rolou para fora; não a polpa da castanha, mas uma pequena forma humana, que cresceu até um homem corpulento aparecer na minha frente, o smoking preto amassado sujo de terra, a bochecha com a marca de uma queimadura em formato de mão.

Qualquer otimismo que eu ainda pudesse ter se desfez com mais rapidez do que o cabelo de ouro de Sif.

— Tio Randolph.

— Oi, Magnus — cumprimentou ele, o rosto contorcido de tristeza. — Por favor, meu rapaz... me dê a espada Skofnung.

CINQUENTA E UM

Oi, paranoia, como vai?

É POR ISSO QUE EU odeio reuniões de família.

A gente sempre tem que falar com aquele tio que não quer ver, o que sai de uma castanha e exige uma espada.

Parte de mim ficou tentada a dar um pescotapa em Randolph com a pedra Skofnung. A outra parte queria enfiá-lo de volta na castanha, guardar no bolso e levá-lo para longe de Loki. Nenhuma das duas ficou tentada a entregar a espada que poderia libertar o deus.

— Não posso fazer isso, Randolph.

Ele fez uma careta. A mão direita ainda estava com um curativo no local onde cortei dois dedos dele. Randolph a encostou no peito e esticou a mão esquerda, os olhos desesperados e pesados. Um gosto de cobre se espalhou na minha língua. Percebi que meu tio rico agora parecia mais um mendigo do que eu durante os dois anos em que morei nas ruas.

— Por favor — implorou ele. — Eu tinha que trazê-la hoje, mas você a pegou. Eu... eu *preciso* dela.

Esse era o trabalho dele, eu percebi. Além de encontrar a localização da caverna, ele foi encarregado de libertar Loki, empunhando a espada Skofnung como só alguém de sangue nobre poderia fazer.

— Loki não vai dar o que você quer. Sua família está morta.

Ele piscou, como se eu tivesse jogado areia em seus olhos.

— Magnus, você não entende...

— Nada de espada — afirmei. — Só quando virmos o martelo de Thor.

— O martelo é o *morgen-gifu*, humano idiota! — disse o rei gigante, rindo. — Só vai ser entregue depois da noite de núpcias!

Ao meu lado, Alex estremeceu. Os arcos dourados de seu colar me lembraram a ponte arco-íris, o jeito como ela se deitou de maneira tão casual e relaxada em Bifrost, fazendo um anjinho na luz. Eu não podia permitir que ela fosse obrigada a se casar com um gigante. Só queria saber como impedir.

— Nós precisamos do martelo para abençoar o casamento — falei. — É direito da noiva. Queremos vê-lo e usá-lo na cerimônia. Depois, você pode levar de volta até… até amanhã.

Loki riu.

— Não mesmo, Magnus Chase. Mas foi uma boa tentativa. Agora, Skofnung…

— Espere. — Thrynga dirigiu a Loki seu olhar de *Vou bater em você com um banco de bar*. — A garota tem direito. Se deseja a bênção do martelo, assim deve ser. Ou meu irmão quer romper com nossa tradição sagrada?

Thrym se encolheu. Seu olhar passou da irmã a seus súditos, depois a Loki.

— Eu… hã… não. Quer dizer, sim. Minha noiva, Samirah, pode receber a bênção. Na hora da cerimônia, vou trazer Mjölnir. Vamos começar?

Os olhos de Thrynga brilharam com malícia. Eu não sabia o que ela pretendia, nem por que queria trazer o martelo logo, mas não ia discutir.

Thrym bateu palmas. Eu não tinha reparado, mas alguns gigantes no final do cortejo haviam trazido alguns móveis do bar. À esquerda do local onde Loki estava preso, colocaram um banco de madeira e cobriram o assento com peles. Dos dois lados do banco, fincaram postes como totens, cada um entalhado com caras de animais ferozes e inscrições rúnicas.

Thrym se sentou. O banco gemeu sob o peso dele. Um dos gigantes colocou uma coroa de pedra em sua cabeça, um aro entalhado de uma única peça de granito.

— Garota, você fica aí — disse a giganta para Alex —, entre seu pai e seu futuro marido.

Alex hesitou.

Loki estalou a língua.

— Venha, filha. Não seja tímida. Fique ao meu lado.

Alex fez o que ele mandou. Eu quis acreditar que foi por ela estar dando corda para a situação e não por estar sendo forçada, mas me lembrei da maneira como ela fora arrastada ao comando de Loki.

Sam estava de pé ao meu lado, retorcendo as mãos com ansiedade. Randolph se moveu para esperar aos pés de Loki. Ele ficou encolhido ali como um cão culpado que voltou da caça sem nenhum animal morto para o mestre.

— O cálice! — ordenou Thrym.

Um dos homens colocou um cálice cravejado de pedras na mão dele. Um líquido vermelho escorreu pela beirada.

Thrym tomou um gole e ofereceu o cálice para Alex.

— Samirah al-Abbas, filha de Loki, dou a você bebida, e com ela a promessa do meu amor. Com minha promessa, você será minha esposa.

Alex pegou o cálice com os dedos cobertos de renda. Olhou ao redor, como se procurasse orientação. Passou pela minha cabeça que ela talvez não conseguisse imitar a voz de Sam do mesmo modo como havia imitado o rosto.

— Não precisa falar, garota! — disse Thrynga. — Só beba!

Eu teria ficado preocupado com a ressaca, mas Alex levantou parte do véu e tomou um gole.

— Excelente. — Thrynga se virou para mim, o rosto tremendo de impaciência. — Agora, finalmente, o *mundr*. Entregue a espada, garoto.

— Irmã, não — rosnou Thrym. — Não é para você.

Thrynga se virou para o irmão.

— *O quê?* Eu sou sua única parente! O dote precisa passar pelas minhas mãos!

— Tenho um acordo com Loki. — Thrym parecia mais confiante agora, quase arrogante, com Alex tão perto. Tive uma sensação horrível de que ele estava ansioso pelo final da cerimônia e pela chance de beijar a noiva. — Garoto, dê a espada para o seu tio. Ele vai segurar.

Thrynga me olhou com raiva. Ao encará-la, percebi o que ela queria. Ela pretendia tomar Skofnung para si, e provavelmente Mjölnir também. Não tinha interesse em uma aliança de casamento com Loki. Thrynga via aquele casamento como a oportunidade de tomar o trono do irmão. Mataria qualquer um que ficasse em seu caminho. Talvez ela não soubesse que a espada Skofnung não podia ser desembainhada na presença de mulheres. Talvez achasse que podia usá-la mesmo assim. Ou talvez ficasse feliz em usar o poder de um banco de bar, desde que as duas outras armas estivessem guardadas em segurança com ela.

Em circunstâncias diferentes, eu poderia desejar sorte na tentativa de assassinar o irmão. Caramba, eu até daria um troféu com descontos de cinquenta por cento nos restaurantes de Asgard. Infelizmente, tive a sensação de que o plano de Thrynga também incluía matar a mim, Sam, Alex e, provavelmente, o tio Randolph.

Dei um passo para trás.

— Já falei, Thrym. Sem martelo não tem espada.

Randolph andou na minha direção, a mão com curativo encostada na faixa do smoking.

— Magnus, você tem que entregar — disse ele. — É a ordem da cerimônia. O *mundr* tem que ser dado primeiro, e cada casamento *exige* uma espada ancestral para as alianças. A bênção do martelo vem depois.

O pingente de Jacques vibrou no meu pescoço. Talvez ele estivesse tentando me avisar. Ou talvez só quisesse dar outra olhada em Skofnung, a maior gata entre as espadas. Ou talvez estivesse com ciúmes porque *ele* queria ser a espada cerimonial.

— O que foi, garoto? — resmungou Thrym. — Eu já prometi que os direitos tradicionais serão garantidos. Você não confia em nós?

Quase dei uma gargalhada.

Olhei para Sam. O mais discretamente que conseguiu, ela sinalizou: *Não há escolha. Mas fique de olho nele.*

De repente, me senti um idiota. Esse tempo todo poderíamos estar usando a linguagem de sinais para trocar mensagens secretas.

Por outro lado, Loki podia estar controlando Sam, obrigando-a a dizer isso. Será que ele conseguia entrar na mente dela sorrateiramente, sem nem precisar estalar os dedos? Eu me lembrei do que Sam me pediu no átrio de Sif: *Você tem que impedi-lo. Se formos incapacitadas, talvez você seja o único que consiga.* Pelo que me constava, eu era o único no local que *não* estava sob o controle de Loki.

Uau. Oi, paranoia.

Mais de duas dezenas de gigantes estavam me encarando. Meu tio esticou a mão boa.

Por acaso, olhei nos olhos vermelhos e vazios de Sigyn. A deusa inclinou a cabeça de leve. Não sei por que isso me convenceu, mas soltei a espada e coloquei Skofnung na mão de Randolph, a pedra pesando no punho.

— Você ainda é um Chase — disse, baixinho. — Ainda tem família *viva*.

O olho de Randolph tremeu. Ele pegou a espada em silêncio.

Randolph se ajoelhou na frente do banco do rei. Com dificuldade por causa da mão machucada, ele segurou a bainha na horizontal, como uma bandeja. Thrym colocou duas alianças de ouro no centro e sustentou a mão acima delas, como uma bênção.

— Ymir, ancestral dos deuses e dos gigantes, ouça minhas palavras — disse ele. — Essas alianças selam nosso casamento.

Ele colocou uma aliança no próprio dedo e outra no dedo de Alex. Em seguida, fez sinal para o tio Randolph se afastar. Meu tio deu alguns passos com a espada, mas Sam e eu nos movemos para interceptá-lo, bloqueando o caminho para impedi-lo de se aproximar de Loki.

Eu estava prestes a insistir pelo martelo, mas Thrynga foi mais rápida.

— Irmão, honre sua promessa.

— Sim, sim — concordou Thrym. — Samirah, minha querida, pode se sentar.

Alex se moveu como se estivesse em transe e se sentou ao lado do gigante. Era difícil saber por debaixo do véu, mas ela parecia estar olhando para a aliança em seu dedo como se fosse uma aranha venenosa.

— Gigantes, fiquem de prontidão — disse Thrym. — Vocês vão cercar o martelo e trazê-lo aqui. Vão segurá-lo acima da minha noiva, *com muito cuidado*, enquanto eu pronuncio a bênção. Depois, vou mandá-lo imediatamente de volta à terra... — Ele se virou para Alex. — Até amanhã de manhã, meu amor, quando Mjölnir será oficialmente seu *morgen-gifu*. Depois disso, vou mantê-lo em segurança para você.

Ele deu um tapinha no joelho de Alex, o que ela pareceu apreciar quase tanto quanto a aliança venenosa.

Thrym esticou a mão. Parecia fazer força, pois seu rosto ficou da cor de geleia de amora. A caverna rugiu. O chão se abriu a uns seis metros de nós, e cascalho e lama subiram, como se um inseto enorme estivesse cavando um túnel. O martelo de Thor surgiu e pousou sobre uma camada de destroços.

Parecia o que eu tinha visto no meu sonho: uma enorme cabeça trapezoidal de metal com desenhos entrelaçados de runas e um cabo groso e curto envolto em couro. A presença de Mjölnir encheu a caverna com um cheiro de tempestade. Enquanto os gigantes corriam para cercar o martelo, eu sinalizei para Sam: *Vigie Randolph*. Em seguida, fui na outra direção, a da carruagem.

Segurei o focinho de Otis e encostei o rosto no dele.

— Está rolando — sussurrei. — O martelo está na caverna. Repito: o martelo está na caverna. Outubro vermelho. A águia pousou. Padrão de Defesa Ômega!

Não sei bem de onde vieram os códigos militares. Mas achei que era o tipo de coisa a que Thor responderia. E, ei, eu estava meio nervoso.

— Você tem olhos lindos — murmurou Otis.

— Tragam o martelo! — Thrym ordenou aos gigantes. — Sejam rápidos!

— Sim — concordou Loki, balançando a cabeça para tirar o cabelo cheio de veneno dos olhos. — E, enquanto vocês estão fazendo isso... Randolph, você pode me soltar.

Foi nessa hora que Alex surtou.

CINQUENTA E DOIS

Meu tio consegue algumas *backing vocals*

ALEX ARRANCOU O VÉU, TIROU o novo garrote de ouro da cintura e o enrolou no pescoço de Thrym. O rei gigante se levantou, gritando de fúria, enquanto Alex subia nas costas dele e começava a estrangulá-lo como fizera com o *lindwyrm* em Valhala.

— Quero o divórcio! — gritou ela.

O rosto de Thrym ficou em um tom ainda mais escuro de roxo. Os olhos saltaram. A garganta devia ter sido cortada de um lado a outro, mas a pele em torno do garrote parecia estar virando uma pedra cinza brilhante; gigantes da terra idiotas e suas magias da terra idiotas.

— Traidores! — Os olhos de Thrynga dançavam de empolgação, como se ela finalmente visse a oportunidade de também trair um pouquinho. — Tragam o martelo! — Ela pulou na direção de Mjölnir, mas o machado de Samirah voou pela caverna e se alojou nas costas de Thrynga. A giganta caiu para a frente como se estivesse pulando para a segunda base em um jogo de beisebol.

Invoquei a presença de Jacques. Tio Randolph estava quase ao lado de Loki. Antes que eu pudesse chegar até ele, fui cercado por gigantes.

Jacques e eu entramos em ação, trabalhando juntos de maneira eficiente pela primeira vez, abrindo caminho por um gigante da terra atrás do outro. Mas estávamos em número bem menor, e os gigantes (ALERTA DE FATO ÓBVIO) eram *muito* grandes. Pelo canto do olho, vi Thrynga se arrastando pelo chão, tentando chegar ao martelo agora desprotegido. Thrym ainda estava cambaleando por ali, batendo com as costas na parede da caverna na tentativa de desalojar Alex. Mas, cada vez que tentava, Alex virava um gorila, o que só tornava mais fácil o estrangulamento de Thrym. A língua do gigante estava do tamanho e da cor de uma banana-da-terra verde. Ele esticou a mão na direção do martelo de Thor, provavelmente tentando mandá-lo de volta para a terra, mas Alex apertou o garrote e rompeu a concentração do gigante.

Enquanto isso, Sam arrancou o próprio véu. Sua lança de valquíria apareceu na mão, inundando a caverna com um brilho branco. Mais dois gigantes partiram para cima dela, bloqueando meu campo de visão.

Em algum lugar atrás de mim, Loki gritou:

— Agora, seu idiota!

— Eu... não posso! — choramingou Randolph. — Tem mulheres aqui!

O deus rosnou. Acho que ele podia ter forçado Alex e Sam a desmaiar, mas isso não resolveria o problema de Thrynga e Sigyn.

— Faça mesmo assim — ordenou Loki. — Danem-se as consequências!

— Mas...

— AGORA!

Eu estava ocupado demais desviando de clavas e perfurando gigantes para ver o que aconteceu, mas ouvi a espada Skofnung ser desembainhada. Ela soltou um uivo sobrenatural, um coral ultrajado de doze espíritos berserkir libertados contra a vontade e em violação ao antigo tabu.

O som foi tão alto que me fez ficar tonto. Vários gigantes cambalearam. Infelizmente, Jacques também foi afetado. Ele ficou pesado e inanimado nas minhas mãos bem na hora que um gigante me deu um tapa e me jogou do outro lado da caverna.

Bati contra uma estalagmite. Alguma coisa no meu peito fez *crack*. Não devia ser um bom sinal. Eu me esforcei para levantar, tentando ignorar a dor que agora se espalhava pela minha caixa torácica.

Minha visão ficou embaçada. Tio Randolph estava gritando, a voz se misturando ao uivo dos espíritos de Skofnung. Uma névoa o envolvia, saindo da lâmina, como se ela tivesse virado gelo-seco.

— Rápido, seu idiota! — gritou Loki. — Antes que a espada se dissolva!

Chorando, Randolph acertou as amarras dos pés de Loki. Com um som como o de um fio de aço se rompendo em uma ponte, as amarras se partiram.

— Não! — gritou Sam.

Ela deu um pulo, mas o estrago já estava feito. Loki encolheu as pernas pela primeira vez em mil anos. Sigyn recuou para a parede mais distante da caverna, deixando que o veneno da cobra caísse livremente no rosto do marido. Loki gritou e se debateu.

Sam atacou meu tio com a lança, mas Loki ainda teve presença de espírito suficiente para gritar:

— Samirah, pare!

A valquíria ficou paralisada, os dentes cerrados com o esforço. Seus olhos ardiam de fúria. Ela soltou um grunhido gutural quase pior do que o da espada Skofnung, mas não conseguiu se libertar da ordem de Loki.

Randolph cambaleou, olhando para a espada fumegante. A beirada estava se corroendo, a gosma preta das amarras de Loki destruindo a lâmina mágica.

— A pedra, seu idiota! — Loki chutou inutilmente na direção dele, virando o rosto para longe do gotejar de veneno. — Afie a lâmina e continue cortando! Você só tem alguns minutos!

Mais fumaça envolveu Randolph. A pele dele estava começando a ficar azul. Percebi que não era só a espada que estava se dissolvendo. Os espíritos enfurecidos de Skofnung, ainda uivando, descontavam a raiva no meu tio.

Um gigante me atacou com um totem cerimonial. Consegui rolar e sair do caminho, com minhas costelas quebradas latejando em protesto, e aleijar o gigante com um golpe de espada nos tornozelos.

Alex ainda atacava o rei gigante. Os dois pareciam mal. Thrym cambaleou, as mãos tentando agarrar a esposa. Sangue escorria da orelha de Alex, manchando o vestido branco. Eu esperava que Sif não achasse que íamos devolver tudo lavado.

Três dos gigantes cercaram novamente o martelo de Thor. Dessa vez, conseguiram pegá-lo, cambaleando com o peso de Mjölnir.

— O que a gente faz com isso? — grunhiu um deles. — Coloca de volta na terra?

— Não ouse! — gritou Thrynga. Ela estava de pé agora, com o machado ainda enfiado nas costas. — Esse martelo é meu!

Era verdade que eu não sabia as regras para magia da terra, mas, a julgar pelo esforço de Thrym para recuperar o martelo, eu duvidava que algum dos gigantes fosse capaz de enterrá-lo a treze quilômetros de profundidade tão rápido, não em meio a uma batalha com armas voando e espíritos berserkir uivando. Eu estava mais preocupado com a espada.

Randolph já tinha afiado a lâmina. Meu tio foi na direção da mão direita de Loki enquanto Sam gritava para ele parar.

— Thrynga! — gritei.

A giganta branca olhou para mim, os lábios escuros repuxados em um rosnado.

— Você não quer a espada? — perguntei a ela, apontando para Randolph. — É melhor correr.

Pareceu uma boa ideia virar uma giganta assassina contra Loki.

Infelizmente, Thrynga também *me* odiava.

— Aquela espada já era — disse ela. — Está se dissolvendo. Mas talvez eu pegue a sua!

A giganta me atacou. Tentei levantar Jacques, mas ele ainda era um peso morto em minhas mãos. Thrynga pulou em cima de mim, e nós dois deslizamos pelo chão direto para uma das poças fumegantes.

Novidade: poças de líquido fervente são *quentes*.

Se eu fosse um mortal qualquer, teria morrido em segundos. Por ser um einherji, achei que tinha mais ou menos um minuto até o calor me matar. Uau. Quanta sorte!

Meu mundo foi reduzido a um rugido fervente, a uma névoa amarela sulfurosa e à forma branca da giganta, cujos dedos estavam afundados no meu pescoço.

Eu ainda segurava Jacques, mas meu braço parecia pesado e inútil. Com a mão livre, ataquei Thrynga cegamente, tentando fazê-la soltar minha garganta.

Por sorte, meus dedos encontraram o cabo do machado de Sam, ainda enfiado nas costas dela. Eu o puxei e ataquei a cabeça da giganta.

A pressão no meu pescoço afrouxou de repente. Empurrei Thrynga para o lado e me debati até a superfície. De algum modo, consegui sair, soltando fumaça e tão vermelho quanto uma lagosta, da fonte borbulhante.

Mais sons de batalha: lâminas se chocando contra lâminas. Pedras se quebrando. Gigantes rugindo. Os espíritos da espada Skofnung continuavam a gritaria amarga. Eu tentei me levantar, mas minha pele parecia pele de salsicha cozida. Fiquei com medo de explodir se me movesse rápido demais.

— Jacques, vai — grunhi.

Jacques saiu da minha mão, mas se movia lentamente. Talvez ainda estivesse atordoado pelo uivo dos espíritos. Talvez a minha condição o estivesse enfraquecendo. Ele só conseguiu impedir que os gigantes acabassem comigo.

Minha visão estava branca e enevoada com bolhas amarelas, como se meus olhos tivessem virado ovos cozidos. Vi Thrym cambalear até o banco do casamento, pegá-lo com as duas mãos e, em uma explosão final de força, levantá-lo acima da cabeça na direção de Alex. O banco a acertou na testa, e ela finalmente caiu das costas do gigante.

Ali perto, ouvi outro *SNAP*. A mão direita de Loki estava livre.

— Isso! — gritou o deus. Ele rolou para o lado, para longe do alcance da cobra. — Mais uma, Randolph, e você poderá ver sua família novamente!

Sam ainda estava paralisada. Ela lutava contra a vontade de Loki tão intensamente que um capilar tinha estourado em sua testa, formando uma linha vermelha pontilhada na região. Na luz de sua lança, o rosto de Randolph estava mais azul do que nunca. A pele estava ficando transparente, a estrutura do crânio aparecendo enquanto ele se apressava para afiar a lâmina Skofnung para um último golpe.

Três gigantes ainda andavam com dificuldade de um lado para outro com o martelo de Thor, sem saber o que fazer com ele. O rei gigante se virou para Alex, que agora estava caída no chão, atordoada. Outro gigante se aproximou de Sam com cautela, olhando para a lança luminosa, obviamente pensando se ela estava mesmo tão indefesa quanto parecia.

— Jacques... — murmurei, minha voz arrastada como areia molhada.

Mas eu não sabia o que dizer para ele. Eu mal conseguia me mexer. Uns dez gigantes ainda estavam de pé. Loki estava quase livre. Eu não podia salvar Alex e Sam *e* impedir meu tio, tudo ao mesmo tempo. Era o fim.

Nesse momento, a caverna estremeceu. Uma rachadura se abriu no teto como as garras de uma mão mecânica, cuspindo um anão, um elfo e vários einherjar.

Blitz atacou primeiro. Quando Thrym olhou, momentaneamente distraído do desejo de matar sua esposa, um anão de cota de malha estampada caiu na cara dele. Blitz não era pesado, mas tinha a gravidade e o elemento surpresa a seu favor. O rei gigante desmoronou como uma pilha de livros.

Hearthstone pousou no chão da caverna com a graça usual de um elfo e logo jogou uma runa em Loki:

|

De repente, o deus do mal estava envolto em gelo, os olhos arregalados em choque, o braço esquerdo ainda preso na última estalagmite, tornando-o o picolé mais feio que eu já tinha visto.

Meus companheiros do andar dezenove partiram exultantes para a batalha.

— Morte e glória! — rugiu Mestiço.

— Matar todos! — disse Mallory.

— Atacar! — gritou T.J.

T.J. enfiou o rifle no gigante mais próximo. As facas de Mallory brilharam quando ela acabou com mais dois deles com golpes bem localizados nas virilhas. (Dica: nunca lutem com Mallory Keen sem armadura de titânio na virilha.) Mestiço Gunderson, nossa versão de gigante, partiu para a batalha... sem camisa, como sempre, com carinhas sorridentes vermelho-sangue pintadas no peito. (Supus que Mallory tivesse ficado entediada na viagem pelo túnel.) Rindo como louco, Mestiço pegou a cabeça do gigante mais próximo e a apresentou ao seu joelho esquerdo. O joelho de Mestiço venceu.

Com Loki congelado, Samirah conseguiu se libertar do controle dele. Logo botou a lança para trabalhar, empalando um gigante que avançava e ameaçando o tio Randolph.

— Se afaste! — rosnou ela.

Por um momento, achei que o jogo tinha virado. Gigantes caíam um atrás do outro. Chamei Jacques para a minha mão, e apesar da minha condição cozida, apesar da exaustão, consegui ficar de pé. A presença dos meus amigos me energizou. Cambaleei até Alex e a ajudei a se levantar.

— Estou bem — murmurou ela, embora parecesse desorientada e estivesse sangrando. Como ela tinha sobrevivido àquele golpe com o banco, eu não conseguia entender. Acho que ela era *mesmo* cabeça dura.

— Ele... ele não me controlou. Loki não me controlou. Eu... eu estava fingindo.

Ela segurou minha mão, com medo de eu não acreditar nela.

— Eu sei, Alex. — Apertei a mão dela. — Você foi ótima.

Enquanto isso, Blitzen continuava batendo repetidamente na cara de Thrym com a gravata-borboleta de cota de malha. Enquanto fazia isso, olhou para mim e sorriu.

— Thor falou com a gente, garoto. Belo trabalho! Foi mais fácil para *mim* abrir um túnel até aqui quando soube a localização. Os deuses ainda estão abrindo caminho a partir da fortaleza deste idiota. A pedra foi magicamente endurecida por este cara — ele deu um soco na cara de Thrym de novo —, mas eles já estão chegando.

Os corpos dos gigantes caídos estavam espalhados pela caverna. Os últimos três de pé eram os que estavam protegendo o martelo de Thor, mas eles passaram tanto tempo cambaleando de um lado para outro com Mjölnir, indo de Thrym para Thrynga como uma equipe de mudanças com um sofá enorme, que pareciam exaustos. Mestiço Gunderson cuidou deles rapidamente com o machado. Depois se ergueu, triunfante, em cima dos gigantes, esfregando as mãos com ansiedade.

— Eu sempre quis fazer isso!

Ele tentou levantar Mjölnir, mas o martelo ficou teimosamente no lugar.

Mallory riu.

— Como já disse, você *não* é tão forte quanto três gigantes. Agora, me ajude a...

— Cuidado! — gritou Alex.

O esforço de Mestiço com o martelo nos distraiu de tio Randolph e Loki. Eu me virei na hora que o bloco de gelo explodiu, nos borrifando com estilhaços.

Enquanto ficávamos cegos com a explosão, meu tio se adiantou com a Skofnung. Ele acertou a última amarra no punho esquerdo de Loki e a cortou.

A espada se dissipou em uma nuvem de fumaça. O coral de berserkir furiosos ficou em silêncio. Meu tio caiu de joelhos, gritando, o braço começando a se dissolver em vapor azul.

No fundo da caverna, Sigyn se encolheu quando o marido ficou de pé.

— Livre — disse Loki, o corpo magro fumegando, o rosto uma área destruída de cicatrizes. — Agora a diversão vai começar.

CINQUENTA E TRÊS

Hora do martelo!
(Alguém tinha que dizer isso)

UM RELÓGIO.

Os aesires *realmente* precisavam de um relógio.

Nosso reforço divino ainda não havia chegado. Tínhamos um martelo, mas ninguém para empunhá-lo. E Loki estava liberto na nossa frente, em toda a sua glória mutilada, com gelo grudado no cabelo e veneno ainda pingando do rosto.

— Ah, sim. — Ele sorriu. — Como meu primeiro ato...

Ele avançou com mais velocidade e força do que deveria ser possível para um cara que ficou acorrentado por mil anos, pegou a cobra que ficava pingando veneno no rosto dele, arrancou-a da estalactite e a brandiu como um chicote.

A espinha da cobra se estilhaçou com um som que parecia com plástico bolha estourando. Loki a largou, tão sem vida quanto uma mangueira de jardim, e se virou para nós.

— Eu odiava essa cobra — disse ele. — Quem é o próximo?

Jacques estava pesado na minha mão. Alex mal conseguia ficar de pé. Sam segurava a lança com força, mas parecia relutante em atacar, provavelmente porque não queria ser paralisada pelo pai de novo... ou coisa pior.

Meus outros amigos se aproximaram de mim: três einherjar fortes, Blitzen com a cota de malha elegante, Hearthstone com as runas de sorveira estalando na bolsa enquanto mexia lá dentro.

— A gente consegue encarar esse cara — disse T.J., o rifle úmido de sangue de gigante. — Todos juntos. Prontos?

Loki abriu os braços em um gesto de boas-vindas. Randolph se ajoelhou aos pés do deus, sofrendo em silêncio enquanto vapor azul subia por seu braço, consumindo sua carne. Na parede mais distante, Sigyn estava imóvel, os olhos vermelhos indecifráveis, pressionando a tigela de veneno vazia contra o peito.

— Venham, então, guerreiros de Odin — provocou Loki. — Estou desarmado e fraco. Vocês conseguem!

Foi nessa hora que eu soube que nós não conseguiríamos. Nós atacaríamos e morreríamos. Acabaríamos caídos no chão com as espinhas partidas, como a cobra.

Mas não tínhamos escolha. Precisávamos tentar.

De repente, ouvimos um estalo vindo da parede às nossas costas, seguido de uma voz familiar.

— Chegamos! Sim, Heimdall, tenho certeza desta vez. Eu acho.

A ponta de um cajado de metal surgiu na pedra e girou. A parede começou a desmoronar.

Loki baixou os braços e suspirou. Parecia mais irritado do que apavorado.

— Ah, bem. — Ele piscou para mim, ou talvez fosse apenas um tique causado por séculos de veneno. — Fica pra próxima?

O chão se abriu sob os pés dele. Os fundos da caverna desabaram. Estalagmites e estalactites implodiram. Poças de líquido fervente viraram cachoeiras fumegantes antes de desaparecerem na escuridão. Loki e Sigyn caíram no nada. Meu tio, que estava ajoelhado na beirada do abismo, também caiu.

— Randolph!

Eu me aproximei da fenda.

Cerca de quinze metros abaixo, Randolph estava encolhido em uma protuberância de pedra molhada e fumegante, tentando manter o equilíbrio. O braço direito não existia mais, e o vapor azul agora subia pelo ombro. Ele olhou para mim, o crânio sorrindo no rosto translúcido.

— Randolph, se segure!

— Não, Magnus. — Ele falou em voz baixa, como se não quisesse acordar ninguém. — Minha família...

— Eu *sou* sua família, seu idiota!

Talvez eu devesse ter dito algo mais carinhoso. Talvez eu devesse ter pensado *já vai tarde* e deixado que ele caísse. Mas Annabeth estava certa. Randolph *era* da família. Todo o clã Chase atraía a atenção dos deuses, e Randolph carregava essa maldição com mais peso do que a maioria de nós. Apesar de tudo, eu ainda queria ajudá-lo.

Ele balançou a cabeça, a tristeza e a dor lutando por dominância nos olhos dele.

— Desculpe. Eu quero vê-las.

Randolph tombou na escuridão sem emitir qualquer som.

Não tive tempo de sofrer, nem de processar o que havia acontecido, pois três deuses de armadura de combate entraram na caverna.

Todos estavam de capacete, óculos de visão noturna, botas e armadura completa à prova de balas com as letras MRRD no peito. Eu talvez os confundisse com uma equipe tática da SWAT, não fossem as barbas fartas e as armas nada comuns.

Thor entrou primeiro, segurando o cajado de ferro como um rifle, apontando em todas as direções.

— Chequem os cantos! — gritou ele.

O próximo deus a entrar foi Heimdall, sorrindo como se estivesse se divertindo muito. Também segurava a espada enorme como um rifle, com o Tablet do Juízo Final preso na ponta. Ele apontou para toda a câmara, tirando selfies de vários ângulos.

Não reconheci o terceiro sujeito. Ele entrou na caverna com um *CLANG*, porque usava no pé direito o sapato mais grotesco que eu já tinha visto. Era enorme e feito de pedaços de couro e metal, partes de tênis de cor néon, tiras de velcro e fivelas velhas de metal. Até tinha uns seis saltos agulha projetados na ponta como espinhos de um porco-espinho.

Os três deuses andaram de um lado para outro, procurando ameaças.

Escolhendo o pior momento possível, o rei gigante Thrym começou a recuperar a consciência. O deus com o sapato esquisito correu até lá e levantou o pé direito. A bota cresceu para o tamanho de um carro esportivo; pedaços de sucata misturados a partes de sapatos velhos e restos de metal, tudo compactado em um grande bloco esmagador da morte. Thrym nem teve tempo de gritar antes de o Homem Sapato pisar nele.

PLOFT. Fim das ameaças.

— Boa, Vidar! — exclamou Heimdall. — Pode fazer de novo para eu tirar uma foto?

Vidar franziu a testa e apontou para o que sobrara do gigante. Em linguagem de sinais perfeita, o deus sinalizou: *Ele já está esmagado*.

Do outro lado da câmara, Thor ofegou.

— Meu bebê! — Ele passou correndo pelos bodes e pegou o martelo Mjölnir. — Enfim, juntos! Você está bem, Mimi? Os gigantes malvados reprogramaram seus canais?

Marvin balançou os guizos.

— Sim, nós estamos bem, chefe — murmurou o bode. — Obrigado por perguntar.

Eu olhei para Sam.

— Ele chamou o martelo de Mimi?

Alex grunhiu.

— Ei, aesires idiotas! — Ela apontou para o abismo recém-formado. — Loki foi por ali.

— Loki? — Thor se virou. — Onde?

Um relâmpago brilhou na barba dele, o que deve ter tornado os óculos de visão noturna inúteis.

Escolhendo um momento ainda pior do que o de Thrym, a giganta Thrynga decidiu mostrar que ainda estava viva. Ela surgiu da fossa mais próxima feito uma baleia saltando e caiu aos pés de Heimdall, ofegante e fumegante.

— Matar todos! — grunhiu ela, o que não foi a coisa mais inteligente de se dizer ao encarar três deuses com armaduras de combate.

Thor apontou o martelo para Thrynga com a casualidade de quem está zapeando por canais de TV. Relâmpagos foram disparados das runas gravadas no metal. A giganta explodiu em um milhão de pedacinhos.

— Cara! — reclamou Heimdall. — O que eu falei sobre relâmpagos tão perto do meu tablet? Você quer fritar a placa-mãe?

Thor grunhiu.

— Bem, mortais, que bom que chegamos na hora certa, senão essa giganta poderia ter machucado alguém! Agora, o que vocês estavam dizendo sobre Loki?

O problema dos deuses é que não dá para simplesmente estapeá-los quando eles agem como idiotas.

Eles só vão revidar com outro tapa e matar você.

Além do mais, eu estava exausto, em choque, fervido e sofrendo demais para reclamar muito, apesar de os aesires terem deixado Loki fugir.

Não, me corrigi. Nós *deixamos Loki fugir*.

Enquanto Thor murmurava coisas fofas para o martelo, Heimdall parou na beira do abismo e espiou na escuridão.

— Segue até Helheim. Não há sinal de Loki.

— E meu tio? — perguntei.

As íris brancas de Heimdall se viraram para mim. Pela primeira vez, ele não estava sorrindo.

— Sabe, Magnus... às vezes é melhor não olhar até onde *conseguimos* olhar, nem ouvir tudo o que conseguimos ouvir.

Ele me deu tapinhas no ombro e se afastou, e eu fiquei me perguntando o que foi que ele quis dizer com aquilo.

Vidar, o deus do sapato, deu uma volta para checar os feridos, mas todo mundo parecia mais ou menos bem; todo mundo fora os gigantes, claro. Todos estavam mortos agora. Mestiço tinha estirado a virilha tentando levantar o martelo de Thor. Mallory ficou com dor de estômago de tanto rir dele, mas os dois problemas eram fáceis de resolver. T.J. saiu sem nenhum arranhão, mas estava preocupado com como tirar o sangue dos gigantes da terra da coronha do rifle.

Hearthstone estava bem, mas ficava sinalizando *othala*, o nome da runa que faltava. Ele sinalizou para Blitz que poderia ter impedido Loki, se tivesse a runa. Eu achava que ele estava se cobrando demais, mas não tinha certeza. Quanto a Blitz, o anão estava encostado na parede da caverna tomando alguma coisa de um cantil, parecendo cansado depois de escavar em pedra até chegar na caverna de Loki.

Assim que os deuses chegaram, Jacques virou pingente de novo, murmurando alguma coisa sobre não querer ver a espada metida a diva de Heimdall. Na verdade, acho que ele se sentia culpado por não ter sido muito útil para nós e que lamentava o fato de Skofnung não ser a lâmina dos seus sonhos. Agora, Jacques estava pendurado no meu pescoço de novo, em um sono agitado. Felizmente, ele não sofreu nenhum dano. E como Jacques ficou atordoado durante grande parte da briga, eu quase não absorvi o cansaço dele. Ele viveria para lutar (e cantar músicas pop de sucesso) em outra ocasião.

Sam, Alex e eu nos sentamos na beirada do abismo, ouvindo os ecos na escuridão. Vidar enfaixou minhas costelas, depois passou um bálsamo nas queimaduras em meus braços e em meu rosto e me disse em linguagem de sinais que eu não morreria. Ele também fez um curativo na orelha de Alex e sinalizou: *Concussão pequena. Fique acordada.*

Sam não tinha ferimentos físicos, mas eu sentia a dor emocional irradiando dela. Estava sentada com a lança no colo como um remo de caiaque, parecendo pronta para remar direto para Helheim. Acho que Alex e eu soubemos por instinto que não devíamos deixá-la sozinha.

— Fiquei impotente de novo — disse ela, infeliz. — Ele simplesmente... me *controlou*.

Alex deu um tapinha na perna dela.

— Não é totalmente verdade. Você está viva.

Eu olhei de uma para a outra.

— O que você quer dizer?

O olho castanho-escuro de Alex estava mais dilatado do que o cor de mel, provavelmente devido à concussão. O que fez o olhar dela parecer ainda mais vazio e vidrado.

— Quando as coisas ficaram ruins na briga — contou ela —, Loki simplesmente... ordenou que a gente morresse. Ele mandou meu coração parar de bater, meus pulmões pararem de respirar. Acho que fez o mesmo com Sam.

Samirah assentiu, os nós dos dedos ficando brancos no cabo da lança.

— Pelos deuses.

Eu não sabia o que fazer com toda a raiva dentro de mim. Meu peito ferveu na mesma temperatura que as poças fumegantes. Se eu já odiava Loki o bastante antes, agora estava determinado a persegui-lo até o fim dos nove mundos e... e fazer alguma coisa terrível com ele.

Como prendê-lo com as entranhas dos próprios filhos?, perguntou uma vozinha na minha mente. *Colocar uma cobra venenosa acima do rosto dele? Esse tipo de punição deu muito certo para os aesires, não é?*

— Então vocês *resistiram* — falei para as garotas. — Isso é bom.

Alex deu de ombros.

— Eu já disse, Loki não consegue me controlar. Mais cedo, fingi para ele não desconfiar. Mas, Sam, é... foi um bom começo. Você sobreviveu. Não dá para esperar resistência completa na primeira tentativa. Podemos trabalhar nisso juntas...

— Ele está *livre*, Alex! — disse Sam com rispidez. — Nós falhamos. *Eu* falhei. Se tivesse sido mais rápida, se tivesse percebido...

— *Falhou?* — O deus do trovão surgiu à nossa frente. — Besteira, garota! Vocês recuperaram meu martelo! Vocês são heróis e vão todos receber troféus!

Vi Sam segurando sua raiva, cerrando os dentes, tentando não explodir com Thor. Fiquei com medo de ela estourar outro capilar com aquele esforço todo.

— Eu agradeço, lorde Thor — disse Sam. — Mas Loki nunca se importou com o martelo. O roubo era apenas uma distração para ele se libertar.

Thor franziu a testa e ergueu Mjölnir.

— Ah, não se preocupe, garota. Nós vamos prender Loki de novo. E prometo que ele *vai* se importar com o martelo quando eu o enfiar goela abaixo!

Palavras corajosas, mas quando olhei para os meus amigos, percebi que ninguém estava muito confiante.

Encarei as letras no colete à prova de balas de Thor.

— O que é M-R-R-D, afinal?

— Se pronuncia *mrrd* — disse Thor. — É sigla de *Mobilização de Resposta Rápida dos Deuses*.

— Rápida? — rosnou Alex. — Tá de *brincadeira?* Vocês levaram uma eternidade para chegar aqui!

— Calma, calma. — Heimdall se aproximou. — Vocês eram um alvo móvel, não eram? Nós entramos no túnel em Bridal Veil Falls direitinho! Mas aí teve toda aquela coisa de ir para a caverna de Loki, e isso nos pegou desprevenidos. Ficamos cercados de pedra endurecida por gigantes da terra. Cavando atrás de vocês... bem, mesmo com três deuses, foi difícil.

Principalmente quando um fica tirando fotos e não ajuda, sinalizou Vidar.

Os outros dois deuses o ignoraram, mas Hearthstone sinalizou: *Eles nunca ouvem, não é?*

Pois é, sinalizou o deus. *Pessoas que escutam. Idiotas.*

Decidi que gostava de Vidar.

— Com licença — falei para ele, sinalizando enquanto falava. — Você é o deus dos sapatos? Da cura? Ou...?

Vidar deu um sorrisinho. Dobrou os dois indicadores. Colocou um debaixo do olho e bateu nesse dedo com o outro. Eu nunca tinha visto esse sinal, mas entendi: *Olho por olho.*

— Você é o deus da vingança.

Isso me pareceu estranho, porque ele parecia muito gentil e era mudo. Por outro lado, usava um sapato que se expandia e podia esmagar reis gigantes.

— Ah, Vidar é o cara para todo tipo de emergência! — disse Heimdall. — O sapato dele é feito dos restos de todos os sapatos que já foram jogados fora! Ele pode... bem, você viu o que pode fazer. Ei, o que vocês acham de uma foto em grupo?

— Não — responderam todos.

Thor olhou com irritação para o guardião da ponte.

— Vidar também é chamado de "O Silencioso", o que quer dizer que é mudo. Ele também não fica tirando selfies o tempo todo, o que o torna uma *boa* companhia.

Mallory Keen embainhou as duas facas.

— Bom, isso é fascinante, tenho certeza. Mas vocês, aesires, não deviam estar fazendo alguma coisa produtiva agora, como... ah, sei lá, talvez procurar Loki e o prender de novo?

A garota está certa, sinalizou Vidar. *O tempo está correndo.*

— Escute o corajoso Vidar, garota — disse Thor. — A captura de Loki pode esperar mais um dia. Agora, devíamos comemorar por eu ter recuperado meu martelo!

Não foi isso que eu falei, sinalizou Vidar.

— Além do mais — continuou Thor —, não preciso procurar o patife. Eu sei exatamente para onde ele está indo.

— Sabe? — perguntei. — Para onde?

Thor bateu nas minhas costas, felizmente com a mão e não com o martelo.

— Vamos conversar sobre isso em Valhala. O jantar é por minha conta!

CINQUENTA E QUATRO

Os esquilos na janela podem ser maiores do que parecem

ADORO QUANDO DEUSES SE OFERECEM para pagar um jantar que já é de graça.

Quase tanto quanto adoro esquadrões de ataque que aparecem depois do ataque.

Mas não tive chance de reclamar. Quando voltamos a Valhala, usando a carruagem superlotada de Thor, ganhamos uma festa de comemoração que foi louca até para os padrões vikings. Thor desfilou pelo salão de banquete segurando Mjölnir acima da cabeça, sorrindo e gritando "Morte aos nossos inimigos!" e causando um grande alvoroço. Cornetas foram tocadas. Hidromel foi consumido. Piñatas foram destruídas com o poderoso Mjölnir e doces foram ingeridos.

Só nosso grupinho estava desanimado, amuado na mesa, aceitando sem muito ânimo os tapinhas nas costas e os elogios dos nossos colegas einherjar. Eles nos garantiram que éramos heróis. Além de termos recuperado o martelo de Thor, destruímos uma festa de casamento de gigantes da terra cruéis e malvestidos!

Ninguém reclamou da presença de Blitz e Hearth. Ninguém prestou muita atenção ao nosso novo amigo, Vidar, apesar do sapato estranho. O Silencioso fez jus ao nome e ficou sentado à mesa em silêncio, fazendo perguntas ocasionais a Hearthstone com gestos de linguagem de sinais que não reconheci.

Heimdall saiu cedo para voltar para a ponte Bifrost. Havia muitas selfies importantes para ele tirar. Enquanto isso, Thor comemorou feito um louco, pulando nas multidões de einherjar e valquírias. O que quer que fosse que ele queria nos falar sobre a localização de Loki havia sido esquecido, e eu não ia me aproximar dele naquela multidão.

Meu único consolo: alguns lordes na mesa dos lordes também estavam incomodados. De tempos em tempos, o gerente Helgi olhava de cara feia para as pessoas, como se estivesse com vontade de gritar o que eu estava pensando: PAREM DE COMEMORAR, SEUS IDIOTAS! LOKI ESTÁ LIVRE!

Talvez os einherjar preferissem não se preocupar. Talvez Thor tivesse garantido a eles que era um problema fácil de resolver. Ou talvez eles estivessem comemorando *porque* o Ragnarök estava próximo. Essa era a ideia que mais me assustava.

Quando o jantar terminou, Thor foi embora em sua carruagem sem nem falar com a gente. Ele bradou para todos no salão que tinha que correr para as fronteiras de Midgard e demonstrar o poder do martelo transformando alguns exércitos de gigantes em pedacinhos fritos. Os einherjar comemoraram e começaram a deixar o salão, sem dúvida a caminho de festas menores e ainda mais loucas.

Vidar se despediu depois de uma conversa rápida com Hearthstone naquela linguagem estranha. O que quer que ele tenha dito, o elfo não contou para nós. Meus companheiros de corredor se ofereceram para me fazer companhia, mas tinham sido convidados para uma festa depois da festa depois da festa, e eu falei para eles irem. Eles mereciam se divertir depois do tédio de abrir caminho até a caverna de Loki.

Sam, Alex, Blitz e Hearth me acompanharam até os elevadores. Antes de chegarmos lá, Helgi apareceu e segurou meu braço.

— Você e seus amigos precisam vir comigo.

A voz do gerente estava sombria. Tive a sensação de que não receberíamos troféus ou cupons de desconto por nossos feitos corajosos.

Helgi nos levou por passagens que eu nunca tinha visto e por escadas em locais ermos do hotel. Eu sabia que Valhala era grande, mas toda vez que saía para explorar, ficava impressionado de novo. O local parecia ser infinito, como uma aula de química.

Finalmente, chegamos a uma porta pesada de carvalho com uma placa de metal dizendo GERENTE.

Helgi abriu a porta, e entramos atrás dele no escritório.

Três das paredes e o teto eram cobertos de lanças: varas de carvalho polido com pontas brilhantes de prata. Atrás da mesa de Helgi, a parede era tomada por uma janela de vidro enorme com vista para os galhos oscilantes e infinitos da Árvore do Mundo.

Eu já conhecia várias vistas das janelas de Valhala. O hotel tinha acesso a cada um dos nove mundos. Mas eu nunca tinha visto uma assim, com vista direta para a árvore. Aquilo me deixou meio desorientado, como se estivéssemos flutuando nos galhos... o que, cosmicamente falando, estávamos mesmo.

— Sentem-se.

Helgi apontou para um semicírculo de cadeiras de um dos lados da mesa. Sam, Alex, Blitz, Hearth e eu nos acomodamos com muito couro gemendo e madeira estalando. Helgi se sentou atrás da imensa escrivaninha de mogno, que estava vazia exceto por um daqueles brinquedinhos com bolas prateadas penduradas que ficam batendo umas nas outras.

Ah... e os corvos. Nos dois cantos da mesa havia um corvo de Odin, ambos olhando para mim de cara feia, parecendo em dúvida entre me mandar para a detenção ou me jogar como alimento para os trolls.

Helgi se recostou na cadeira e uniu as pontas dos dedos. O gerente pareceria intimidante se seu cabelo não lembrasse um animal morto e ele não tivesse restos de comida na barba.

Sam mexeu com nervosismo no chaveiro.

— Senhor, o que aconteceu na caverna de Loki... não foi culpa dos meus amigos. Eu assumo total responsabilidade...

— De jeito nenhum! — disse Alex com rispidez. — Sam não fez nada de errado. Se você vai punir alguém...

— Parem! — ordenou Helgi. — Ninguém aqui vai ser punido.

Blitzen soltou o ar, aliviado.

— Ah, isso é bom. Porque não tivemos tempo de devolver isto para Thor, mas pretendíamos, de verdade.

Hearthstone pegou o passe livre de Thor e o colocou na mesa do gerente.

Helgi franziu a testa, colocou o passe na gaveta, e eu me perguntei quantos outros ele tinha ali.

— Vocês estão aqui — disse o gerente — porque os corvos de Odin chamaram.

— Hugin e Munin?

Pensamento e *Memória*, eu me lembrei de ter lido no *Guia do Hotel Valhala*.

As aves fizeram aquele barulho esquisito que os corvos adoram fazer, como se regurgitassem as almas de todos os sapos que tinham comido ao longo dos séculos.

Eles eram bem maiores do que corvos normais... e mais apavorantes. Os olhos eram como portais para um abismo. As penas tinham mil tons diferentes de ébano. Quando a luz batia neles, runas pareciam brilhar na plumagem, palavras sombrias surgindo em um mar de tinta preta.

Helgi bateu no brinquedinho. As bolas começaram a bater umas nas outras com um *click, click, click* irritante.

— Odin gostaria de estar aqui — disse o gerente —, mas está cuidando de outros assuntos. Hugin e Munin estão presentes como seus representantes. A vantagem — Helgi se inclinou para a frente e baixou a voz — é que os corvos não exibem PowerPoints motivacionais.

Os pássaros grasniram em concordância.

— Agora, vamos ao assunto principal — disse Helgi. — Loki fugiu, mas nós sabemos onde ele está. Samirah al-Abbas... sua próxima missão como a valquíria de Odin encarregada das operações especiais será encontrar seu pai e prendê-lo de novo.

Samirah baixou a cabeça. Não pareceu surpresa — estava mais para alguém que perdeu o apelo final em uma sentença de morte contra a qual lutou a vida toda.

— Senhor — disse ela —, vou obedecer à ordem. Mas, depois do que aconteceu nas últimas duas vezes que enfrentei meu pai, a facilidade com que ele me controlou...

— Você pode aprender a resistir — interrompeu Alex. — Eu posso ajudar...

— Eu não sou você, Alex! Não consigo... — Sam fez um gesto vago para a irmã, como se para indicar todas as coisas que Alex era e Sam jamais poderia ser.

Helgi tirou os restos de comida da barba.

— Samirah, eu não falei que seria fácil. Mas os corvos dizem que você é capaz. Precisa fazer isso. E vai fazer.

Sam olhou para as bolinhas indo de um lado para outro. *Click, click, click.*

— Esse lugar para onde meu pai foi... — disse ela. — Onde fica?

— Na Costa Oriental — respondeu Helgi. — Como contam as antigas histórias. Agora que Loki está livre, ele foi para o porto, onde espera terminar a construção de *Naglfar*.

Hearthstone sinalizou: *O Navio das Unhas. Isso não é bom.*

Senti um calafrio... e fiquei meio enjoado.

Lembrei ter visitado aquele navio em um sonho, de estar de pé no convés de um drácar viking do tamanho de um porta-aviões, todo feito das unhas dos mortos. Loki me avisou que, quando o Ragnarök começasse, ele seguiria no navio até Asgard, destruiria os deuses, roubaria as jujubas deles e provocaria caos em massa.

— Se Loki está livre, já não é tarde demais? — perguntei. — A libertação dele não é um dos eventos que sinalizam o início do Ragnarök?

— Sim e não — respondeu Helgi.

Eu esperei.

— Tenho que escolher uma das respostas?

— A libertação de Loki *ajuda* o início do Ragnarök — continuou Helgi. — Mas nada indica que *essa* fuga é a última fuga, a derradeira. É possível que vocês consigam recapturá-lo e prendê-lo de novo, adiando assim o Juízo Final.

— Como fizemos com o lobo Fenrir — murmurou Blitz. — Aquilo foi moleza.

— Exatamente. — Helgi assentiu com entusiasmo. — Moleza.

— Eu estava sendo sarcástico — disse Blitz. — Imagino que não haja sarcasmo em Valhala, tanto quanto não há barbeiros decentes.

Helgi ficou vermelho.

— Escute aqui, anão...

Ele foi interrompido por uma criatura marrom e alaranjada enorme se chocando contra a janela.

Blitzen caiu da cadeira. Alex pulou e se agarrou no teto na forma de um morcego. Sam se levantou segurando o machado, pronta para lutar. Eu corajosamente me escondi atrás da mesa de Helgi. Hearthstone só ficou ali sentado, franzindo a testa para o esquilo gigante.

Por quê?, sinalizou ele.

— Está tudo bem, pessoal — garantiu Helgi. — É só Ratatosk.

As palavras *só* e *Ratatosk* não combinavam. Eu tinha sido caçado pela Árvore do Mundo por aquele roedor monstruoso. Tinha ouvido sua voz chamejante e horrenda. *Nunca* estava tudo bem quando ele aparecia.

— Não, é sério — insistiu Helgi. — A janela é à prova de som e à prova de esquilo. Ratatosk gosta de passar por aqui para me provocar, às vezes.

Espiei por cima da mesa. Ratatosk estava berrando e gritando, mas só um leve murmúrio passava pelo vidro. Ele estalou os dentes para nós e encostou a bochecha na janela.

Os corvos não pareceram incomodados. Olharam para trás como quem diz *Ah, é você* e voltaram a cuidar das próprias penas.

— Como você aguenta? — perguntou Blitzen. — Essa... essa coisa é mortal!

O esquilo inflou a boca no vidro, mostrando os dentes e as gengivas, depois lambeu a janela.

— Eu gosto de saber onde ele está — disse Helgi. — Às vezes, consigo saber o que está acontecendo nos nove mundos só de observar o nível de agitação do esquilo.

A julgar pelo atual estado de Ratatosk, tinha alguma coisa séria acontecendo nos nove mundos. Para aliviar nossa ansiedade, Helgi se levantou, fechou as persianas e voltou a se sentar.

— Onde estávamos? — disse ele. — Ah, sim, moleza e sarcasmo.

Alex desceu do teto e voltou à forma humana. Tinha tirado o vestido de noiva mais cedo e colocado novamente o colete quadriculado. Ela mexeu nele de forma casual, como quem diz: *Sim, era minha intenção virar um morcego desde o início.*

Sam baixou o machado.

— Helgi, sobre essa missão... eu não sei nem por onde começar. Onde o navio está atracado? A Costa Oriental pode ser em qualquer mundo.

O gerente levantou as mãos.

— Não tenho essas respostas, Samirah, mas Hugin e Munin vão lhe passar todas as instruções. Vá com eles para os telhados de Valhala. Deixe que eles lhe mostrem pensamentos e lembranças.

Para mim, isso parecia uma missão meio doida com Darth Vader aparecendo em uma caverna enevoada.

Sam também não pareceu feliz.

— Mas, Helgi...

— Sem discussão, Samirah — insistiu o gerente. — Odin escolheu você. Escolheu esse grupo todo porque...

Ele fez uma pausa repentina e levou o dedo ao ouvido. Nunca tinha percebido que Helgi usava ponto eletrônico, mas ele estava escutando alguma coisa.

O gerente olhou para nós.

— Peço desculpas. Onde eu estava? Ah, sim, vocês cinco estavam presentes quando Loki fugiu. Portanto, os cinco vão ter um papel crucial na recaptura do deus foragido.

— Aqui se faz, aqui se paga — murmurei.

— Exatamente! — Helgi sorriu. — Agora que isso está resolvido, vocês vão ter que me dar licença. Houve um massacre no estúdio de yoga, e precisamos trocar os tapetes.

CINQUENTA E CINCO

Margaridas
em formato de elfo

Assim que saímos do escritório de Helgi, os corvos levaram Sam para outra escadaria. Ela olhou para nós com inquietação, mas Helgi tinha deixado bem claro que não havíamos sido convidados.

Alex deu meia-volta e saiu andando na direção oposta.

— Ei — chamei. — Aonde você...

Ela se virou, os olhos tão furiosos que não consegui terminar a pergunta.

— Mais tarde a gente conversa, Magnus — disse ela com a voz sombria. — Eu tenho que... — Ela fez um gesto de estrangulamento com as mãos. — Até mais tarde.

Fiquei apenas com Blitzen e Hearthstone, que oscilava, quase caindo de sono.

— Vocês querem...?

— Dormir — completou Blitzen. — Por favor. Imediatamente.

Eu os levei para o meu quarto. Nós três acampamos na grama do átrio, o que me lembrou de antigamente, quando dormíamos no Public Garden. Mas não vou dizer que sentia saudade de ser sem-teto. Não ter casa não é uma coisa da qual uma pessoa em sã consciência sentiria falta. Mesmo assim, como falei, era bem mais simples do que ser um guerreiro imortal e ter que perseguir deuses fugitivos pelos nove mundos e ter conversas sérias enquanto um esquilo monstruoso fazia careta na janela.

Hearthstone apagou primeiro. Ele se encolheu, suspirou e adormeceu na mesma hora. Quando estava imóvel, apesar das roupas pretas, ele parecia se misturar com as sombras da grama. Talvez fosse camuflagem élfica, um resquício da época em que eles eram mais ligados à natureza.

Blitz encostou-se a uma árvore e olhou para Hearth com preocupação.

— Nós vamos ao *O melhor de Blitzen* amanhã — disse ele. — Vamos reabrir a loja. Passar algumas semanas tentando nos recuperar e voltar ao... bem, ao que quer que possa ser entendido por *normal*. Antes de termos que procurar... — A perspectiva de ir atrás de Loki outra vez era tão assustadora que ele nem conseguiu terminar a frase.

Eu me senti culpado por não ter pensado na dor de Hearthstone nos últimos dias. Estava preocupado demais com o martelo-TV idiota de Thor.

— É uma boa ideia — falei. — Álfaheim foi difícil para ele.

Blitz uniu as mãos perto de onde a espada Skofnung o havia perfurado.

— É, estou preocupado com os assuntos pendentes de Hearth por lá.

— Eu queria ter ajudado mais — confessei. — Ajudado vocês dois, na verdade.

— Que nada, garoto. Algumas coisas têm que ser feitas por nós mesmos. Hearth... ele tem um buraco em formato de pai no coração. Você não pode fazer nada quanto a isso.

— O pai dele nunca vai ser um cara legal.

— Não mesmo. Mas Hearth precisa aceitar isso. Mais cedo ou mais tarde, ele vai ter que voltar e enfrentá-lo... pegar a runa de herança de volta, de uma forma ou de outra. Mas quando e como isso vai acontecer...

Ele deu de ombros, impotente.

Pensei no tio Randolph. Como é que se decidia que alguém era um caso perdido? Quando uma pessoa era tão má ou tóxica ou determinada a fazer as coisas do próprio jeito que tínhamos que simplesmente aceitar o fato de que nunca mudaria? Quanto tempo dava para insistir em salvar alguém, e em que momento desistíamos e sofríamos como se aquela pessoa tivesse morrido para nós?

Para mim, era fácil aconselhar Hearthstone sobre o pai dele. O cara era terrível. Mas meu tio, que me deixou morrer, enfiou uma espada no meu amigo e libertou o deus do mal... Mesmo assim não conseguia esquecê-lo.

Blitzen deu um tapinha na minha mão.

— O que quer que aconteça, garoto, estaremos prontos quando você precisar de nós. Vamos resolver isso e acorrentar Loki de novo, mesmo que eu tenha que fabricar essas correntes.

— As suas seriam bem mais estilosas.

O canto da boca de Blitz tremeu.

— É. Seriam mesmo. E não se sinta culpado, garoto. Você agiu bem.

Eu não tinha tanta certeza disso. O que eu havia feito? Sentia como se tivesse passado seis dias andando de um lado para outro, tentando manter meus amigos vivos e minimizar as consequências do plano de Loki.

Imaginei o que Samirah diria: *Já chega, Magnus.* Ela provavelmente apontaria que eu tinha ajudado Amir. Que conseguira curar Blitzen. Que tinha ajudado o esquadrão de Thor a entrar na fortaleza dos gigantes para recuperar o martelo. Que jogara boliche de um jeito irado com Alex, o elefante-africano.

Mesmo assim... Loki estava livre. Tinha machucado Sam. *Destruíra* a confiança dela. E tinha também aquele detalhe de os nove mundos estarem correndo perigo. Serem jogados no caos e tal.

— Eu me sinto péssimo, Blitz — admiti. — Quanto mais eu treino, quanto mais poderes aprendo... parece que os problemas só ficam dez vezes maiores do que consigo resolver. Algum dia isso vai parar?

Blitz não respondeu. O queixo estava apoiado no peito. Ele estava roncando baixinho.

Coloquei um cobertor sobre meu amigo. Fiquei sentado por muito tempo, vendo as estrelas por entre os galhos da árvore e pensando em corações partidos.

Pensei no que Loki estaria fazendo agora. Se eu fosse ele, estaria planejando a vingança mais cruel que os nove mundos já viram. Talvez fosse por isso que Vidar, o deus da vingança, parecia tão gentil e quieto. Ele sabia que não era preciso muita coisa para começar uma reação em cadeia de violência e morte. Um insulto. Um roubo. Uma corrente rompida. Thrym e Thrynga guardaram ressentimento por gerações. Foram usados por Loki não uma, mas duas vezes. E agora, estavam mortos.

Não me lembro de ter adormecido. Quando acordei na manhã seguinte, Blitz e Hearth já tinham partido. Um canteiro de margaridas floresceu onde Hearth havia dormido; talvez fosse o jeito dele de dizer *tchau, obrigado, até breve*. Eu ainda estava deprimido.

Tomei banho e me vesti. Escovar os dentes pareceu ridiculamente normal depois dos últimos dias. Eu estava quase saindo para o café da manhã quando reparei em um bilhete debaixo da minha porta, na caligrafia elegante de Samirah:

Precisamos conversar. Thinking Cup? Ficarei lá a manhã toda.

Saí para o corredor. Gostei da ideia de deixar Valhala um pouquinho. Eu queria conversar com Sam. Queria um bom café mortal. Queria me sentar ao sol e comer um bolinho de chocolate e fingir que não era um einherji com um deus fugitivo para capturar.

Aí, olhei para o outro lado do corredor.

Antes de sair, eu precisava fazer mais uma tarefa difícil e perigosa. Precisava ver como Alex Fierro estava.

Alex abriu a porta e me cumprimentou com um alegre:

— Some daqui.

O rosto e as mãos de Alex estavam sujos de argila úmida. Olhei lá dentro e vi o projeto no torno.

— E aí, cara?

Entrei no quarto. Por algum motivo, Alex permitiu.

Toda a cerâmica quebrada tinha sido removida. As prateleiras estavam cobertas de novos vasos e tigelas, secando e ainda sem brilho. No torno tinha um vaso enorme, com quase um metro, em formato de troféu.

Sorri.

— É para Sif?

Alex deu de ombros.

— É. Se ficar bom.

— É um presente irônico ou sério?

— Você vai me fazer escolher? Sei lá. É que... me pareceu certo dar algo a ela. Primeiro, eu a odiei. Ela me fazia lembrar minha madrasta, cheia de frescura e estressada. Mas... talvez eu devesse pegar leve com Sif.

O vestido de noiva dourado e branco estava em cima da cama, ainda manchado de sangue, a barra suja de lama e com manchas de ácido. Mesmo assim, Alex o esticou com cuidado, como se fosse uma coisa que valesse a pena ser guardada.

— Magnus, por que você veio aqui?

— Hum... — Achei difícil me concentrar. Olhei para as fileiras de vasos, todos perfeitos. — Você fez todos ontem?

Peguei um.

Alex o tirou das minhas mãos.

— Não, você não pode tocar neles. Valeu por perguntar, Magnus. Sim, a maioria foi feita na noite passada. Não consegui dormir. A cerâmica... faz eu me sentir melhor. Agora você ia dizer por que veio aqui e sair logo do meu pé, não é?

— Vou me encontrar com Sam em Boston. Pensei...

— Que eu podia querer ir com você? Não mesmo. Quando Sam estiver pronta para conversar, ela sabe onde me encontrar.

Alex voltou até o torno, pegou uma espátula e começou a alisar as laterais do troféu.

— Você está com raiva dela.

Alex continuou alisando o troféu.

— É um vaso bem impressionante — falei. — Não sei como você consegue fazer uma coisa tão grande sem que desmorone. Tentei usar um torno na aula de artes do quinto ano. O melhor que consegui foi um calombo torto.

— Um autorretrato, então?

— Ha-ha. Só estou dizendo que queria saber fazer uma coisa tão legal.

Não houve resposta imediata. Talvez porque eu não tivesse deixado muito espaço para um insulto inteligente.

Finalmente, Alex levantou o rosto, hesitante.

— Você cura as pessoas, Magnus. Seu pai é um deus *prestativo*. Você tem uma... coisa ensolarada, calorosa, simpática em você. Não é legal o suficiente?

— Eu nunca tinha sido chamado de *ensolarado*.

— Ah, por favor. Você finge ser todo durão e sarcástico, mas é um manteiga-derretida. E, respondendo sua pergunta, sim, estou com raiva de Sam. Se ela não mudar de atitude, não sei se vou conseguir ensinar a ela.

— A... resistir a Loki.

Alex pegou um pouco de argila e espremeu.

— O segredo é estar à vontade com a metamorfose. O tempo todo. Tem que transformar o poder de Loki em *seu* poder.

— Como a sua tatuagem.

Alex deu de ombros.

— A argila pode ser modelada e remodelada uma porção de vezes, mas, se ficar seca demais, se estiver acomodada... é impossível trabalhar com ela. Quando chega a esse ponto, é melhor ter certeza de que esteja no formato que você quer que fique para sempre.

— Você está dizendo que Sam não consegue mudar.

— Não sei se ela consegue, nem se ela quer. Mas sei do seguinte: se ela não me deixar ensinar como resistir a Loki, se não quiser ao menos tentar... na próxima vez que o enfrentarmos, estaremos perdidos.

Soltei um suspiro.

— Tá, boa conversa motivacional. Nos vemos no jantar.

Quando cheguei à porta, Alex disse:

— Como você soube?

Eu me virei.

— Soube o quê?

— Quando você entrou, disse *cara*. Como soube que eu era garoto?

Eu pensei a respeito. Primeiro, me perguntei se foi só um comentário habitual, um *cara* sem especificidade de gênero. Mas, analisando um pouco mais a fundo, percebi que captei mesmo o fato de Alex estar masculino. Ou melhor, de que Alex *estava*. Agora, depois de conversarmos alguns minutos, Alex definitivamente parecia feminina. Mas eu não fazia ideia de como tinha percebido isso.

— Foi só minha natureza perceptiva, eu acho.

Alex riu com deboche.

— Sei.

— Mas agora você é garota.

Ela hesitou.

— É.

— Interessante.

— Pode ir embora agora.

— Você vai fazer um troféu para minha perceptividade?

Ela pegou um pedaço de cerâmica e jogou em mim.

Fechei a porta bem na hora que o objeto a acertou por dentro.

CINQUENTA E SEIS

Vamos tentar outra vez essa coisa de "encontro para um café"

A JULGAR PELA QUANTIDADE DE xícaras vazias, Sam estava no terceiro expresso.

A ideia de abordar uma valquíria munida com três expressos no organismo não parecia aconselhável, mas me aproximei lentamente e me sentei de frente para ela. Sam não olhou para mim. Sua atenção estava voltada para as duas penas de corvo em cima da mesa. O vento estava forte. O hijab verde sacudia ao redor do rosto dela como ondas na praia, mas as duas penas de corvo não se moviam.

— Oi — cumprimentou ela.

Foi bem mais simpático do que *some daqui*. Sam era muito diferente de Alex, mas havia algo parecido nos olhos delas, um turbilhão fervendo logo abaixo da superfície. Não era fácil pensar na herança de Loki lutando dentro das minhas amigas, tentando tomar o controle.

— Você ganhou penas — comentei.

Ela tocou a da esquerda.

— Uma lembrança. E esta — Sam tocou a da direita — é um pensamento. Os corvos não falam. Eles encaram você e permitem que você acaricie sua plumagem até a pena certa cair.

— E o que querem dizer?

— Esta, a lembrança... — Sam passou um dedo pela beirada. — É ancestral. Do meu antepassado, Ahmad Ibn Fadlan Ibn al-Abbas.

— O cara que viajou com os vikings.

Sam assentiu.

— Quando peguei a pena, *vi* a viagem dele como se eu tivesse estado lá. Descobri muitas coisas que ele nunca registrou, coisas que ele achava que não iam ser bem recebidas na corte do califa de Bagdá.

— Ele viu deuses nórdicos? — tentei adivinhar. — Valquírias? Gigantes?

— E mais. Também ouviu lendas sobre o navio *Naglfar*. O local onde está atracado, a Costa Oriental, fica na fronteira entre Jötunheim e Niflheim, a parte mais selvagem e remota dos dois mundos. É completamente inacessível, coberto de gelo, exceto por um dia do ano: o Solstício de Verão.

— Então é quando Loki vai planejar a partida.

— E é quando teremos que estar lá para impedi-lo.

Eu queria um café, mas meu coração estava tão disparado que eu duvidava que fosse me fazer bem.

— E agora? Esperamos até o verão?

— Vai levar tempo para encontrarmos o paradeiro de Loki. E, antes de partirmos, vamos precisar nos preparar, treinar, ter certeza de que seremos capazes de vencê-lo.

Eu me lembrei do que Alex disse: *Não sei se vou conseguir ensinar a ela.*

— Vamos fazer tudo isso. — Tentei parecer confiante. — O que a segunda pena contou a você?

— Esta é um pensamento — disse Samirah. — Um plano. Para chegar à Costa Oriental, vamos precisar viajar pelos galhos mais distantes da Árvore do Mundo, pelas terras vikings ancestrais. É onde a magia de gigantes é mais forte, e onde vamos encontrar a passagem no mar para o porto de *Naglfar*.

— As terras vikings ancestrais. — Meus dedos formigaram. Eu não sabia se de empolgação ou medo. — A Escandinávia? Tenho certeza de que tem voos diretos para lá saindo de Logan.

Sam balançou a cabeça.

— Vamos ter que ir pelo mar, Magnus. Da mesma maneira como os vikings vieram para *cá*. Assim como só se pode entrar em Álfaheim pelo ar, só podemos chegar às terras selvagens da Costa Oriental por água salgada e gelo.

— Certo. Porque nada pode ser fácil.

— Não, não pode.

O tom dela era distraído, melancólico. Fez com que eu percebesse que estava sendo insensível. Sam tinha muitos outros problemas além do pai do mal.

— Como está Amir? — perguntei.

Ela sorriu. No vento, o hijab pareceu se metamorfosear de ondas para campos de grama e para vidro.

— Ele está muito bem. Ele me aceita. Não quer desfazer nosso noivado. Você estava certo, Magnus. Ele é bem mais forte do que supus.

— Que maravilha. E seus avós e o pai dele?

Samirah deu uma risadinha seca.

— Bem, não se pode ter tudo. Eles não se lembram das visitas de Loki. Sabem que Amir e eu fizemos as pazes. No momento, está tudo bem. Voltei a inventar desculpas para precisar sair correndo no meio ou depois da aula. Estou dando muitas "aulas particulares".

Ela fez aspas com as mãos.

Eu me lembrei de como Sam pareceu cansada quando a encontrei naquele mesmo lugar, seis dias antes. Se havia alguma mudança, ela parecia mais cansada agora.

— Mas você tem que diminuir o ritmo, Sam — falei para ela. — Você parece exausta.

— Eu sei. — Ela colocou a mão em cima da pena do pensamento. — Prometi a Amir: quando recapturarmos Loki, quando eu tiver certeza de que o Ragnarök foi adiado, ao menos por enquanto, vou dar um tempo.

— *Dar um tempo?*

— Vou me aposentar das valquírias. Vou me dedicar à faculdade, a terminar meu curso de piloto e... ao casamento, claro. Quando eu tiver dezoito anos, como planejamos.

Ela estava vermelha feito... bem, feito uma noiva.

Tentei ignorar o vazio no meu peito.

— E é isso o que você quer?

— É totalmente escolha minha. E conto com o apoio de Amir.

— Valquírias podem se demitir?

— Claro. Não é como ser... hã...

Um einherji, era o que ela queria dizer. Eu era um dos renascidos. Podia viajar entre os mundos. Tinha força e resistência incríveis. Mas jamais voltaria a ser um humano normal. Eu ficaria como era, com a mesma idade para sempre... ou até o Ragnarök, o que viesse primeiro. (Pode haver certas restrições. Leia os termos de serviço para saber os detalhes.)

— Magnus, sei que eu trouxe você para essa pós-vida esquisita — disse ela. — Não é justo eu abandonar você, mas...

— Ei. — Toquei brevemente a mão dela. Sabia que Sam não gostava muito de contato físico, mas ela e minha prima Annabeth eram o mais próximo que eu teria de irmãs. — Samirah, eu só quero que você seja feliz. E, você sabe, se pudermos impedir que os nove mundos peguem fogo antes de você ir embora, também seria legal.

Ela riu.

— Tudo bem, Magnus. Está combinado. Vamos precisar de um navio. Vamos precisar de muitas coisas, na verdade.

— É.

O sal e o gelo já pareciam estar se alojando na minha garganta. Eu me lembrei de nosso encontro em janeiro com a deusa do mar, Ran... e de quando ela me avisou que eu estaria encrencado se tentasse navegar pelo mar outra vez.

— Primeiro, precisamos de conselhos — falei. — Sobre navegar por águas mágicas, lutar contra monstros marinhos esquisitos e não morrer nas mãos de um bando de deuses do mar furiosos. Estranhamente, sei exatamente com quem conversar.

— Sua prima — arriscou Sam.

— É. Annabeth.

CINQUENTA E SETE

Cobro alguns favores

Tentei mandar mensagem de texto e ligar e, quando nada disso deu certo, mandei um corvo.

Quando falei para T. J. que estava com dificuldade de falar com minha prima, ele me olhou como se eu fosse burro.

— É só mandar um pássaro, Magnus.

Que idiota. Passei meses em Valhala e não percebi que podia alugar um corvo, amarrar uma mensagem na perna dele e mandar que encontrasse qualquer pessoa nos nove mundos. A coisa toda parecia meio *Game of Thrones*, mas sei lá. O importante é que deu certo.

O corvo voltou logo depois com a resposta de Annabeth.

Combinamos nos encontrar no meio do caminho entre Boston e Manhattan, na estação de trem de New London, Connecticut. Annabeth chegou antes de mim e ficou lá na plataforma de calça jeans e sandálias e uma camisa roxa de mangas compridas com o desenho de uma coroa de louros e as letras SPQR: UNR.

Ela me abraçou até meus olhos saltarem, como os de Thrynga.

— Fiquei tão aliviada — disse ela. — Nunca achei que ficaria feliz de ver um corvo na minha janela, mas... Você está bem?

— Estou, estou. — Sufoquei uma gargalhada nervosa, porque *bem* era uma palavra estúpida para descrever minha condição. Além do mais, estava na cara que Annabeth também *não* estava bem. Seus olhos pareciam pesados e cansados, menos como nuvens de tempestade e mais como neblina que não se dissipava.

— Temos muito para conversar — falei. — Está com fome?

Pegamos uma mesa na varanda do Muddy Waters café. Eu achava que o nome era uma homenagem ao músico de blues, mas pareceu um mau presságio considerando as águas pelas quais eu planejava navegar. Annabeth e eu ficamos no sol, pedimos Coca-Cola e cheesebúrgueres e ficamos olhando os veleiros seguindo para o estuário de Long Island.

— A coisa anda meio louca em Nova York — disse Annabeth. — Achei que a comunicação estivesse ruim só entre os semideuses... quer dizer, do *meu* tipo, os gregos e romanos, mas aí me dei conta de que não tinha tido notícias suas também. Foi mal por não ter percebido antes.

— Como assim a comunicação está ruim?

Annabeth cutucou a mesa com os dentes do garfo. O cabelo louro estava solto dessa vez. Ela parecia estar deixando crescer. Captou o sol de um jeito que me lembrou Sif... mas tentei afastar a ideia. Eu sabia que Annabeth destruiria qualquer um que ousasse chamá-la de "troféu".

— Estamos no meio de uma crise — contou Annabeth. — Um deus caiu na terra como humano. Uns imperadores romanos do mal estão de volta, causando confusão.

— Ah, o de sempre, então.

Ela riu.

— É. De algum modo esses romanos malvados encontraram um jeito de estragar a comunicação entre os semideuses. Não só os meios mágicos, mas também celulares, redes wi-fi, qualquer tipo. Estou surpresa de seu corvo ter chegado. Eu teria ido a Boston dar uma olhada em você antes, mas... — Ela deu de ombros, impotente. — Andei muito ocupada.

— Entendo. Eu não devia estar atrapalhando. Você já tem muita coisa para resolver...

Ela esticou a mão por cima da mesa e apertou a minha.

— Está de brincadeira? Eu quero ajudar. O que está acontecendo?

Foi muito bom contar tudo para ela. Eu me lembrei de como foi esquisito na primeira vez que comparamos histórias: a dela com os deuses gregos, a minha com os deuses nórdicos. Nós dois fomos embora naquele dia sentindo que tínhamos sobrecarregado nossas baterias e que nosso cérebro estava derretendo.

Agora, pelo menos, tínhamos algum contexto no qual trabalhar. Claro, tudo ainda era muito louco. Se eu parasse para pensar demais, começaria a rir histericamente. Mas eu podia contar meus problemas para Annabeth sem medo de ela não acreditar em mim. Isso fez com que eu percebesse quanto Sam devia gostar de estar sendo totalmente verdadeira com Amir.

Contei para minha prima sobre a fuga de Loki e sobre a ideia de Sam para irmos atrás dele; sobre um porto gelado nas fronteiras mais distantes de Jötunheim e Niflheim (ou na Escandinávia; o que chegasse primeiro).

— Uma viagem de barco — disse ela. — Ah, cara. Isso me traz péssimas lembranças.

— É. Eu me lembrei do que você disse sobre navegar até a Grécia e... é.
— Não queria falar sobre todas aquelas coisas horríveis de novo. Ela chorou quando me contou o que tinha acontecido durante a viagem, principalmente na parte em que ela e o namorado, Percy, caíram em um lugar do mundo inferior chamado Tártaro. — Olha, não quero arrumar mais problemas para você. Só pensei que... sei lá... talvez você tivesse ideias, dicas.

Um trem passou pela estação. Minha visão da baía piscou entre os vagões como um filme desalinhado.

— Você disse que está com problemas com deuses do mar — disse Annabeth.

— É, Ran... uma moça acumuladora com uma rede. E acho que o marido dela também me odeia. O nome dele é Aegir.

Annabeth deu um tapa na testa.

— Preciso me esforçar para guardar todos esses nomes. Olha, eu não sei como funciona com vários deuses do mar. Os nórdicos ficam no norte, e Poseidon, no sul, ou eles, sei lá, fazem algum tipo de escala...?

Eu me lembrei de um desenho antigo com cães batendo ponto ao chegarem para turnos diferentes e impedirem os lobos de atacar os rebanhos. Eu me perguntei se os deuses também tinham que bater ponto todo dia, ou se todos trabalhavam de casa. Os deuses do mar podiam fazer *home office*?

— Não faço ideia — admiti. — Mas queria evitar que todos os meus amigos fossem assolados por um tsunami assim que sairmos de Boston.

— Quanto tempo vocês têm?

— Até o verão. Não podemos partir com os mares congelados, algo assim.

— Ótimo. Até lá nós vamos ter terminado as aulas e finalmente nos formado.

— Eu não frequento a escola... Ah, você quis dizer você e seu namorado?

— Exatamente. Supondo que Percy seja aprovado e vá bem nas provas, e supondo que os imperadores romanos não nos matem e destruam o mundo...

— É. Loki ficaria bem irritado se os imperadores romanos destruíssem o mundo antes de ele conseguir iniciar o Ragnarök.

— Acho que vamos ter tempo de ajudar, ou pelo menos comparar informações, talvez cobrar alguns favores.

— Hã, favores?

Annabeth sorriu.

— Não conheço o mar muito bem, mas meu namorado conhece. Está na hora de você conhecer Percy.

GLOSSÁRIO

Aegir — deus das ondas

Aesir (pl.: Aesires) — deuses da guerra; semelhantes aos humanos

alicarl — nórdico para *gorducho*

almôfar — cortina de cota de malha na base do elmo, feita para proteger o pescoço

argr — nórdico para *não másculo*

Árvore de Laeradr — árvore localizada no centro do Salão de Banquete dos Mortos, em Valhala, com animais imortais que têm funções especiais

berserker (pl.: berserkir) — guerreiro nórdico considerado invencível em batalha

Bifrost — a ponte arco-íris que liga Asgard a Midgard

Bilskírnir — Fenda Luminosa, palácio de Thor e Sif

Bint — árabe para *filha*

brunnmigi — um monstro que urina em poços

dólmen — tumba de um *draugr*

draugr — zumbis nórdicos poderosos que gostam de colecionar armas

einherjar (sing.: einherji) — grandes heróis que morreram com bravura na Terra; soldados do exército eterno de Odin; treinam em Valhala para o Ragnarök, quando os mais corajosos se juntarão a Odin na batalha contra Loki e os gigantes no fim do mundo

Fenrir — lobo nascido do caso de Loki com uma giganta; sua força incrível causa medo até nos deuses, que o mantêm amarrado a uma pedra em uma ilha. Ele está destinado a se soltar no dia do Ragnarök

Fólkvangr — a pós-vida dos vanires para os heróis mortos em batalha, governada pela deusa Freya

Frey — deus da primavera e do verão; do sol, da chuva e da colheita; da abundância e da fertilidade, do crescimento e da vitalidade. Frey é irmão gêmeo de Freya e, como a irmã, tem grande beleza. Ele é o lorde de Álfaheim

Freya — deusa do amor; irmã gêmea de Frey; governante de Fólkvangr

Frigga — deusa do casamento e da maternidade; esposa de Odin e rainha de Asgard; mãe de Balder e Hod

gamalost — queijo velho

Ginnungagap — o abismo primordial; a névoa que obscurece as aparências

Gjallar — trombeta de Heimdall

Heimdall — deus da vigilância e guardião da Bifrost, a entrada para Asgard

Hel — deusa da morte desonrosa; nascida do caso de Loki com uma giganta

Helheim — o submundo nórdico, governado por Hel e habitado pelos que morreram fazendo maldades, de velhice ou devido a doenças

Hugin e Munin — corvos de Odin, cujos nomes significam *pensamento* e *memória*, respectivamente

huldra — espírito da floresta domesticado

Jörmungand — a Serpente do Mundo, monstro nascido do caso de Loki com uma giganta; o corpo dele é tão grande que envolve a Terra

jötunn — gigante

kenning — apelido viking

lindwyrm — um dragão temível do tamanho e do comprimento de um caminhão, com apenas duas patas frontais e asas marrons com textura coriácea parecidas com as dos morcegos, porém pequenas demais para voo

Loki — deus da lábia, da magia e da trapaça; filho de dois gigantes; adepto da magia e da metamorfose. Ele é alternadamente maldoso e heroico para os deuses de Asgard e para a humanidade. Por causa do papel na morte de Balder, Loki foi acorrentado por Odin a três pedras gigantescas com uma serpente venenosa enrolada acima da cabeça. O veneno da cobra queima o rosto do deus de tempos em tempos, e quando ele se debate seus movimentos causam os terremotos

Magni e Módi — os filhos favoritos de Thor, destinados a sobreviver ao Ragnarök

meinfretr — peido fedido

Mímir — deus aesir que, ao lado de Honir, trocou de lugar com os deuses vanires, Frey e Njord, no final da guerra entre os dois clãs. Como os vanires não gostaram dos conselhos dele, cortaram sua cabeça e a mandaram para Odin. Odin depositou a cabeça em um poço mágico, onde a água o trouxe de volta à vida, e Mímir absorveu todo o conhecimento da Árvore do Mundo

Mjölnir — o martelo de Thor

morgen-gifu — *presente matinal*; um presente do noivo para a noiva, dado na manhã seguinte à consumação do casamento. Pertence à noiva, mas é mantido pela família do noivo

mundr — *dote*; um presente do noivo para o pai da noiva

Muspell — fogo

Naglfar — o *Navio das Unhas*

nøkk — um nixe, ou espírito da água

Nornas — três irmãs que controlam o destino dos deuses e dos humanos

Odin — o "Pai de Todos" e rei dos deuses; deus da guerra e da morte, mas também da poesia e da sabedoria. Ao trocar um olho por um gole do Poço da Sabedoria, Odin ganhou conhecimentos inigualáveis. Ele pode observar os nove mundos de seu trono em Asgard; também vive em Valhala com os mais corajosos entre os mortos em batalha

Ostara — primeiro dia de primavera

othala — herança

ouro vermelho — moeda de Asgard e Valhala

Ragnarök — o Dia do Juízo Final, quando os mais corajosos entre os einherjar vão se juntar a Odin na batalha contra Loki e os gigantes no fim do mundo

Ran — deusa do mar; esposa de Aegir

Ratatosk — esquilo imortal que percorre a Árvore do Mundo carregando insultos entre a águia, que mora na copa, e Nidhogg, o dragão que mora nas raízes

Saehrímir — o animal mágico de Valhala; todos os dias ele é morto e assado para o jantar, e todas as manhãs ele ressuscita; tem o gosto que quem o come desejar

Serpentes de Urnes — símbolo de duas cobras entrelaçadas; significa mudança e flexibilidade e às vezes é associado a Loki

Sif — deusa da terra; com seu primeiro marido, teve Uller; Thor é seu segundo marido; a sorveira é sua árvore sagrada

Sleipnir — o corcel de oito patas de Odin; só Odin pode invocá-lo; um dos filhos de Loki

Sumarbrander — a Espada do Verão

Þingvellir — campo de assembleia

Thor — deus do trovão; filho de Odin. As tempestades são o efeito de quando a carruagem de Thor atravessa o céu, e os relâmpagos são provocados quando ele usa seu poderoso martelo, Mjölnir

Thrym — rei gigante

Tyr — deus da coragem, da lei e do julgamento por combate; ele teve a mão arrancada por uma mordida de Fenrir, quando o Lobo foi amarrado pelos deuses

Uller — deus dos sapatos de neve e da arquearia

Utgard-Loki — o feiticeiro mais poderoso de Jötunheim; rei dos gigantes das montanhas

Valhala — paraíso para os guerreiros a serviço de Odin

valquíria — servas de Odin que escolhem os heróis mortos que serão levados para Valhala

Vanir (pl.: Vanires) — deuses da natureza; semelhantes aos elfos

Vidar — deus da vingança; também chamado de "o Silencioso"

völva — vidente

wergild — dívida de sangue

Yggdrasill — a Árvore do Mundo

zuhr — árabe para oração do meio-dia

OS NOVE MUNDOS

Asgard — reino dos aesires
Vanaheim — reino dos vanires
Álfaheim — reino dos elfos
Midgard — reino dos humanos
Jötunheim — reino dos gigantes
Nídavellir — reino dos anões
Niflheim — mundo primordial do gelo, da névoa e da neblina
Muspellheim — reino dos gigantes do fogo e dos demônios
Helheim — reino de Hel e dos mortos desonrados

RUNAS (EM ORDEM DE APARIÇÃO)

Fehu — a runa de Frey

ᚠ

Othala — herança

ᛟ

Dagaz — novos começos, transformações

ᛞ

Uruz — touro

ᚢ

Gebo — presente

ᚷ

Perthro — o cálice vazio

ᛈ

Thurisaz — a runa de Thor

ᚦ

Hagalaz — granizo

ᚺ

Ehwaz — cavalo, transporte

ᛖ

Isa — gelo

ᛁ

NÃO PERCA O DESFECHO DA SÉRIE

MAGNUS CHASE
e os DEUSES de ASGARD

— III —

O NAVIO DOS MORTOS

1ª edição	OUTUBRO DE 2016
reimpressão	NOVEMBRO DE 2024
impressão	LIS GRÁFICA
papel de miolo	PÓLEN NATURAL 70 G/M²
papel de capa	CARTÃO SUPREMO ALTA ALVURA 250 G/M²
tipografia	ADOBE CASLON PRO